À propos du *Rouge idéal*…

2003 — Prix Arthur-Ellis

« Le portrait que fait Jacques Côté
de la Vieille Capitale
s'avère tout à fait étonnant,
comme si, le temps d'un roman,
Québec prenait des airs de
New York ou de Chicago. »
Le Soleil

« Il est difficile de lâcher cette histoire
menée tambour battant. […]
Côté tire bien son épingle du jeu.
Il nous entraîne dans un récit bien
ficelé, au suspense rondement mené. »
La Presse

« Une écriture impeccable,
des dialogues savoureux et justes
qui savent jouer de plusieurs niveaux de
langage font du *Rouge idéal*
un polar particulièrement efficace
qui saura à coup sûr plaire
aux amateurs du genre. »
Le Devoir

« Une intrigu
à lir

Les

« DU BEAU TRAVAIL. »
Nuit Blanche

« LE ROMAN EST BIEN FICELÉ,
FACILE D'ACCÈS. »
Le Journal de Québec

« UN EXCELLENT POLAR...
UN ROMAN QUI M'A BEAUCOUP PLU
POUR L'INTELLIGENCE DE SON SCÉNARIO. »
CJMF

« JACQUES CÔTÉ MET SES TALENTS DE CONTEUR
AU SERVICE D'UN STYLE, LE ROMAN POLICIER,
QU'IL MAÎTRISE DE MIEUX EN MIEUX.
LE ROUGE IDÉAL LUI PERMET D'ENTRER
DE PLAIN-PIED DANS LE CERCLE RESTREINT
DES AUTEURS DE POLAR *MADE IN QUÉBEC*. »
Amazon.ca

« JACQUES CÔTÉ N'A RIEN À ENVIER
AUX PLUS GRANDS ÉCRIVAINS DE POLARS.
AVEC *LE ROUGE IDÉAL*, L'AUTEUR PROUVE
SA TOTALE MAÎTRISE DU STYLE ET, SURTOUT,
DE LA LANGUE DANS TOUTES SES NUANCES. »
Le Nouvelliste

La Rive noire

Du même auteur

Les Montagnes russes. Roman.
Montréal : VLB, 1988.
Les Tours de Londres. Roman.
Montréal : VLB, 1991.
Les Amitiés inachevées. Roman.
Montréal : Québec/Amérique, coll. Littérature d'Amérique, 1994.

Wilfrid Derome, expert en homicides. Biographie.
Montréal : Boréal, 2003.

Nébulosité croissante en fin de journée. Roman.
Beauport : Alire, Romans 034, 2000.
Le Rouge idéal. Roman.
Lévis : Alire, Romans 063, 2002.

La Rive noire

Jacques Côté

Illustration de couverture
BERNARD DUCHESNE

Photographie
VALÉRIE ST-MARTIN

Diffusion et distribution pour le Canada
Québec Livres
2185, autoroute des Laurentides, Laval (Québec) H7S 1Z6
Tél.: 450-687-1210 Fax: 450-687-1331

Diffusion et distribution pour la France
DNM (Distribution du Nouveau Monde)
30, rue Gay Lussac, 75005 Paris
Tél. : 01.43.54.49.02 Fax: 01.43.54.39.15
Courriel: liquebec@noos.fr

Pour toute information supplémentaire
LES ÉDITIONS ALIRE INC.
C. P. 67, Succ. B, Québec (Qc) Canada G1K 7A1
Tél.: 418-835-4441 Fax: 418-838-4443
Courriel: info@alire.com
Internet: www.alire.com

Les Éditions Alire inc. bénéficient des programmes d'aide à l'édition de la Société de développement des entreprises culturelles du Québec (SODEC), du Conseil des Arts du Canada (CAC) et reconnaissent l'aide financière du gouvernement du Canada par l'entremise du Programme d'aide au développement de l'industrie de l'édition (PADIÉ) pour leurs activités d'édition.
Les Éditions Alire inc. ont aussi droit au Programme de crédit d'impôt pour l'édition de livres du gouvernement du Québec.

1er dépôt légal: 4e trimestre 2005
Bibliothèque nationale du Québec
Bibliothèque nationale du Canada

10 9 8 7e MILLE

À messieurs
Paul-André Bourque
et Marc Richard

TABLE DES MATIÈRES

They crucify you when you get it wrong […]
What you deserved and all the blood you bled […]
You'll turn in your grave at what's gonna be said
You'll finally be appreciated
Cos everybody loves you when you're dead

The Stranglers, *La Folie*

PREMIÈRE PARTIE

LE POIDS DU JOUR

1

MERCREDI, 21 MAI

L'employé de la morgue remonta la fermeture éclair du sac à cadavre ; le long *glissando* déchira le silence. Les pleurs de Linda Savard reprirent de plus belle : « Ils auraient dû l'emmener à l'hôpital, c'est de leur faute aussi. » Elle sortit de la chambre en piétinant et en agitant les bras avec frénésie. Le corps secoué de tics, elle alla s'asseoir dans la salle à manger au plancher en damier noir et blanc. Elle s'alluma en tremblant une cigarette, mais du côté du filtre. Le lieutenant Duval l'observait. Il inscrivit dans son calepin la dernière déclaration de la mère. Dans le salon, son mari lui tournait le dos. Il restait prostré, muet ; sa coupe balai lui cachait les yeux. Il roulait entre ses doigts jaunis de nicotine une pointe de sa moustache qui lui tombait jusqu'à l'extrémité du menton. Au-dessus de lui, sur le mur en préfini brun, une tête de chevreuil empaillée était figée dans l'éternité. Le lieutenant nota que les époux avaient gardé leurs distances depuis le début de l'intervention. Ils s'évitaient. Ce que Duval voyait faisait écho à sa propre situation de couple et à cette fausse couche qui avait causé tant de ravages. Il voyait le sang sur le lit de sa copine, Laurence. Il l'entendait le traiter de sans-cœur parce qu'il avait gardé son calme. Sa gaffe: essayer de la raisonner en lui disant que c'était un signe de malformation congénitale. «Es-tu médecin?» avait rétorqué Laurence, cinglante, elle qui était docteure. Il revint à lui en chassant ces pensées noires.

Il referma son carnet. La voix grave de son collègue Francis Tremblay perçait à travers le mur. Il discutait avec un technicien de l'Identité judiciaire. Duval s'approcha. Francis était penché au-dessus du lit à barreaux que le technicien examinait méticuleusement. Complètement groggy en ce lendemain de brosse, Tremblay remonta le mécanisme du mobile et de petites créatures tournoyèrent au-dessus de la couchette. La célèbre berceuse de Brahms se répandit dans la chambre aux murs jaunes. Duval, qui l'avait si souvent chantée à sa fille, Mimi, se rappela les paroles et une vague d'émotion l'étreignit.

Bonne nuit, mon enfant
Dans ton petit lit blanc
Fais un rêve merveilleux
Quand tu fermeras les yeux.

Les ambulanciers franchirent le seuil de la pièce. Duval baissa la tête au passage de la civière. Elle semblait vide: les dix livres du bébé ne formaient qu'un petit monticule. Il n'y avait plus rien à faire pour lui. Les yeux qui venaient à peine de s'ouvrir à la vie s'étaient clos à jamais. Un bref séjour en ce monde et puis s'en va, pensa le lieutenant.

Le répartiteur de la centrale les avait dépêchés à six heures du matin dans cette résidence de Notre-Dame-des-Laurentides. Une mère en pleurs avait téléphoné pour dire que son bébé « ne bougeait plus », mais qu'il gémissait. L'enfant était en arrêt respiratoire à l'arrivée des ambulanciers. Ils avaient pratiqué la respiration artificielle et la réanimation cardiorespiratoire, mais en vain. Les secouristes avaient constaté qu'il y avait eu un important saignement dans les rétines et ils avaient découvert des hématomes sur le corps du petit. L'enquête était ouverte. Le coroner avait mandaté l'Escouade des crimes contre la personne.

Un policier demanda au couple Savard de le suivre à la centrale pour une déposition. L'homme se leva, ramassa un t-shirt noir sur le plancher, l'enfila et glissa son paquet de cigarettes dans sa manche gauche.

2

Trente minutes plus tard, Duval et Tremblay regagnaient la voiture. Le propriétaire du bungalow d'en face avait tapissé ses fenêtres d'affiches rouges du camp du Non. Quelques voisins donnaient une entrevue à un journaliste, le baratin habituel: des gens sans histoire, du bon monde; et bla-bla-bla…

L'habitacle de la voiture était encore frais malgré le mercure qui frôlait déjà les vingt degrés. Duval avait pensé à stationner la Chevrolet sous un saule. L'odeur du petit sapin parfumé suspendu au miroir donna la nausée à Tremblay, qui baissa la vitre.

Les feuilles avaient reverdi les arbres et le ciel brillait de tout son bleu. Il semblait vouloir narguer les perdants. Personne, à vrai dire, ne paraissait avoir le cœur à la fête, même pas les gagnants. « Ne donne pas l'impression d'avoir perdu en ce lendemain référendaire », s'était conseillé Duval devant le miroir. Il n'avait pas pris de position politique durant la campagne, du moins au boulot. Le lieutenant frotta ses yeux fatigués. Il n'avait pas le cœur au travail. Le détective Francis Tremblay, membre de son équipe, était cerné, portait le deuil et une gueule de bois. Le front dans la main, il massait ses tempes avec le pouce et l'index. Le gars de Charlevoix, avec qui Duval avait écouté la veille les résultats du référendum, était de mauvais poil. Sa copine, Adèle Marino, avait eu beau essayer de freiner sa cuite, elle n'y était pas parvenue. Frankie, comme on l'appelait, avait noyé son blues patriotique. Il s'était finalement endormi sur le carrelage froid de la salle de bain. Ce n'est pas tous les jours qu'une province peut devenir un pays.

Sur le boulevard Hamel, Duval doubla un camion à remorque. Il remarqua les dessins de femmes nues sur les garde-boue. La circulation était fluide. Collées sur les lampadaires, les affiches bleues du camp du Oui et celles du Non, sur fond rouge, n'étaient plus qu'un vestige historique. Il jeta un coup d'œil à Francis, passablement amoché.

Duval et Tremblay prenaient le chemin coutumier de la morgue.

La radio grésilla. Duval décrocha le combiné. C'était la voix joyeuse de l'enquêteur Louis Harel, un baume en ce matin morose. Loulou, un membre de son équipe, avait pris la déposition des Savard.

— Savard a déjà été accusé de voies de fait avec blessures graves en 1973 et en 1975. Pour le bébé, ils s'en tiennent tous les deux à la même version. À la demande de sa femme, l'homme est allé chercher le nourrisson dans son lit vers cinq heures du matin pour la tétée. Quand il est entré dans la chambre, le bébé se trouvait dans un état semi-comateux.

— Est-ce que le bébé avait pleuré pour que la femme sente le besoin d'envoyer son mari le chercher?

— Non, c'est ce qu'elle dit. Elle trouvait bizarre que l'enfant ne pleure pas comme il le faisait toutes les trois heures.

— Merci, Loulou. On se voit tantôt.

— En passant, j'ai du PeptoBismol pour Francis. Et console-toi, Frankie : le seul vrai pays est celui de Dieu. Les frontières sont des lignes artificielles qu'on ne voit pas du haut du ciel.

Francis arracha le récepteur de la main du lieutenant.

— Louis, va chier ! Épargne-moi ton prêchi-prêcha. Le Paradis est une abstraction et un pays, c'est une chose concrète.

Louis était demeuré neutre durant la campagne référendaire. En fait, il n'avait pas voté. Enrôlé dans le mouvement charismatique, il jugeait le débat futile.

— En passant, notre collègue Prince est très efficace ce matin !

— Dis à Bernard que j'ai hâte de voir si « un non voudra dire un oui au changement », marmonna Francis, qui avait le teint de plus en plus olivâtre.

On entendit un gros rire gras à l'autre bout. Bernard Prince était le quatrième membre du quatuor. Il avait autant d'admiration pour le premier ministre du Canada, Pierre Elliott Trudeau, que Francis pour René Lévesque, le premier ministre du Québec. Prince ne s'était pas caché pour fustiger Francis et les autres séparatistes de l'Escouade des homicides. Il avait accompagné sa femme au rassemblement des Yvette qui s'était tenu au Forum. On avait vu aux nouvelles son épouse se trémousser sur *Hello Dolly*. Duval avait dû calmer les ardeurs de ses coéquipiers Prince et Tremblay, qui en étaient presque venus aux coups. La division régnait partout.

La Chevrolet s'engagea dans la rue Semple où s'étendaient les bâtiments sans âme du quartier industriel. Le camion des éboueurs devant la voiture laissait s'échapper un fluide nauséabond. Au bout de la rue s'élevait, dans un style laidement utilitaire, le Laboratoire de médecine légale et de police scientifique de Québec.

En coupant le moteur, Duval aperçut dans son rétroviseur une ambulance qui traversait le stationnement pour se diriger vers les portes de débarquement, à l'arrière de l'édifice.

3

La morgue avait ses airs sinistres de morgue. La mort, non partisane, n'affiche aucune préférence. La nuit venue, la dame noire avait fauché autant de partisans du oui que du non.

Duval et Francis, pour une rare fois, préféraient attendre les résultats de l'autopsie à l'extérieur de la salle. Mais ils ne pouvaient s'empêcher de regarder de temps à autre par l'ouverture vitrée de la porte. L'aide-pathologiste déposa le petit corps sur la table de radiographie.

Adossés à un mur en face de Duval et de Tremblay, deux ambulanciers parlaient du bon vieux temps où ils roulaient en Cadillac à 100 milles à l'heure. Ils maudissaient ces affreuses fourgonnettes jaunes imposées par le gouvernement.

Une porte claqua. Un assistant pathologiste sortit de la seconde des trois salles d'autopsie et poussa un juron. Sa main était ensanglantée.

— Tu t'es fait mordre par Dracula ? lui lança Francis.

— Niaise-moi pas à matin. Je me suis coupé sur un hostie de fragment d'os. Câlice !

L'ambulancier, qui racontait comment il avait un jour évité un face-à-face alors qu'il transportait un polytraumatisé dans sa Cadillac, se porta aussitôt à l'aide de l'assistant.

Mireille, la jeune biologiste, passa la porte de son laboratoire. Elle semblait non affectée par les événements de la veille. Duval se tourna vers elle. Sous son sarrau détaché, elle portait un joli tailleur bleu. La présence du lieutenant la mettait toujours sur la défensive, comme si elle éprouvait l'urgence de bien paraître. Elle lui décocha un sourire tout en ravalant sa salive. Duval et Mireille travaillaient plus souvent ensemble depuis qu'elle avait remplacé les pathologistes judiciaires sur les scènes de crime.

— Ça va ? demanda le lieutenant.

— Je vais faire gicler du sang de cochon pour une analyse de giclée artérielle.

Dans sa main gauche, elle tenait un couteau de cuisine, une pièce à conviction dans une affaire d'homicide.

— Pas besoin d'un cochon, va voir Murphy qui s'est fait mordre par un cadavre !

Duval, qui n'était pas reconnu pour son humour, était fier de son coup. Elle sourit, ce qui accentua ses jolies pattes d'oie.

Mireille faisait tous les prélèvements sur les scènes de crime et avait développé une expertise en morphologie des taches de sang. Elle seule au Québec possédait cette compétence, ce qui l'amenait souvent à Montréal et même aux États-Unis.

La porte de la première salle d'autopsie s'ouvrit. Villemure, dans sa tunique verte, leur fit signe d'entrer. Un stagiaire observait les radiographies sur le négatoscope. Francis, avec son mal de cœur, préféra rester dans le corridor. Duval franchit le seuil de la salle d'autopsie. Le petit corps blanc tacheté de bleus reposait sur l'acier inoxydable. Il avait été trépané et on lui avait rasé les rares cheveux qu'il avait sur le crâne. La scène donnait froid dans le dos. Duval sentit son estomac se contracter.

Le cerveau à peine plus gros qu'un pamplemousse reposait dans un plateau en aluminium sur le comptoir en inox. Le docteur avait tranché de fines lamelles sur la moitié de l'organe.

Villemure, la tête relevée, regarda attentivement les radiographies. Il observa la cage thoracique en pointant son crayon sur les côtes. Il nota une série d'informations sur son bloc de papier. Puis le pathologiste judiciaire retourna vers le bébé pour vérifier ce qu'il voyait à la radiographie.

Il salua Duval. Villemure avait les cheveux blancs, fins et, malgré la soixantaine, il possédait encore des traits juvéniles. Étrangement, ses beaux yeux bleus étaient souvent injectés de sang. Duval avait un jour pensé que l'horreur quotidienne avait fini par s'imprégner dans le blanc des yeux du pathologiste comme sur une pellicule.

— Tu peux fermer, dit Villemure à son assistant. Va me chercher le brûlé de la rue Mazenod.

Au coin de la table, l'assistant enfila le fil dans le chas d'une grande aiguille pour recoudre l'ouverture.

Le docteur déposa sa planchette métallique sur le bord de la table.

— Un cas typique de SBS.

— SBS ? demanda le lieutenant en susurrant longuement le dernier s.

— Syndrome du bébé secoué.

Villemure montra à Duval le cerveau de l'enfant. Le stagiaire s'approcha d'eux.

— La force de la secousse a été telle qu'elle a déchiré des vaisseaux sanguins importants entre la boîte crânienne et le cerveau. Regarde le sang à l'intérieur et autour du cerveau. Même chose dans les yeux. Il y a eu un saignement abondant dans la rétine et derrière le globe oculaire.

— L'enfant a-t-il pu s'infliger lui-même ces blessures en tombant ou en se frappant contre les barreaux du lit ?

— Non, impossible. Aucune plaie sur le crâne ne démontre qu'il y aurait eu un choc contre un objet dur. Mais le bébé est bel et bien mort d'un traumatisme encéphalique. Les lésions des tissus, les hématomes sont révélateurs.

Il se tourna vers son stagiaire, un étudiant de Laval qui se destinait à la pathologie judiciaire, et prit un ton professoral.

— Comme tu peux le remarquer sur le plan physiologique, le volume du crâne chez les bébés et la fragilité de leur nuque les rendent très vulnérables à ces chocs violents. Ils ont des cous de coton. Les espaces péricérébraux, encore plus marqués chez les garçons, font que, pendant la secousse, le cerveau s'écrase contre la paroi crânienne. Imagine un jaune d'œuf que tu brasses dans la coquille. Rapidement, les vaisseaux sanguins se rompent. Autre élément à observer, jeune homme : la cage thoracique, poursuivit Villemure en se tournant vers le négatoscope qui se reflétait dans ses verres. Très souvent, les côtes cassent sous la pression exercée par les mains de l'agresseur. C'est ce qui s'est produit dans ce cas : le petit a deux côtes fracassées.

Le jeune homme buvait les paroles de Villemure comme un disciple les paraboles de Jésus.

— Très peu d'enfants s'en tirent sans séquelles, qu'elles soient neurologiques, comportementales ou physiques. Certains souffriront de cécité ou de perte de vision, d'épilepsie, de paralysie cérébrale, de troubles d'apprentissage, de retard mental, ou même resteront dans un état végétatif. Tout ça parce qu'un parent immature et frustré a perdu la tête pendant quelques secondes. Malheureusement, trop souvent, ils s'en tirent à bon compte, car bon nombre de ces cas échappent aux médecins.

Pendant cette leçon médicolégale, Duval repensait à la crise que cette fausse couche générait dans son couple : sa conjointe l'accusait de ne pas être ébranlé, de réduire la mort de ce fœtus à un fait divers.

— Eh ! Hou ! Tu es là, Daniel ? lança Villemure.

Duval revint à lui.

— Excuse-moi, je me suis couché tard, hier…

— Je te remets un double du rapport d'autopsie. Les photos te seront expédiées d'ici une heure.

Villemure sortit dans le corridor à la rencontre de Francis, qui avait l'air d'un zombie.

Il scruta Tremblay par-dessus ses lunettes à foyer.

— Tu n'as pas l'air dans ta plus grande forme.

— Et toi ? As-tu réussi à convaincre ta femme de voter oui ?

— Elle a voté non, comme son père. Elle a toujours voté comme son papa qui est très actif au sein du Parti libéral depuis l'époque de Taschereau. Au moins, dans le temps de Duplessis, les femmes votaient comme leurs maris. Encore mieux, elles ne votaient pas, avant 44…

La remarque arracha un large sourire à Duval.

— Je pensais que ce serait plus serré, grommela Francis.

— Pour te consoler, rappelle-toi le discours de Lévesque : « Si j'ai bien compris, vous êtes en train de me dire à la prochaine fois. »

Tremblay esquissa son premier vrai sourire de la journée.

— On se voit cet après-midi, messieurs, pour l'exhumation de la dame de l'île d'Orléans, dit Villemure en les saluant.

Dans la voiture qui les ramenait à la centrale, l'image du bébé mort ne cessait de hanter Duval. Il en avait pourtant vu, des cadavres, dans sa carrière, mais celui-ci s'était imprégné dans sa mémoire.

Pour Laurence, tout avait commencé par des saignements. Les heures étaient angoissantes. Elle lui avait expliqué que ce phénomène se produisait parfois et que la médecine était incapable d'en expliquer la raison. Mais les saignements et les crampes s'étaient accrus. Puis le corps s'était débarrassé de la vie sur le lit où il l'avait reçue. Laurence tenait à cet enfant encore plus que lui, et sa sensibilité était à fleur de peau. Les événements de la veille et du matin n'étaient pas sans raviver cette blessure.

À la radio, les accords de *Here comes the sun,* de George Harrison, accompagnaient la montée du soleil à son zénith. Duval accrocha soudainement à ces paroles: *Little Darling, it's been a long long coldy winter... Here comes the sun*. Le visage du petit l'obsédait. Il lui faudrait écrire pour la revue *Sûreté* un article sur les bébés secoués.

Francis posa la main sur le bras de son chef d'équipe.

— Arrête la voiture. Je suis mal. Je vais être malade...

Duval stoppa immédiatement la Chevrolet devant la Dominion Corset, au coin des boulevards Dorchester et Charest. Francis se précipita derrière un abribus et vomit ses gerbes d'amertume dans une poubelle. Les gens en file le regardaient, incrédules. Le maître d'aïkido, en costard Yves Saint Laurent, ressemblait à un clochard nouveau riche. Il resta courbé un bon moment, puis se déplia lentement. Il revint vers la voiture et y remonta péniblement, les yeux chassieux, l'haleine affreuse. On aurait dit que le tableau périodique des éléments chimiques lui sortait de la bouche.

— Hostie, j'ai trop bu...

— Retourne chez toi te reposer. Tu vas être bon à rien, aujourd'hui.

D'un signe de tête, le détective approuva. Dans le ciel, un avion traînait une banderole : « Le Canada vous dit merci ! » Duval espéra que son collègue ne lève pas le nez au firmament. Tout donnait la nausée en ce matin morose. Les défaites comme les victoires donnent toujours le vertige.

4

Duval aperçut son collègue Harel devant le tableau d'affichage du rez-de-chaussée de la centrale. Louis tenait une affiche dans sa main droite et une boîte d'épingles dans la gauche. Sa canne était appuyée contre le mur. Sa grosse main velue, pleine de pouces, échappa l'affiche qui plana à un mètre du lieutenant. Duval la ramassa et lut : « Ce soir, je danse avec ma police. »

Dans un style bédé, Badeau, l'artiste judiciaire, avait dessiné des policiers qui dansaient avec des citoyens.

— Ce que tu ne ferais pas pour de la chair fraîche !

— Toi, ne te méprends pas.

Le gros Louis organisait toutes sortes d'activités. Les policiers lui devaient cette populaire soirée disco qui avait lieu une fois par mois.

Un oiseau moqueur passa en sifflant un air disco. C'était Malo, un grand flanc-mou boutonneux aux cheveux sales. Il lança une de ces niaiseries dans lesquelles il était passé maître.

— On va-tu se faire chanter encore « La police plein de pisse numéro 36 » ?

— Non, mais dans certains cas, « la police plein de marde » serait justifié, maugréa Louis assez fort pour être entendu de Malo.

Louis haïssait l'enquêteur Malo, et c'était réciproque. Malo s'était souvent payé sa tête à l'époque où Harel prenait de la coke, fréquentait une danseuse, vivait à crédit, menait deux vies dans une pour finir par les perdre l'une et l'autre.

Louis contempla avec fierté son affiche et se tourna vers son collègue.

— Frankie n'est pas avec toi ?

— Il a fini sa matinée en vomissant dans une poubelle du boulevard Charest. Malade comme un chien.

— Maudite politique… Y faut pas que tu oublies que demain, on est invités dans une école de la Basse-Ville.

— Ah oui ! C'est vrai, se rappela Duval avec dépit. Qui nous invite ?

— Le prof de pastorale est un de mes amis. Il est dans le Club Lions.

Duval détestait ces événements de promotion. D'abord, il n'aimait pas parler en public, contrairement à Louis. Mais, pire encore, il craignait les facéties de son collègue qui, souvent, cherchait à l'embarrasser pour le plaisir des spectateurs.

Louis prit sa canne et marcha en claudiquant vers les bureaux de l'Escouade des crimes contre la personne. Quel progrès en moins de quatre ans, se dit Duval. Harel était une force de la nature. Il avait survécu à une fusillade qui l'avait laissé dans le coma. Au réveil, il avait cru voir une croix briller devant lui. Malgré les sceptiques, il n'en démordait pas, d'autant plus que les médecins parlaient de miracle dans son cas. Au sortir de l'hôpital, il ne pouvait plus utiliser qu'une jambe. Après de longs mois de rééducation, il était passé du fauteuil roulant aux béquilles. Quatre ans plus tard, il se déplaçait à l'aide d'une canne, ce qui lui demandait toute une gymnastique. C'est de sa rencontre avec Dieu – de sa résurrection, comme il disait – que Louis voulait témoigner. Loulou tenait aussi le micro chaque semaine à la radio communautaire, une émission de quatre heures, de vingt-deux heures à deux heures du matin, afin de rejoindre les gens seuls. Duval avait cru que le Gros se casserait la gueule, mais son ami, aussi brouillon fût-il, avait l'art de parler simplement ou de piquer de savoureuses colères en ondes. Toutes sortes de spécimens participaient à sa tribune téléphonique : des prostituées, des religieuses, des policiers, des invalides, des détenus qui téléphonaient de la prison pour l'engueuler et lui souhaiter de se faire buter. Louis leur répliquait par des psaumes ou des jurons.

Ils passèrent le seuil des bureaux de l'Escouade des crimes contre la personne. Chaque espace était délimité par une cloison de verre. Dans les fenêtres se dessinaient en contrebas la rue Lockwell, le quartier Saint-Jean-Baptiste et son magnifique clocher, la Basse-Ville et, au bout de l'horizon, les Laurentides qui verdoyaient de plus en plus.

Prince, qui sifflait joyeusement, tapait un rapport à l'intention du substitut du procureur. On ne l'entendait jamais siffler comme ça. À sa droite, *Le Journal de Québec*, avec sa une historique, trônait fièrement. Demain, ce serait le bébé martyr, se dit Duval. L'Histoire gave les tabloïds de toute une variété de moulées.

Prince releva la tête.

— Est-ce que je peux vous faire une confidence ?

— Tu prends ta retraite ? lança Louis.

— Mon Canada ne serait pas le même sans vous, les gars.

— Merci, mais va pas répéter ça à Francis, sinon le Canada comptera un citoyen de moins ce soir…

Duval sourit. Bernard Prince dégageait des moles d'énergie. Prince, le quatrième violon de l'équipe, le taciturne, avait encaissé bien des coups. Il ne s'ouvrait que très rarement à ses collègues comme il venait de le faire. C'était l'alto du quatuor, un être discret mais tourmenté par les remords et l'anxiété. Tout s'était bien déroulé dans sa vie jusqu'au jour où sa fille s'était mise à dérailler, atteinte de schizophrénie. Il avait dû la placer à l'asile de Beauport, car elle se prenait pour un ange.

Le téléphone sonna dans le bureau de Louis et le Gros claudiqua à grands pas jusqu'à son cagibi vitré.

— Est-ce que les Savard ont changé leur version des faits ? s'enquit Duval.

— Non, elle et son mari s'en tiennent à ce qu'ils ont déjà dit, répondit Prince. Et toi, t'as du nouveau ?

— Oui, le rapport du médecin légiste et des photos. Au fait, t'as les détails, pour cet après-midi ?

Prince releva sa grosse tête de demi-défensif. Son front large, sillonné de trois rides profondes, ses yeux noirs sous des sourcils épais et ses cheveux en brosse, dressés comme des piquants, lui conféraient des airs de dur à cuire.

— L'heure et le lieu de l'exhumation de la dame Marquis sont sur ta table de travail.

— Merci.

Duval entra dans son bureau. Il se cala sur sa chaise, inscrivit l'heure de l'exhumation dans son agenda. Il replaça le stylo dans son porte-crayon en forme de cochonnet à côté duquel étaient placées deux photos : l'une de Mimi, sa fille, avec son mortier sur la tête, et l'autre de Laurence à la plage.

Il relut certains détails de l'affaire Marquis : l'enquête allait être fermée aussi vite qu'elle avait été ouverte. Florence Marquis était l'épouse d'un riche entrepreneur de Québec, Charles Marquis. Encore une sale querelle d'héritage au dénouement malheureux, pensa Duval. Il déposa le document, frotta ses yeux fatigués. Il n'avait pas la tête à s'en farcir les détails. Il détestait les affaires de succession. Elles démontraient toute l'insalubrité morale et la rapacité de l'espèce humaine. À la place, il parcourut le rapport médico-légal du docteur Villemure et la déposition des Savard avant de procéder à leur interrogatoire. Il consulta le dossier judiciaire de Gaston Savard : arrestations pour conduite en état d'ébriété, accusation de voies de fait graves à la sortie d'un bar de Vanier, puis, en 1976, accusations de violence conjugale contre sa femme. Ce dernier fait retint son attention. L'historique de l'intervention policière, qui avait eu lieu à Giffard, laissait entendre que sa compagne d'alors avait été rouée de coups. Une précision lui glaça alors la colonne : « La femme était enceinte de sept mois. »

5

Duval lut aux Savard les droits que la justice leur conférait. Louis ajusta le calibrage des micros du magnétophone. Duval fixa la femme droit dans les yeux. Il ne clignait que rarement des paupières durant un interrogatoire. Il notait toutes les nuances du paralangage : silences lourds, regards fuyants, tremblements, fluctuations de voix, gestes nerveux… Ses sens aguerris valaient mieux qu'un polygraphe. Son regard intense intimidait le suspect. Il interdisait toute faille si le témoin tentait de simuler.

Madame Savard semblait accablée par la nervosité. Elle se pinçait les doigts ; des rougeurs couvraient son décolleté. Elle évitait de regarder le lieutenant-détective, ses yeux déviant vers la droite.

— Vous vous êtes inquiétée parce que votre enfant ne pleurait pas, c'est exact ?

— Oui, dit-elle d'une voix chevrotante.

— À quand remontait le dernier boire ?

— Vers minuit.

— Ça veut dire quoi : minuit moins quart, minuit moins dix, minuit et cinq ?

— Bin, j'sais pas. Mettons minuit.

— Vous êtes certaine ?

— Minuit.

À ses côtés, Gaston Savard, le dos incliné, roulait les bouts de sa moustache, le regard vague.

— Est-ce que l'enfant a bu correctement ?

— Oui.

— Il s'est endormi après ?

— Oui.

— Il ne montrait pas de signes particuliers de malaise ?

— Non.

— À quelle heure vous êtes-vous couchée ?

— Moi, à vingt-deux heures, mais après m'être levée pour le boire, je suis allée écouter un film avec mon mari.

— Quel film ?

Son époux réagit d'un signe de tête.

— Un film avec Charles Bronson, dit-il d'une voix rauque.

— Quel poste ?

— Au 4, reprit-il.

— Vous êtes allés vous coucher à quelle heure ?

— Vers deux heures quinze, reprit la femme.

— Pendant tout ce temps, l'enfant n'a pas pleuré ?

— Non.

— Et vers quelle heure vous êtes-vous inquiétée ?

— À trois heures, j'ai dit à Gaston d'aller voir.

— C'est là qu'il vous a répondu que le petit a l'air bizarre ?

— Oui.

— Ça s'est passé comme ça, monsieur Savard ?

— Oui. C'est la vérité.

Duval fixa un long moment Gaston Savard, dont le regard semblait un abîme de stupidité. Mais les agresseurs, dans ce type d'homicide, appartiennent à toutes les classes sociales, se rappela le lieutenant. Savard n'en était qu'un échantillon.

— Combien de temps êtes-vous resté dans la chambre du petit ?

Savard parut déconcerté par la question. Il expira longuement, avala ses mots en marmonnant.

— Quoi ? lança Duval, qui n'avait rien compris.

— Cinq menutes.

— Vous êtes sûr ?

— Oui.

— Ensuite, vous avez fait part à votre femme de l'état du petit.

— C'est ça.

— L'enfant ne réagissait pas ?

— Non.

De longs chapelets de sueur ruisselaient maintenant sur le front de Savard. Duval tapota son crayon sur le bureau.

— Si l'enfant allait si mal, pourquoi avez-vous attendu si longtemps avant de demander de l'aide ? reprit Duval en haussant légèrement le ton.

— Je croyais qu'il dormait.

Le lieutenant toisa Savard d'un regard plein de scepticisme.

— Derek était votre seul enfant ?

— Oui.

— Avez-vous eu d'autres enfants dans le passé ?

Savard hésita à répondre, consulta sa femme.

— Oui.

— Qu'est-il arrivé à cet enfant ?

— Il est mort.

— Lui aussi ? Dans quelles circonstances ?

— Il a été malade.

« Vérifier l'information : mensonges ? », écrivit Duval dans son carnet avant de se lever. Il aperçut son reflet dans le miroir sans tain.

— Avez-vous déjà été arrêté pour violence conjugale ?

— Non.

— Avez-vous déjà frappé votre conjointe pendant qu'elle était enceinte ?

— Je viens de te le dire.

Savard était affecté d'un léger tremblement de la mâchoire.

— Vous avez la mémoire courte, monsieur Savard.

Duval tenait à connaître la vérité sur le décès de son premier enfant, mais chaque chose en son temps. Il ouvrit plutôt l'enveloppe contenant les photos ornées des dessins faits par le légiste pour déterminer les blessures. Il les étala une à une devant Savard.

— Monsieur et madame Savard, je n'irai pas par quatre chemins. Votre version ne correspond pas du tout à la réalité.

Savard se releva de sa chaise, agressif.

— Étais-tu là, toé ?

Louis, qui était demeuré muet à mâcher de la gomme, le rassit d'une main ferme.

— Toi, tu vas respecter le lieutenant Duval !

D'un geste discret, Duval indiqua à Louis qu'il était prêt à reprendre.

— Derek, votre bébé, nous a dit bien des choses à l'autopsie.

Duval sortit le rapport de Villemure.

— Je vais vous lire la liste des sévices…

Une longue rigole de sueur glissa sur la joue du suspect. Sa femme semblait paralysée par les paroles du lieutenant. Ses dents s'entrechoquaient, sa poitrine s'empourprait. Duval vint se rasseoir devant Savard. Il était à un pied de son visage.

— Le rapport du médecin indique un degré élevé de dépôts salins sur le visage de l'enfant. Le bébé a pleuré souvent au cours de cette nuit. Deuxièmement, il était en phase de déshydratation. Il n'avait pas bu depuis au moins huit heures, contrairement à ce que vous dites. De plus, on ne l'avait pas langé depuis un bon bout de temps.

— Le film de Charles Bronson devait être bon en crisse ! ajouta Louis.

Linda Savard baissa les yeux de honte, ferma les paupières, sitôt percées par les larmes.

Duval pointa le doigt vers une des photos.

— En passant, comment ça se fait qu'il avait des bleus ? Là, sur la cuisse, ici, sur le tibia de la jambe gauche et sur les bras…

— Les enfants, ça se cogne partout, le coupa l'homme.

Le Gros, qui jusque-là était resté plutôt discret, grogna. Il éteignit le magnétophone.

— Pour que ça fasse un bleu, le tança-t-il, y faut que le coup ressemble à ça !

Sous les yeux sidérés de son collègue, il appliqua une droite retentissante sur le biceps de Savard, qui recula d'un mètre. Savard voulut se lever pour répliquer, mais Duval le rabattit d'une poigne solide.

— C'est de la part de Derek, reprit Louis. Tu veux d'autres exemples ? On va t'en donner. Si tu entraves à nouveau notre travail, je te colle une charge de plus.

Savard se calma tout en frottant son bras endolori. Ses yeux torves roulaient de hargne.

Duval, exaspéré, demanda à Louis de remettre en marche le magnétophone.

— Les enfants se cognent partout, c'est ce que j'ai entendu dire…

— Tu veux rire de moi ? dit le lieutenant. Un enfant de deux mois, ça ne tient pas sa tête tout seul, ça ne peut même pas s'asseoir tout seul, et tu voudrais qu'il se soit cogné de lui-même ? Es-tu sûr que tu ne l'as pas aidé un peu ? Regarde-moi, Savard. Je vais te suggérer ce qui s'est passé. Derek pleurait. Tu n'en pouvais plus. Tu l'as empoigné par la taille et tu l'as secoué fortement. Sa tête a basculé de l'avant vers l'arrière comme celle d'une poupée de chiffon et il a subi un traumatisme au cerveau. Sous la pression de ta main droite, deux côtes ont été brisées.

Duval montra du doigt certains détails de la photo.

— Regarde les jambes, les bras couverts d'hématomes, la radiographie avec les côtes cassées.

Linda Savard lança un regard accusateur à l'endroit de son mari. Elle aurait voulu parler, mais rien ne sortait à part les larmes. Elle pleurait comme une Madeleine emplie de remords. Ses geignements se firent de plus en plus nerveux, aigus.

L'homme enfouit son visage dans ses mains, l'air de vouloir faire pitié.

— Il est tombé de la table à langer, lâcha-t-il. Je l'ai laissé sans surveillance un instant.

— Où a-t-il subi un choc ?

— À la tête, voyons !

Duval se rappela l'information que lui avait fournie Villemure. Mais, surtout, il sentit Louis soupirer derrière lui et craignit pour la tête de Savard.

— Menteur ! L'enfant ne porte aucune marque sur le crâne. Il n'a pas pu tomber sur la tête. Tu nous prends pour des caves ou quoi ?

La femme se leva, se tourna vers son mari, la mâchoire crispée par la colère, le regard hébété. Duval savait que le chat allait sortir du sac.

— Arrête de mentir, c'est toi qui lui faisais mal. Tu te fâchais après. Tu te défoulais dessus. Tu le brassais fort quand y braillait.

— Ta gueule, toé ! hurla l'autre en postillonnant.

— Taisez-vous ! ordonna le lieutenant.

Gaston Savard resta sans voix, sans arguments. On n'entendait plus que le magnétophone tourner et l'amorce trop longue de la bande magnétique qui frottait contre l'appareil.

— On va reprendre depuis le commencement, annonça Duval.

Au bout d'un quart d'heure, la vérité sortait de la bouche de Linda Savard. Entre deux sanglots, elle livra sa version.

— Vous dites que le bébé se tordait de douleur ?

— Il avait des coliques. Y chialait tout le temps. Mon mari s'est fâché noir. C'était son tour d'aller voir ce qui se passait.

— À quelle heure ?

— Deux heures.

— Comme y allait manquer une scène importante du film, y était bleu de rage. Il a couru comme un fou vers la chambre. Y pouvait plus entendre les pleurs. Quand y est revenu, le bébé pleurait plus. Y m'a dit que Derek dormait.

— Je l'ai juste brassé un peu, se défendit Savard.

Duval le regarda droit dans ses yeux jaunes, chassieux comme des œufs crevés.

— Monsieur Gaston Savard, vous êtes accusé de voies de fait ayant causé des blessures et la mort de votre enfant, de négligence criminelle pour non-assistance à votre enfant, de mauvais soins qui ont mis la santé de votre fils en danger.

Savard conserva un air impassible tandis que sa femme se remettait à pleurer.

Deux agents entrèrent pour les amener au centre d'incarcération.

6

Daniel Duval respira un instant le parfum fin et subtil des lilas encadrant le cimetière. Le vent du large diffusait les odeurs et fouettait les cheveux. En haut, le clocher argent luisait au soleil. Des hirondelles bleues virevoltaient et allaient se poser sous le larmier.

Mais sur le plancher des vaches, le paysage n'avait rien de pastoral. Sous les branches fleuries, une Vierge fixait la scène de son visage de marbre noir. La pelle mécanique remontait de grosses pelletées de terre. Le monticule dissimulait les jambes du fossoyeur qui se préparait à descendre dans la fosse. Portières ouvertes, le camion bourgogne de la morgue attendait la sinistre livraison. Duval, Harel et Villemure regardaient l'opération à proximité. Duval se pencha en avant. Le coffre du cercueil était maintenant visible, avec les gerbes séchées qui n'avaient pas eu le temps de se décomposer.

— Je déteste les exhumations, dit Villemure.

— Ça te pue au nez ! s'esclaffa Louis.

L'exhumation était, de fait, l'acte médicolégal le plus répugnant. La fermentation des bactéries dans un corps en état de putréfaction constituait l'une des expériences sensorielles les plus insoutenables, d'autant que, dans ce cas-ci, la mort remontait à quelques mois à peine. Les odeurs de lilas n'en pourraient rien masquer.

— Qu'est-ce que tu sais de cette affaire ? demanda Villemure à Duval.

— Le frère de Florence Marquis, Germain Charbonneau, croit que sa sœur a été assassinée. Charbonneau séjournait en Europe. Il n'est rentré qu'un mois plus tard. À son retour, il a constaté qu'il n'était plus l'exécuteur testamentaire et qu'il avait été en partie déshérité. Mais le rapport de l'hôpital mentionne qu'elle a succombé aux effets d'une chimiothérapie. Elle souffrait d'un cancer de l'utérus. On lui donnait une chance sur deux de s'en sortir. Charbonneau, lui, croit qu'on a expédié sa sœur dans sa tombe.

— Soupçonne-t-il des personnes ?

— Comme c'est souvent le cas, les membres de la famille de Charles Marquis sont visés. Il est question de nombreuses querelles internes. Il y a beaucoup d'argent en jeu. Mais tout est à vérifier.

L'opérateur de l'engin indiqua au fossoyeur qu'il pouvait finir le travail manuellement. Il descendit de son tracteur pour installer une chaîne au bout de son godet. Le fossoyeur disparut dans la fosse avec sa pelle. Son collègue lui lança des courroies, qu'il passa sous le cercueil. Il attacha le crochet de la corde à la chaîne. L'opérateur abaissa un levier et souleva avec précaution le cercueil, qui sortit des ténèbres dans la lueur du soleil. Villemure se pencha pour ramasser quelques échantillons de terre du monticule. Il fallait s'assurer que le cadavre n'ait été contaminé par la nature du sol. Le travail de la police scientifique pouvait commencer.

7

Penché sur sa machine à écrire, Duval conclut son rapport à l'intention du substitut du procureur général. Le soleil à l'ouest frappait violemment et le lieutenant avait refermé les stores. Les lattes diffusaient de fines lignes de lumière. Les doigts pianotaient avec dextérité sur les touches. L'enquêteur aimait l'écriture, car elle nécessitait beaucoup de précision dans la formulation des événements. Synthétiser des scènes tragiques de la vie, souvent complexes, demandait une grande économie dans l'expression. Ne dire que l'essentiel afin de ne pas s'embourber à la cour. Choisir les termes avec une acuité maniaque. Il fallait être sûr d'être compris par les procureurs, sans quoi les conséquences pouvaient être néfastes au déroulement de l'enquête préliminaire et, plus tard, du procès. Le drame du petit Derek l'avait tracassé toute la journée. Il retira son rapport de la machine à écrire, le signa et le glissa dans une enveloppe. Il frotta longuement ses yeux fatigués, bâilla. Avant de quitter le bureau, il consulta son agenda, qui lui rappela qu'il devait envoyer un message au frère de Florence Marquis. Il griffonna rapidement sur un papier officiel de la SQ que l'exhumation avait eu lieu dans l'après-midi et que l'affaire suivait son cours.

Il prit son blouson de cuir sur la patère et son casque intégral. Il descendit d'un pas rapide le grand escalier de la centrale. Sa nouvelle monture à deux roues, une rutilante Ducati rouge cerise, Tantah 600 cm^3, l'attendait dans le stationnement de la rue Turnbull.

C'était sa récompense de la journée. Il ressentait les mêmes émotions qu'à vingt et un ans lors de ses premières virées sur sa vieille Norton. Des sensations liées à sa vie de jeune adulte et qui couraient dans tout son corps. En dépit des réserves de Laurence, qui ne cessait d'expédier en trauma ou en neuro des accidentés de la route, il avait pris possession de son engin deux semaines plus tôt. Il attacha la courroie de son casque et enfourcha sa belle Italienne. Une pression sur le démarreur électrique et le moteur feula comme un jaguar défendant ses petits: 78 chevaux-vapeur à 10500 tours/minute. Une véritable bête de compétition qui pouvait atteindre les 220 kilomètres/heure. Il embraya en première et passa à côté de la cabine de l'agent de sécurité qu'il salua. Il monta jusqu'au boulevard Saint-Cyrille, roula jusqu'à Bougainville et vira à gauche dans l'avenue Wolfe-Montcalm. Le grand tapis vert des plaines d'Abraham était envahi de coureurs, de lanceurs de frisbees et de familles en pique-nique. La longue descente de la côte Gilmour le mena au boulevard Champlain. La lumière vira au rouge. Il patienta en regardant un long minéralier frayer son chemin sur le chenal nord. Devant lui, les grues du port tournoyaient, donnant l'impression qu'elles allaient s'éperonner.

Au vert, la bête cria sa plainte en cinq temps. Avec son châssis rigide, sa fourche en magnésium et sa légèreté, la monture faisait corps avec son cavalier. Les deux ponts s'allongèrent rapidement à l'horizon et s'estompèrent vite, aspirés derrière lui par la longue courbe qu'il négocia le genou droit à trois centimètres du bitume. Il gagna le chemin Saint-Louis par la côte de l'Aquarium.

C'était le nouveau trajet qu'il empruntait depuis un mois. Le parcours lui plaisait mais pas le reste. Laurence et lui avaient emménagé dans une résidence de la plage Saint-Laurent, à Cap-Rouge. Il regrettait amèrement le petit cottage du quartier Saint-Sacrement qu'il avait acheté à l'époque où il vivait seul avec sa fille Mimi. C'est là qu'il s'était refait une santé après la mort de sa première femme et ce qui s'était apparenté à une dépression. Sa nouvelle demeure ne correspondait pas du tout à sa personnalité. Mais Laurence y tenait mordicus. Elle avait les moyens de se payer une maison cossue et lui s'était laissé avoir à l'usure.

La moto s'engouffra dans ce long croissant de verdure le long du Saint-Laurent. De chaque côté, les branches des géants se rejoignaient en une voûte verte. De luxueuses résidences dans les six chiffres, réalisations d'architectes reconnus, s'alignaient avec ostentation. Les garages doubles, gros comme des bungalows, abritaient de belles Allemandes. Le regard de Duval accrocha ce qui était maintenant un anachronisme : l'affiche du camp du Oui que Mimi avait collée dans une fenêtre lors de sa dernière visite. La réaction des voisins avait été immédiate : ils avaient planté des pancartes du Non sur leur terrain. Tout signe d'amabilité avait cessé à leur endroit. Duval devait porter son regard quatre maisons plus loin pour trouver un allié.

Sa demeure lui paraissait indécente, mais c'était le fantasme de Laurence qui, elle, avait grandi dans l'opulence d'une famille aisée de Sillery. Il n'y avait rien de naturel pour un policier à vivre dans une telle résidence. Il était né à Rosemont dans une modeste maison en rangée. Son nouveau chez-soi lui paraissait d'autant plus vide que Mimi, sa fille, était partie vivre en appartement au lieu de les suivre. Ces centaines de pieds carrés inhabités le mettaient mal à l'aise.

Il stationna la moto entre la BMW de Laurence et son Cherokee. Il déplia la béquille de la Ducati et retira son casque. L'architecte avait érigé son œuvre pour qu'elle épouse le talus qui menait à la plage. De devant, la maison ressemblait à un rectangle peu fenestré qui se mariait bien à la falaise. Les murs en belle maçonnerie de pierres jaunes s'harmonisaient au reste du décor. Duval descendit de sa moto, s'étira à s'en faire craquer les os. Il ouvrit la porte. Depuis la rue, on accédait à l'étage supérieur de la maison. Il n'aimait pas ce caprice d'architecte. Toute sa vie il était entré soit par la cuisine, soit par le salon. Là, il débouchait sur les chambres, leurs bureaux. Un garde-fou tubulaire, genre bastingage, encadrait le gouffre qui s'ouvrait sur deux autres étages. C'était presque habiter un navire à trois ponts amarré en permanence. Sur toute la façade, de grandes baies, avec armature en bois, faisaient entrer le fleuve à l'intérieur. À l'extrémité sud, une large mezzanine s'avançait vers le Saint-Laurent et laissait voir les maisons juchées sur le coteau de Saint-Nicolas. D'en bas, les perles pianistiques de Bill Evans montaient comme des bulles sonores.

Une des chambres demeurait fermée depuis des semaines, celle destinée à recevoir le bébé. Laurence avait été si enthousiaste qu'elle l'avait meublée et décorée. Duval avait même repeint la pièce en vert pâle. Mais le petit lit à barreaux, le mobile, la table à langer n'avaient jamais servi. Laurence ne s'était pas contentée d'acheter des meubles, mais des vêtements de maternité, des pyjamas, des ensembles pour le petit, et même des couches pour nouveau-nés. Cette mise en scène de ce qui était depuis longtemps un rêve n'avait fait qu'accroître sa déception, qui s'était muée en quasi-dépression. Laurence, qui était médecin, savait pourtant bien que les fausses couches touchent une femme sur cinq.

En plongée, Daniel aperçut Laurence absorbée dans une revue. Elle lui envoya la main. Bien calée dans le canapé, elle lisait *Le Médecin du Québec*. Une infusion de tilleul et des biscuits Ritz accompagnaient sa lecture.

Il descendit le sensuel escalier en colimaçon qui déroulait ses lignes entre le salon et la salle à manger. Tant de courbes qu'il jugeait inutiles. Il s'avança pour embrasser Laurence. Duval huma la bonne odeur de poulet au miel en provenance de la cuisine.

— Comment ça va ?

— J'ai été d'une humeur massacrante toute la journée. L'urgence débordait.

— Syndrome post-référendaire ?

— Syndrome du je-sais-pas-quoi-faire-d'autre-de-ma-journée-pis-je-veux-être-soigné-tu-suite, dit-elle en s'esclaffant.

Il sourit. Ses rires, qui se faisaient plus rares, étaient agréables à ses oreilles.

— Toi ?

— Francis a tellement bu, hier, qu'il a été malade. Je l'ai renvoyé chez lui.

Duval pensa lui parler du bébé secoué, mais se ravisa. Il voulait éviter que le sujet ne la ramène dans l'ornière de la fausse couche.

Laurence avait de grands yeux gris-bleu. Elle était svelte, athlétique. Ils s'étaient rencontrés dans un club de course à pied. Daniel aimait promener son visage et ses mains dans sa longue chevelure brune. Mais dès qu'il s'approcha, elle plongea le nez dans ses vêtements.

— Tu sens mauvais ! Beurk !

Il passa son nez sur son blouson.

— On est restés un bout de temps à la morgue.

— Va te laver ! dit-elle avec le sourire. On verra après.

Il se redressa. C'était toujours comme ça quand il allait à la morgue. Le parfum suret de la mort imprégnait les tissus. Même une balade à cent à l'heure en moto ne suffisait pas à le dissiper.

8

Ils n'avaient pas fait l'amour. Encore une fois. Laurence n'avait pas prétexté un mal de tête ou la fatigue. Elle n'en avait pas envie, un point c'est tout. Après le souper, elle avait ressorti ses broches à tricoter. Cette vision avait décontenancé Daniel. Les petits bas roses se dessinaient maille après maille, larme après larme. Daniel trouvait malsain qu'elle poursuive son tricot. C'était replonger chaque fois dans la déception. Elle avait aussi redécouvert les sirupeuses ballades d'Elton John. *Rocket Man* jouait sur la chaîne stéréo. Elle était d'une sentimentalité exacerbée depuis sa fausse couche.

Il aurait voulu lui parler, mais il ne savait pas comment aborder la question sans retomber dans la crise. Assis dans un fauteuil club, verre de porto à la main, Duval parcourait *Le Soleil*. Tout Montréalais qu'il était, il avait fini par s'habituer au quotidien de Québec, même s'il était un chaud partisan des Canadiens de Montréal. Duval lisait les pages avec dépit. Il lut le décompte précis pour chaque comté. Les ténors du Non, Trudeau, Ryan et Chrétien, jubilaient tandis que René Lévesque, l'air penaud, invitait les Québécois à un prochain rendez-vous. Il tourna la page. Son regard fut aussitôt attiré par une annonce. L'homme d'affaires Charles Marquis, le mari de la dame exhumée quelques heures plus tôt, était l'invité d'honneur de la Chambre de commerce de Québec. Sur la photo, Marquis arborait un sourire triomphant de parvenu. Son visage jeunot trahissait la cinquantaine. Marquis, l'un des hommes les plus prospères de Québec, avait amassé sa fortune pendant la Révolution tranquille. Il avait construit de nombreux édifices gouvernementaux. Aucun entrepreneur n'avait coulé autant de béton que lui. De mauvaises langues affirmaient qu'il était de toutes les étapes de la transformation : démolition, cimenterie, construction et… patronage. Il avait rasé les belles résidences de la Grande Allée et du boulevard Saint-Cyrille. Duval le connaissait de réputation. Feu sa femme et lui étaient des personnalités publiques de la ville. Très souvent, Marquis avait été approché par l'Union nationale, le Parti libéral, et même par le Parti québécois, pourtant plus à gauche. Il avait toujours refusé de se lancer en politique. Mais des rumeurs persistantes faisaient de lui le prochain maire de Québec. Allait-il être de la course à la chefferie ? Il ne confirmait ni n'infirmait ces ouï-dire. Duval déchira grossièrement l'article et le glissa dans son portefeuille.

Son attention dévia sur la pelote de laine qui roulait sur le plancher. Son regard remonta du fil jusqu'au petit bas, puis jusqu'aux yeux humides de Laurence. Il se sentit complètement impuissant. Il écouta comme un mantra la finale de la chanson.

Rocket man
I think its gonna be a long long time.

9

JEUDI, 22 MAI

Il allait enfourcher sa moto quand le camion de la poste s'arrêta devant sa maison. Le postier s'avança avec une lettre recommandée à son nom. Duval signa le registre et ouvrit l'enveloppe. La propriétaire de son ancienne maison lui réclamait douze mille dollars pour un vice caché : une longue fissure était apparue dans les fondations sous la fenêtre avant. Elle se plaignait aussi que les planchers étaient affaissés, ce qui paraissait normal à Duval pour une maison de cet âge. « Vieille tarte ! » marmonna-t-il. Sur le coup, il sentit sa rage monter. Il croyait au pouvoir occulte des lieux, lui qui était si rationnel dans tout ce qu'il entreprenait. Sa centenaire résistait à sa manière, lui lançait un message. Il sourit, fourra la lettre dans la poche de son blouson de cuir.

Dans les coulisses du gymnase de l'école, derrière un cheval d'arçons, Duval et Harel attendaient que le directeur finisse son laïus. Planté devant son micro, il lisait son texte d'une voix monotone. Pour l'occasion, on avait déployé les drapeaux du Canada et de la SQ et laissé celui du Québec dans un recoin. Louis s'assit sur un lourd ballon bleu de lutteur. Duval regardait les banderoles des différents championnats. Le lieu lui rappelait son *alma mater* : les échelles sur les murs, les lianes au plafond, les matelas bleus empilés, un trampoline et cette odeur de cire et de savon industriel qui perçait les narines. L'ancienne horloge ronde Westclock marquait neuf heures. Quelle mauvaise idée, pensa Duval, d'inviter deux policiers à cette heure-là. Les journées étaient bien assez pleines, il aurait dû dépêcher Louis et apprendre une fois de plus à dire non.

La présentation des lieutenants Duval et Harel ne passerait pas à l'histoire : des clichés et des lieux communs éculés. Aucun humour. « Qu'il en finisse », maugréa Duval, toujours aussi mal à l'aise dans ces circonstances.

— Ces hommes risquent leur vie chaque jour de la semaine pour le bien-être de leurs concitoyens. Ils incarnent le bien dans un monde qui ne tourne pas toujours très rond.

— Snif ! Snif ! fit Louis à l'adresse de son collègue.

Duval ne cessait de penser à la lettre enregistrée.

— La nouvelle propriétaire de ma maison me réclame douze mille dollars de dommages, sinon elle me poursuit en cour.

— Combien ?

— Douze mille dollars !

— Ah ! la vieille maudite !

Duval avait hâte que le directeur arrive au bout de son palabre. Dans l'amphithéâtre, les étudiants bâillaient, chuchotaient, riaient. Duval regarda Louis à la dérobée. Le Gros semblait dans une forme splendide, ce qui avait de quoi l'inquiéter. Louis lui donna un coup de coude et murmura à son oreille :

— Est-ce que c'est moi que la petite rousse à lunettes reluque ?

— Où ça ? répondit Duval, agacé.

— Là, à droite, dans la première rangée…

— Louis, c'est une enfant !

— Non ! La dame debout, au bout de l'allée.

Duval roula des yeux.

— Concentre-toi plutôt sur ce que tu vas dire pour ne pas avoir l'air trop fou…

Il y eut un affreux retour de son à en percer les tympans et la foule explosa d'un rire juvénile et malicieux.

Le directeur, d'un signe de la main, demanda aux élèves de se calmer et reprit :

— Ils vont brièvement se présenter. Ensuite, vous vous avancerez dans l'allée jusqu'au micro pour leur poser des questions. Sans plus tarder – Duval soupira d'impatience –, je vous prierais d'accueillir les lieutenants Duval et Harel qui ont aimablement accepté l'invitation de notre école.

Bien appuyé sur sa canne, Louis s'empara du micro avec assurance.

— Un, deux, un, deux, *one, two, one, two*. Je m'appelle Louis Harel. Je suis né à Lévis. J'étais tellement gros à la naissance que ma mère a dû subir une césarienne. Sans doute pour cette raison qu'on m'appelle aussi le Gros. J'ai été pensionnaire chez les bonnes sœurs, que je détestais à l'époque. Je les appelais les pisseuses. Après avoir fini de peine et de misère mon cours classique au Collège de Lévis, je me suis demandé ce que je ferais dans la vie. J'étais mauvais en sciences, j'écrivais mal et j'étais trop honnête pour devenir avocat. J'aurais reçu trop d'outrages au tribunal.

Duval voyait se dessiner de larges sourires sur le visage des jeunes. Il angoissa. Comment allait-il pouvoir être à la hauteur après Louis ? Son ami aurait pu dérider une meute de neurasthéniques. Lui n'avait jamais possédé l'art de la blague. C'était comme si Hardy était privé de Laurel.

— Mais j'avais des gros bras, continuait Louis en gonflant ses biceps. J'ai été videur dans un bar de Québec et c'est là qu'un policier, après avoir vu les vols planés qu'effectuaient mes trouble-fête, m'a invité à passer une entrevue pour devenir patrouilleur. On n'avait pas besoin de diplôme à l'époque pour entrer dans la police. J'ai tellement aimé mon travail que, dix ans plus tard, on m'invitait à intégrer l'Escouade des homicides. En 1976, j'ai été victime d'une tentative de meurtre qui m'a laissé dans un profond coma. C'est pour ça que je marche avec une canne. Vaut mieux boiter d'une jambe que du cerveau ! Mais grâce à Lui, mon Christ – Louis indiqua le crucifix fixé au mur –, mais aussi à Duval, mon ange gardien ce jour-là, je m'en suis tiré. L'an prochain, pour remercier Dieu, je ferai à pied le pèlerinage de Saint-Jacques-de-Compostelle. C'est aussi à moi qu'on doit les soirées « Je danse avec ma police ». J'aime la musique d'Elvis et des Bee Gees. J'adore jouer aux quilles et j'ai une collection de trains miniatures. Merci.

Louis passa le micro à Daniel Duval.

— Crois-tu que je lui ai fait bonne impression? chuchota-t-il.

Duval ne répondit pas. Il était trop concentré sur ce qui allait suivre.

— Je m'appelle Daniel Duval. Je suis né à Montréal dans le quartier Rosemont. Mon père était gardien de nuit dans une usine. Ma mère faisait des ménages. Grâce à mes sœurs qui travaillaient pour subvenir aux besoins de la famille, j'ai pu aller au collège. Mais, par la suite, mes parents n'ont pas eu les moyens de m'envoyer à l'université, même si c'était le rêve de ma mère et aussi le mien. Puis je me suis engagé dans la police, un peu comme Louis, parce que ça payait bien et que j'avais le physique de l'emploi. Comme je faisais de la moto à l'époque, on m'a intégré dans les patrouilles à motocyclette. J'ai adoré. J'étais zélé. J'aimais réfléchir sur les crimes et on m'a rapidement rattaché à une équipe d'enquêteurs. J'ai aussi fait mon certificat en criminologie par les soirs. Je voulais mieux comprendre le milieu criminel. À Montréal, j'ai participé à l'enquête sur le crime organisé qui a mené à la CECO, la Commission d'enquête sur le crime organisé. Nous avons infiltré la famille Violi et celle des frères Dubois. Il nous fallait comprendre comment fonctionnait la pègre. En plein cœur de cette affaire, un an avant que la Commission ne se mette en marche, mon épouse est décédée dans un accident. Les circonstances ont fait que je me suis retrouvé à Québec. J'adore mon métier. Je n'en ferais aucun autre.

Duval regarda le directeur. Plusieurs étudiants attendaient dans l'allée, derrière le micro. Le premier d'entre eux avait une boule afro sur la tête, une chemise indienne imprimée et un pantalon blanc.

— Ouain, que cé que vous trouvez le plus dur à supporter quand vous êtes sur une scène de meurtre avec des cadavres ? demanda-t-il d'une voix traînante.

Louis sauta sur la question comme un loup sur un agneau.

— Mon collègue Duval ! Il ne laisse rien aux autres.

La salle s'esclaffa à nouveau. Louis tapa amicalement sur l'épaule de son équipier. Duval leva les yeux au ciel. Louis l'exaspérait.

— Et vous voulez sans doute savoir pourquoi ? continua Louis. Eh bien ! C'est parce qu'il remarque tout ce que je ne vois pas après toutes ces années. Il a dû être un gros chien de chasse dans une autre vie. Avec une truffe comme ça !

Louis prit un air grave.

— Sérieusement, ce que je trouve difficile, c'est toute la souffrance qui baigne une scène de crime : les gens qui ont perdu un être cher, la victime morte pour rien dans des douleurs atroces, un peu comme ce Christ-là !

Alors que Louis montrait de sa canne le crucifix, les étudiants riaient. « La grosse police *Jesus freak* » donnait un bon spectacle.

— Affronter ce que la nature humaine peut concevoir de plus monstrueux, le meurtre, c'est mon travail.

Duval regardait Louis avec le sourire de celui qui ne se surprenait plus de son collègue. Le professeur de pastorale, quelque part dans la salle, allait être content.

Une jeune fille coiffée d'un bandana bleu à pois blancs et vêtue d'un jean à pattes d'éléphant prit le relais au micro. Elle marmonna une phrase incompréhensible.

— Parle plus fort ! tonna-t-on dans l'assemblée.

— Pardon. Ma question est pour l'agent Duval. Est-ce que les cas de viol sont faciles à résoudre ?

— Non, c'est toujours complexe. Je vais vous donner un exemple : un homme viole une femme et la tue. Qu'est-ce qu'on fait ? On recueille toutes les preuves disponibles sur la scène de crime, mégots de cigarettes, bouteilles de bière, empreintes, sang. À l'autopsie, un prélèvement vaginal de sperme, s'il y en a, nous permet de déterminer le groupe sanguin du meurtrier. On cherche si le tueur a laissé des cheveux, des poils pubiens lors de l'agression. A-t-il une maladie vénérienne ? Tous ces éléments deviennent des pièces à conviction importantes. Nous examinons les ongles de la victime qui s'est défendue. Nous y trouverons peut-être des parcelles de la peau du violeur, des cheveux. Parfois, la victime s'est protégée avec son sac à main. Nous cherchons les empreintes du meurtrier, que nous comparons avec nos banques de données. On vérifie si on a relâché de prison des délinquants sexuels dans les derniers jours, les dernières semaines. Si l'attaque s'est produite dans un boisé, comme c'est arrivé récemment, ou à proximité d'un arrêt d'autobus, nous essayons de retrouver des gens qui auraient vu la victime attendre l'autobus ou en descendre. Les témoins deviennent alors très importants. Si le violeur a laissé une morsure sur le corps de la victime, l'odontologiste photographie les marques, qu'il pourra comparer plus tard avec les empreintes dentaires d'un suspect. Une victime qui aurait refusé de porter plainte contre un agresseur, ce qui arrive malheureusement trop souvent pour toutes sortes de raisons, nous téléphonera pour nous dire qu'elle a été agressée dans le même secteur. Nous rencontrons la victime, nous la rassurons. Nous lui demandons d'établir un portrait-robot que nous diffusons. Nous employons même l'hypnose, qui donne des résultats étonnants. C'est comme ça que nous avons pu coincer le violeur de Sainte-Anne-de-Beaupré, l'an dernier. Un témoin avait reconnu la photographie judiciaire d'un suspect qui avait un lourd passé en matière de crimes sexuels. Lors de la parade d'identification, où la victime était cachée du suspect par un miroir sans tain, le violeur a été démasqué. L'odontologiste a par la suite fait un plâtre des dents du suspect et elles correspondaient exactement aux marques laissées sur la victime. Sans l'appel de cette jeune femme qui avait réussi à prendre la fuite, le meurtrier aurait continué de sévir.

On aurait pu entendre une mouche voler dans la salle. La jeune fille aux lunettes rondes remercia le détective. Louis se tourna vers son collègue.

— Vous comprenez pourquoi il me fait de l'ombre.

Des rires juvéniles fusèrent. D'autres étudiants posèrent à leur tour leur question, l'heure passa rapidement, les jeunes écoutant avec intérêt chacune des réponses drôles ou érudites des deux policiers.

Finalement, le directeur, perdu dans son complet à carreaux, s'approcha du micro.

— Je veux remercier chaleureusement les détectives Duval et Harel pour leur beau témoignage, et aussi monsieur Barbeau, le professeur de pastorale qui a organisé l'événement. Je voudrais aussi…

Il fut interrompu par le timbre de la cloche. Mus par un réflexe de Pavlov, les étudiants se levèrent d'un bond. À travers des crissements de chaises entrechoquées, ils se ruèrent vers la sortie. Le directeur leva les bras de découragement. Malgré tout, quelques applaudissements crépitèrent dans la salle. Duval et Harel saluèrent en opinant du chef.

10

Daniel et Louis roulaient en direction de la centrale. La circulation était fluide avant l'heure de pointe. La journée s'avérait une fois de plus splendide. L'astre jaune coulait sa lumière aveuglante. Duval ajusta son pare-soleil. Sur le siège du passager, le Gros essayait en vain de réussir son cube de Rubik. Il avait beau tourner son bidule dans tous les sens, il n'y arrivait pas.

— Ciboire, est-ce qu'on m'a donné ça en cadeau pour me rendre fou ? Ça marche pas, Dan.

— On te l'a peut-être offert pour exercer ta patience.

— Ha, ha, ha ! dit Louis.

À la hauteur de la rue Maguire, un message du standardiste grésilla dans les haut-parleurs.

— Daniel ? Rivard, du laboratoire, aimerait te voir à propos de l'exhumation d'hier.

— Je m'y rends.

À l'intersection du chemin Sainte-Foy et de Holland, la lumière tourna au vert, mais Duval, connaissant cet équarrissoir à voitures, ralentit. Bien lui en prit, car un chauffard brûla le feu rouge à 100 kilomètres/heure.

— Hostie de macaque criminel ! pesta Louis en fourrant son cube dans la poche de son veston.

La voiture s'engouffra dans la côte Saint-Sacrement. Avant la courbe qui mène au boulevard de l'Entente, au milieu du cap, Duval sentit monter en lui une irrésistible envie : réintégrer sa vieille maison et reprendre sa vie là où il l'avait laissée. Mais c'était impossible. La bourgeoise avait du front de lui envoyer cette lettre. Il tourna dans son ancienne rue sur un coup de tête afin de constater les dégâts.

— Où est-ce que tu vas ? lança Louis.

Duval ne répondit pas et s'immobilisa devant son cottage au toit mansardé, aux impostes en vitraux.

L'orme au tronc en torsade verdissait. Le lieutenant constata qu'il y avait une large fissure sous la grande baie du salon. Il souhaita que cette vieille imbécile n'ait pas modifié les divisions intérieures, ce qui aurait pu affecter la structure du bâtiment. Sur le côté, à l'arrière de la maison, le lieutenant aperçut une pile de rebuts de construction. Il lui sembla qu'il s'agissait de lattes de bois, de plâtre et des fenêtres de bois de l'arrière de la maison.

— J'ai l'impression qu'elle change les murs de plâtre pour du gypse et les fenêtres.

— Tu veux que je fasse quelque chose ?

— Surtout pas…

Duval observa à travers les rideaux en dentelle de Bruges et crut apercevoir des vérins servant à soutenir le plafond.

En arrivant à Québec, il était tombé amoureux de ce cottage qu'il avait lentement rénové. Il était délabré, tout comme lui, les planchers affaissés et usés. Ils s'étaient refait une santé l'un avec l'autre. Duval lui avait redonné sa splendeur d'autrefois et il lui avait offert un nid où les bonnes ondes se répandaient dans chaque recoin. Plus la maison s'embellissait, plus il redevenait l'homme qu'il avait été auparavant. Ce lieu était son anti-scène de crime. Entre ces quatre murs, il se délestait peu à peu des tensions, de la pression liée au travail. Il songea au vitrail de la cuisine. L'avait-elle conservé ?

Le chat noir de son ancien voisin traversa la rue. Louis se gratta la tête.

— Vas-tu payer ?

— …

— Tu vas finir par t'habituer à ta nouvelle propriété.

— Tu crois ?

Le lieutenant étouffa un juron. Sa montre marquait déjà dix heures trente et Rivard les attendait avec son rapport. Il positionna le levier à D et opéra un demi-tour sur les chapeaux de roue. Harel le regarda, stupéfait, car ce n'était pas dans les habitudes de son collègue de manifester sa frustration derrière un volant.

En voyant une cabine téléphonique au coin de Charest et de Saint-Sacrement, il freina à en faire crisser les pneus.

— Qu'est-ce que tu fous ?

— Je nous retiens une table au Château.

Il sortit l'avis du journal et appela à la Chambre de commerce. Lui qui ne s'offrait jamais le Château Frontenac, il était bien heureux de voir le ministère public payer son repas.

— Au nom de quelle organisation dois-je réserver la table ?

— Aucune… Je veux tout simplement savoir si monsieur Marquis annoncera sa candidature à la chefferie du Parti des citoyens en vue des prochaines élections municipales.

— Vous êtes journaliste ?

— Non. Analyste, rectifia Duval, fier de son mensonge.

11

La porte du bureau de Rivard était entrouverte, mais le chimiste-toxicologue avait laissé une note pour dire qu'il serait en retard de quelques minutes. Duval et Harel en profitèrent pour faire la conversation à Mireille. Dans son sarrau blanc, elle avait l'air d'un ange blond aux os fragiles. Chaque fois que Daniel la voyait, le saxophone langoureux de Ben Webster soufflait une mélodie chevrotante dans sa tête.

— Est-ce que tu viens danser avec la police, le prochain vendredi de juin ? lui demanda Louis. Je suis sûr qu'il y a plein de policiers qui voudront danser avec toi.

La jeune femme rougit légèrement, détourna le regard.

— Tu vas pas me dire non encore, dit Louis d'un ton sensuel. Moi qui fais ça pour rapprocher la police de la communauté… Et je connais bien des collègues qui ne demanderaient pas mieux !

Mireille éclata de rire. Louis la taquinait depuis toujours.

— Écoute, Louis, si tu m'invites officiellement, je serai là.

— Eh bien, je t'invite officiellement.

Elle se tourna vers Duval. Elle espérait qu'il y aille aussi.

— Mon copain Duval y sera, ajouta Louis en donnant un coup de coude à Daniel, qui chercha une façon de faire bonne impression, lui qui en arrachait tant devant Mireille.

— Il faut bien financer les bonnes œuvres de Monseigneur Louis…

Mireille sourit et Louis ne se formalisa pas du sarcasme.

Au bout du corridor, le longiligne et rachitique Rivard approchait, sa tête frôlant les néons.

— Oh ! la police qui *cruise* ou qui danse ? lança-t-il à trois mètres de ses collègues.

— Ne suspecte jamais un policier de harcèlement sexuel en milieu de travail, répliqua Louis.

Mireille s'esclaffa, son visage légèrement rubescent.

— Pas besoin d'être un expert en chimie pour savoir que notre Mireille crée des « effets brisants » dans le cœur des hommes, lança Rivard qui aimait bien rivaliser de machisme avec Louis.

— Tiens, notre macho qui se fait romantique, pour une fois, riposta la jeune femme.

— Mireille, c'est ni plus ni moins que du curare ! ajouta Rivard en envoyant un clin d'œil à Louis.

Ce dernier éructa un rire énorme. Duval sourit en opinant de la tête.

— Hé, Rivard ! C'est grossier… ça, protesta la biologiste.

— Tu ne m'as pas compris, Mireille. Je parle du poison, le curare. Les Indiens d'Amérique du Sud en enduisaient le bout de leurs flèches pour paralyser leurs victimes.

— Oui, oui, j'avais compris le double sens. On les connaît, tes farces cochonnes ! Surtout quand Louis Harel est dans les environs. Vous êtes pareils, tous les deux.

La tête du docteur Villemure émergea de la salle d'autopsie. Il fit signe à Mireille de l'y rejoindre.

— Je vous laisse. Je serai là pour ta soirée, Louis.

Rivard invita les policiers à le suivre dans son bureau. Il se pencha pour ne pas frapper le chambranle de la porte. Il était tout en os. Son nez aquilin, habitué aux cocktails meurtriers, valait bien celui des œnologues. À la blague, il l'appelait son « spiftrographe à émission ».

Le chimiste-toxicologue remarqua le cube de Rubik dans la poche du Gros.

— T'es accroché à ça, toi aussi ?

— Je n'y arrive pas. T'as un truc ?

— Prête-le-moi. Mon fils passe ses journées là-dessus…

Louis lui lança son jouet, que l'autre attrapa d'une main. Rivard s'installa derrière son bureau et se mit à combiner fébrilement les couleurs.

Sur le mur derrière sa chaise était épinglé le tableau périodique des éléments chimiques. Et une photo de Franchère Pépin, le premier spécialiste de la chimie et de la toxicologie judiciaire en Amérique, y était encadrée. Dans une grande armoire s'étalaient des minerais de toutes sortes. Accrochés au mur, ses diplômes de l'Université Laval et son doctorat de l'Université Princeton étaient bien en vue à côté d'une bibliothèque remplie d'ouvrages scientifiques. Tout comme Villemure, Rivard donnait un cours de chimie et de toxicologie à l'Université Laval.

— Tu y arrives ? s'enquit Louis.

— Laisse-moi le temps. C'est comme mon ex. Ça vient pas vite !

Harel et Duval s'esclaffèrent en duo. Rivard ne parlait plus. Il leva l'index en l'air, réclamant un instant de silence. Duval regarda sa montre. Les mains de Rivard s'activèrent dans tous les sens. Chaque face du bloc prit peu à peu sa couleur. Son long nez tout en arêtes semblait guider le chimiste dans sa manipulation du cube. Puis, en un tournemain, il réunit les derniers carrés.

Louis afficha une moue incrédule. Il observa son Rubik comme si une formule magique lui avait échappé.

Rivard ouvrit son dossier, ravala un rapport gastrique.

— Au travail maintenant ! Le docteur Villemure m'a remis les ongles et les cheveux de madame Marquis à des fins d'analyse. Intéressant ! Cette femme subissait une cure de chimiothérapie. L'empoisonneur n'a pas été très original. Il a employé un pesticide à base d'arsenic.

— À quoi sert l'arsenic, de nos jours ? demanda Duval.

— On l'utilise comme insecticide, herbicide, et aussi comme raticide. Mais on a de plus en plus recours, pour les rongeurs, à utiliser des anticoagulants sous la forme de bromadiolone, un produit qui, une fois absorbé, cause une hémorragie dans l'organisme. On fait usage aussi de strychnine, de phosphore et de warfarin. Ma conclusion, c'est que pendant qu'un oncologue tentait de guérir de son cancer madame Marquis, quelqu'un s'ingéniait à lui administrer son coup de mort avec de l'arsenic.

— Pourquoi l'hôpital n'a pas pu déterminer la vraie cause du décès ? s'indigna Louis.

— Parce que ça ne fait pas partie du *screentest*. Quand un cancéreux arrive sur la table du pathologiste hospitalier, il s'en tient aux tests de base, soit un dépistage en général.

Rivard se leva, ouvrit son armoire et en retira une boîte sur laquelle était dessiné un rat mort. Il ouvrit le couvercle pour montrer aux enquêteurs ce à quoi ressemblait l'arsenic.

— C'est un produit d'une extrême toxicité. Il est inodore, ne goûte rien, d'où sa grande popularité auprès des empoisonneurs. À peine vingt microgrammes par kilogramme de poids corporel suffisent à intoxiquer quelqu'un.

— Quels sont les symptômes ? demanda le lieutenant, prêt à tout noter dans son calepin.

— Maux de cœur, douleurs stomacales, ce que cause également une chimiothérapie. On note aussi des engourdissements, des douleurs musculaires, des convulsions, des nausées, de la diarrhée, une détérioration du système nerveux. Les souffrances sont horribles.

— Quelqu'un tenait à ce qu'elle ne survive pas à son traitement, dit Louis.

Rivard se mit debout. Il releva la tête, donnant à son visage osseux un aspect menaçant.

— Cette femme a été assassinée. C'est à vous de découvrir pourquoi et qui avait intérêt à la faire disparaître.

Duval sortit son portefeuille, en tira une coupure de journal qu'il déplia.

Louis y jeta un coup d'œil. Rivard s'approcha à son tour.

— Charles Marquis, grommela Loulou.

— Marquis, mentionna Duval, était marié à cette femme. Demain midi, il donne une conférence devant la Chambre de commerce de Québec. Je crois que le ministère de la Justice va devoir nous payer un dîner au Château Frontenac.

Au moment où ils franchissaient le seuil de la porte, Rivard héla Louis.

— Tiens.

Le cube de Rubik vola de sa main à celle de Louis.

— Si tu veux devenir bon comme moi…

Louis, faussement vexé, fourra son cube dans sa poche de veston.

12

Peu avant midi, alors qu'il rentrait au bureau, Duval obtint les mandats pour mener son enquête sur l'assassinat de Florence Marquis. Il regarda l'heure. Avant d'aller au Château Frontenac, il avait quelques minutes pour vérifier une information. Mais alors qu'il allait sortir, le téléphone sonna. C'était Adèle, la copine de Francis, avec son accent français et sa voix flûtée.

— Écoute, Daniel, Francis, ça ne va pas du tout. Il fait une crise de foie et il ne rentrera au boulot que demain. Ça ne lui a pas réussi, ce référendum. Il n'arrête pas de râler contre les Anglais. Il ne devrait pas se mettre dans cet état.

— Tu lui dis de se reposer et de ne pas lire les journaux…

— Merci, Dany.

Duval raccrocha et fonça vers la bibliothèque de la centrale. Il se dirigea vers la section des microfiches. Il sortit le négatif du journal *Le Soleil* pour les mois de septembre à décembre, installa le rouleau dans la tige de droite, déroula le film et l'encocha. Il appuya sur le bouton d'amorce et sur la touche d'avance rapide. Il s'arrêta à la page nécrologique du 25 octobre 1979 puis ajusta la focale.

Un encadré résumait en quelques mots la vie de Florence Marquis. Il y avait un portrait d'elle du temps où elle était encore une jeune et jolie femme. Ses cheveux blonds ondulés la faisaient ressembler à une de ces pin up hollywoodiennes qui posaient aux côtés des bombardiers alliés. Sous la photo, on avait inscrit le vers célèbre de Nelligan : *Ma mère, que je l'aime en ce portrait ancien.* Cette pensée émanait de l'enfant unique qu'elle laissait dans le deuil. Il s'appelait Richard. Florence avait vécu cinquante-six ans. La disparue remerciait particulièrement sa belle-sœur, Estelle Lambert, son médecin soignant de l'Hôtel-Dieu, le docteur Paul Camirand, et plusieurs autres personnes. Elle ne voulait pas qu'on envoie de fleurs et les dons devaient être acheminés à la Fondation des amis de Florence Marquis. Aucune mention du mari ou du fils, constata le lieutenant qui nota cette observation. En tant que figure connue de la région, *Le Soleil* lui consacrait dans la même édition un court article. Florence avait travaillé activement au sein des Jeunesses étudiantes catholiques. Elle avait milité avec les suffragettes dans les années quarante, s'éloignant alors de l'Église qui s'y opposait. Elle avait fondé en 1957 les éditions de la Vierge noire, qui publiaient des ouvrages religieux. Elle animait des ateliers spirituels qui avaient eu beaucoup de succès. Son mécénat était également souligné : œuvres du Cardinal Léger, missions catholiques, Manoir Ronald McDonald, Fondation de la dystrophie musculaire et de la paralysie cérébrale…

Duval se frotta les yeux. Ces lecteurs de microfiches garantissaient les maux de tête. Il rembobina le film, le glissa dans son boîtier et le déposa sur un chariot de récupération.

Il ne restait plus qu'à cueillir Louis à son bureau.

Deuxième partie

Du béton et des roses

13

Duval se sentait étranger parmi le gratin des gens d'affaires de la Vieille Capitale. Son regard scrutait la salle du Château Frontenac. Il souhaitait ne pas voir un de ses voisins qui se demanderait ce qu'il faisait là. Une trentaine de tables rondes avaient été disposées dans la salle de bal. Sur chacune d'elles, d'élégants callas blancs s'élevaient de leurs vases noirs ; la coutellerie et le cristal étincelaient. Les boiseries sombres et les plafonds à caissons donnaient un cachet chaleureux à la pièce. Les convives, une douzaine par table, discutaient en attendant que commence le discours de Marquis. Les serveurs, habillés en valets d'une autre époque, circulaient avec les consommations. Louis ricana en voyant la culotte bouffante, le collant et les petits escarpins.

— Tu me ferais pas porter ça ! s'indigna Louis. Ça fait fif en maudit !

Duval et Harel buvaient sagement de l'eau. Devant eux, un chauve au teint vert chou empestait les lieux avec son cigare. Le lieutenant observa son affreuse lippe avec un haut-le-cœur.

— J'ai toujours rêvé de donner des contraventions à ces pollueurs-là.

Duval se tourna, aperçut son reflet dans la grande baie. Dehors, la terrasse Dufferin accueillait les promeneurs du midi qui se chauffaient au soleil. Au milieu du fleuve gris-bleu, les deux traversiers se croisaient.

En se retournant, le lieutenant croisa le regard de Charles Marquis, assis devant la tribune. Marquis parlait à un blondinet tout en se montrant fort sympathique. Cet homme, dont la femme venait d'être exhumée, ne semblait pas perturbé. S'il appréhendait la suite, rien n'y paraissait. Il est vrai que rien encore ne le désignait comme coupable. Aucune preuve ne le rattachait au meurtre de sa femme. Mais il demeurait un témoin important.

Duval sentait, dans l'attitude de Marquis et ses manières, cette assurance que confère la richesse. Marquis affichait l'aisance de ceux que la fortune hisse au-dessus des mortels. Il n'y avait qu'à observer les regards d'admiration qui volaient dans sa direction.

Puisque Louis avait l'estomac dans les talons, il piaffait d'impatience pendant que le lieutenant prêtait l'oreille à la cacophonie ambiante. La conversation des hommes d'affaires tournait autour de l'argent, de l'inflation, du prix du baril de pétrole, du développement économique et politique. Plusieurs d'entre eux, qui ne s'étaient pas vus depuis le référendum sur la souveraineté, se congratulaient: « On les a eus pas à peu près », claironna un maigrichon en complet rayé à son voisin de table, un grassouillet au teint porcin. De biais, un ministre fédéral spéculait sur les orientations que prendrait le Conseil de ville sous la gouverne de Marquis. « C'est l'homme des milieux d'affaires », lança une voix assurée. Un autre affirmait que Marquis allait se lancer en politique provinciale. « Il ne s'est pas prononcé lors du référendum pour ne pas s'aliéner l'électorat. C'est habile ! »

— Vous êtes de quelle compagnie ? s'enquit un jeune parvenu auprès de Duval.

— On est dans le domaine de la sécurité.

— Systèmes d'alarme ?

— Non. Fourgon blindé, dit Louis en faisant tourner son couteau.

Il tourna la tête vers son collègue.

— J'ai faim. J'ai faim. J'ai faim ! J'ai hâte qu'y fasse son *speech*.

Duval consulta sa montre et soupira, fatigué d'entendre la rumeur autour de lui.

— En passant, continua Louis, je me suis trouvé un autre commanditaire pour mon émission.

— Qui ?

— Un chum de Giffard qui est dans le Club Lions. Il possède deux restaurants Colonel Sanders. Tu sais, la petite chanson : *Le poulet frit Kentucky dans votre voisinage. Le colonel Sanders et ses aides le font bon à s'en lécher les doigts.*

Duval arbora un rictus dégoûté.

— Louis, as-tu réfléchi à la portée de ce message ? chuchota-t-il.

— Ben quoi, ciboire, c'est du poulet !

— Justement ! De quoi les policiers en uniforme se font-ils traiter la plupart du temps par les citoyens ?

— Ah, ça ! Ça m'avait même pas effleuré l'esprit.

Duval inspira longuement.

— Pourquoi pas du concentré de bœuf Bovril, la prochaine fois ?

Le président de la Chambre de commerce de Québec monta sur la tribune. Au nom des membres, il invita Charles Marquis, après un flot d'éloges pontifiants, à venir s'entretenir avec l'auditoire. La conférence s'intitulait : *Démarrer et croître*.

Sous un déluge d'applaudissements, Marquis s'approcha de la tribune. Les gens se levèrent pour l'accueillir. Notes en main, il marcha d'un pas assuré vers les marches de côté, serra la main du président.

— Il ne fait pas ses cinquante-cinq ans, dit Duval, qui était resté assis.

— On dirait qu'il est sur son retour d'âge, répondit Louis.

Marquis avait maintenu une belle forme physique. Élancé, mince, il affichait une démarche souple. Son teint bronzé contrastait avec la blancheur de ses dents et le col de sa chemise. Il portait un complet vert pâle au tissu chamoiré. Même à cette distance, remarqua Duval, ses yeux émettaient un rayonnement particulier, son sourire était communicatif. Cet homme avait de la graine de politicien. Marquis pointa le doigt vers un de ses amis et le gratifia du salut militaire. Toute sa gamme de sourires défilaient, l'un après l'autre. Les invités se rassirent.

Il se posta derrière le micro et sortit de son étui ses lunettes bifocales. Il embrassa du regard la salle en décochant un sourire charismatique.

— Merci. Merci de votre bel accueil. C'est toujours un grand honneur d'être l'invité de la dynamique Chambre de commerce de Québec. Je dois vous avouer que la première fois que j'ai assisté à une réunion de la Chambre, j'avais vingt-deux ans, et le complet que je portais appartenait à mon défunt père, à qui j'avais promis de réussir dans la vie. C'est lui qui m'a donné son coffre d'outils, son tablier de menuisier et m'a appris durant ma jeunesse l'art de construire une maison. Quand j'ai eu fini la construction de ma deuxième maison, je l'ai revendue avec un profit intéressant. Je savais que ce ne serait pas la dernière. Alors qu'on me demande aujourd'hui d'inspirer la jeune classe des gens d'affaires de Québec, je veux dédier cette conférence à mon père.

Duval songea qu'il aurait pu le faire à la mémoire de sa femme.

Ému, Marquis se recueillit un instant. La lampe de lecture du pupitre se reflétait dans ses lunettes. Le conférencier se pencha sur ses notes.

— Bientôt, il y eut une troisième maison et encore une autre. Puis, un bon matin, j'en ai eu deux à construire en même temps. Joyeux problème ! Je ne pouvais plus être sur deux chantiers à la fois. J'ai remisé mon marteau et ma ceinture. Il fallait déléguer. L'artisan est devenu entrepreneur général. On a construit de plus gros immeubles. Il m'a fallu plus de camions et un gérant de banque compréhensif. Puis arrive la Révolution tranquille avec mon bon ami, le premier ministre Jean Lesage. Il fallait construire de nouveaux immeubles pour loger tous ces fonctionnaires. On me disait au début que j'étais trop petit. Peut-être… mais au moins, ma réputation n'avait jamais été entachée par le patronage de l'Union nationale. Passez-moi l'expression : j'étais vierge de ce côté-là, dit Marquis en gloussant. En plus, mes soumissions étaient de loin les meilleures… Une recette que les décideurs aimaient bien !

On entendit un gros éclat de rire qui en généra d'autres. Marquis but une gorgée d'eau. L'entrepreneur s'exprimait bien, ce qui lui serait un atout en politique municipale. Sa voix grave, remplie d'harmoniques, avait un beau grain et il manifestait un calme désarmant.

— Comme René Lévesque avait mis de l'ordre dans l'attribution des contrats, j'avais plus de chances qu'à l'époque de Duplessis d'en décrocher. Première nouvelle, j'obtiens la construction d'un gros ministère, un contrat de deux ans, avec du dynamitage, car il fallait intégrer un stationnement souterrain. Pour la première fois, je jouais dans les sept chiffres. J'avais besoin d'un comptable…

Le rire des convives fut instantané. Il semble que cet humour trouvait une complicité parmi les gens d'affaires.

— Mes concurrents, des gros joueurs, étaient consternés. David venait de battre Goliath. J'en ai profité à l'époque pour acheter une petite cimenterie qui était en difficulté financière. Comme j'allais avoir besoin de beaucoup de béton, l'affaire a été très rentable et j'ai pu sauver tous les emplois de ce qui allait devenir la Cimenterie Marquis et me valoir le surnom de monsieur Béton, sobriquet qui m'a déplu au départ. Le béton n'a pas de personnalité, c'est froid, jusqu'à ce qu'un architecte talentueux veuille bien lui en donner une ! J'ai fini par accepter ce surnom, car vous savez que le béton a la couenne dure et offre beaucoup de résistance, surtout quand il est armé.

La remarque déclencha un nouveau rire général spontané. Marquis paraissait fier de ses effets rhétoriques.

— Personne n'a coulé autant de ciment que moi à Québec. Les contrats se sont multipliés. J'ai élargi mes activités et j'ai créé, dix ans plus tard, Marquis Corporation.

Louis sortit son cube de Rubik. D'un coup d'œil foudroyant, Duval lui intima de remettre son jouet dans sa poche. Le Gros obtempéra mais se mit à jouer avec ses ustensiles. Duval le pria aussitôt d'arrêter.

L'homme d'affaires toussota. Des photographes se relayaient devant la tribune pour prendre des photos.

— Pourquoi m'as-tu emmené ici ? chuchota Louis.

— Parce que Marquis est le témoin-clé dans la mort de Florence Marquis, mitrailla Duval.

Louis saisit un petit pain dans la corbeille, le couvrit de beurre et l'avala goulûment en trois bouchées tout en écoutant d'une oreille distraite le laïus du conférencier.

— Plusieurs jeunes me demandent si c'est difficile de devenir millionnaire. Je leur réponds toujours que le premier million est ardu à amasser. Mais une fois celui-ci en banque, on dirait que les autres s'y accrochent comme des mouches à un morceau de sucre. L'argent, c'est comme les bactéries : dans de bonnes conditions, il se multiplie.

Marquis continua de pérorer sur ses bons coups et invita son auditoire à ne pas céder devant les difficultés.

— Plusieurs sont venus aujourd'hui en souhaitant que je confirme ou infirme une rumeur persistante. Vous êtes sans doute impatients de savoir si je serai de la course à la chefferie du Parti des citoyens.

Les photographes bombardèrent l'invité d'éclairs lumineux.

— Oui, messieurs dames, je serai de la prochaine course à la chefferie du Parti des citoyens.

Des applaudissements nourris allèrent crescendo.

Marquis parla ensuite de ses ambitions pour la ville de Québec.

— Le référendum nous a divisés. Il s'est créé une séparation, une brisure qu'il nous faut colmater. L'heure est à la réconciliation. Il faut panser nos blessures, diversifier notre économie, faire de Québec l'une des villes les plus prospères d'Amérique. Mes amis, j'ai de grands projets pour notre Vieille Capitale. Dans moins de quatre ans, nous célébrerons le 375e anniversaire de la fondation de notre ville. Je veux que Québec devienne le point d'attraction du monde entier pour l'occasion. Ces commémorations seront grandioses. Je dévoilerai d'ici un mois le projet de revitalisation de la Basse-Ville pour en faire un pôle économique important, et non pas l'actuel bastion de pauvreté.

Duval jeta un coup d'œil vers Loulou. Ce dernier avait fermé les yeux. À travers la grande baie, le lieutenant aperçut la cheminée d'un navire.

— Je sais que vous êtes affamés et que je vous laisse sans doute sur votre faim quant à mes intentions. Soyez patients. Mon attaché de presse vous remettra un document qui explique mes priorités. On aura l'occasion de se reparler. Je vous souhaite un bon dîner et je vous remercie de votre attention.

Les applaudissements ne voulaient plus finir. Sur une musique baroque, les serveurs en collant, dans un ballet spectaculaire, apportaient les entrées. Duval donna un coup de coude à Louis pour le sortir de son sommeil. Peu à peu, le choc des ustensiles sur la porcelaine ponctua les conversations.

En ouvrant les yeux, Louis découvrit trois endives et une tomate cerise sur un lit de salade baigné de vinaigre balsamique et drapé d'une bribe de truite fumée.

— C'est quoi, ça ?

— Ton entrée.

— C'est une farce ?

— Non. C'est la nouvelle cuisine.

— À quarante-cinq dollars le couvert !

— En comptant le discours de Marquis.

Louis se planta un doigt dans la bouche en feignant de se faire vomir.

— Je préfère encore avaler un hot-dog au Petit Bedon avec Ange-Aimée Trente Sous qui me conte l'histoire de sa millième pipe.

Duval sourit.

Marquis retraita vers sa table, accumulant les tapes amicales sur son passage. Duval se demanda si le candidat à la mairie serait aussi accueillant lorsqu'il se présenterait avec son mandat et des questions délicates. Mais les politiciens étant experts dans l'art de répondre, il verrait vite si Marquis savait danser ou non. Son attaché de presse circulait autour de la table et remit à chacun le document de Marquis intitulé *Québec, une nouvelle ville*. Louis le prit et le feuilleta nonchalamment avant de le déposer dans le cendrier.

— Qu'est-ce qu'on fait ?

— Je veux parler à Marquis.

Louis repoussa l'entrée, dégoûté. Le serveur apporta le plat principal composé de deux petits monticules de patates pilées, surmontés d'une branche de romarin, et d'une maigre bavette de bœuf noyée dans une sauce au vin. Si l'assiette avait été une toile, on aurait dit que le peintre avait été économe de ses couleurs.

Louis enfourna les patates en un tournemain puis se mit à faire la fine gueule. Il tourna la branche de romarin entre se doigts.

— Qu'est-ce que je fais avec ça ? Je me ramone le nez ?

— C'est le bureau qui paye. Sois pas trop regardant.

D'un doigt vindicatif, Louis rappela le serveur, qui arriva en coup de vent.

— Oui, monsieur ?

— Je crois qu'il y a une erreur avec mon assiette.

— Pourquoi ?

— Le chef est *cheap* sur les patates.

— Le chef est l'un des meilleurs du monde.

— Peut-être. C'est pas ça que je conteste. Ses patates sont bonnes, mais vous comprenez, j'ai faim, et j'ai une grosse journée de travail en vue.

Duval observait la scène, amusé. Du Gros, cent pour cent.

— Tout le monde a eu la même quantité.

— Laisse tomber, Louis, argua Duval.

— Non, je veux un *refill* de patates.

Le serveur, en colère, fit claquer ses escarpins et tourna les talons. Deux minutes plus tard, Pierre Monty, le grand chef du Château, s'approcha en compagnie du serveur qui montra Louis du doigt comme s'il s'agissait d'une bête.

— Alors, cher ami, qu'est-ce qui se passe ? demanda-t-il avec son accent français.

— Ma viande, je la mange d'habitude avec des patates. Là, c'est le Biafra dans mon assiette. Je veux pas deux petits tétons de patates, je veux deux grosses boules comme partout ailleurs.

— Ici, il y a une manière de faire qui est européenne et que tout le monde accepte.

Duval essaya en vain de s'immiscer dans la conversation. Le chef resta flegmatique, ne voulant pas perdre la face devant ses clients. Mais l'indignation lui sortait par tous les pores de la peau.

— *Cook*, ici, t'es au Québec. On aime les patates en quantité raisonnable. Arrête de me niaiser puis va m'en chercher. Ma viande est en train de refroidir.

Duval se dit que si le Gros était aussi acharné dans ses interrogatoires, le taux d'efficacité de son équipe augmenterait de 15 %.

— Je vous laisse déguster votre bavette, les patates suivront, dit le chef en faisant demi-tour.

Deux minutes plus tard, le serveur rapporta un bol rempli de purée de patates. Duval aurait voulu se cacher la tête dans les mains.

Le Gros se servit. Absorbé par son assiette, il ne parlait plus, coupait fébrilement son steak qu'il avalait à une vitesse record et dévorait les patates en purée comme un ogre. Il se mit à engloutir compulsivement sans goûter la nourriture, heureux de se repaître. Il était propulsé dans une autre dimension. Duval comprenait bien cette angoisse liée à l'alimentation chez son ami. Louis, comme lui, avait grandi dans un milieu défavorisé. Il n'avait pas toujours mangé à sa faim. C'est ainsi qu'il garnissait le garde-manger de sa maison de dizaines de boîtes de conserve ou encore faisait des razzias dans les étalages d'aliments congelés. Advenant une catastrophe nucléaire, il pourrait tenir le coup au moins un an.

◆

Le point de presse ne finissait plus. Agglutinés autour de Charles Marquis, les journalistes dardaient sur lui micros et questions. Duval et Louis patientaient sur un banc. Louis avait sorti son cube de Rubik qui lui arrachait des jurons. Il avait réuni de peine et de misère trois carrés rouges. À ses côtés, le lieutenant prêtait une oreille attentive aux réponses de Marquis.

— Ne serez-vous pas en conflit d'intérêts, monsieur Marquis ?

— Je viens de vendre mes compagnies. On en a même parlé dans votre journal, ironisa-t-il.

— Est-ce vrai que votre femme a été exhumée ?

— Oui.

— Soupçonne-t-on quelque chose ?

— Pas du tout. Simple formalité médicale.

L'attaché de presse chuchota un message à l'oreille de Marquis et celui-ci se tourna vers les journalistes.

— Il me faut y aller, messieurs.

Duval vit que la question avait ébranlé le prétendant à la mairie, mais sans lui faire perdre sa superbe. Marquis salua les journalistes et se pencha pour prendre sa mallette.

Duval s'approcha de lui, suivi de Louis, deux pieds derrière.

— Bonjour, monsieur Marquis.

Ce dernier lui tendit la main comme s'il était déjà en campagne électorale.

— Je suis enquêteur pour la Sûreté du Québec.

Par politesse, il omit de signaler qu'il appartenait à l'Escouade des homicides.

L'autre parut légèrement déstabilisé.

— Qu'est-ce que vous me voulez ?

Duval regarda l'attaché de presse afin qu'il prenne congé.

— Je voudrais vous parler seul à seul, si possible.

Marquis demanda à son assistant d'aller l'attendre dans la voiture. Puis il marcha avec les policiers jusque dans le hall du célèbre hôtel. L'eau de toilette du millionnaire fleurait les agrumes.

Duval l'invita à prendre place sur un sofa moelleux devant les portes tournantes.

— Vous avez les résultats de l'autopsie ? demanda aussitôt Marquis.

— Votre femme a été empoisonnée.

— Ça, on le savait déjà. Elle n'a pas résisté à sa chimiothérapie.

— Je ne parle pas de son traitement, mais d'un autre poison.

— Voyons ! Impossible.

— L'autopsie est sans équivoque.

Marquis prit dix ans en quelques instants. Soudain, il parut décontenancé par les gens qui passaient et le reconnaissaient.

— Nous allons devoir enquêter et fouiller votre résidence, reprit Duval.

Des images se bousculaient dans la tête de l'entrepreneur.

— Vous allez rendre le tout public ?

— Pas dans les prochaines heures. Il faut mener une enquête.

— Je prépare ma course à la chefferie du Parti des citoyens. Vous voulez mon suicide politique ?

— Vous n'êtes pas accusé de quoi que ce soit. Au contraire, si vous n'avez rien à vous reprocher, vous aurez droit à la compassion du public.

— Je n'ai rien à me reprocher. Je ne suis coupable de rien.

Marquis regarda sa montre, une TAG Heuer en or.

— Écoutez, monsieur Duval, est-ce que nous pourrions poursuivre la conversation chez moi ?

Duval acquiesça.

— Nous y serons vers seize heures. Nous avons les mandats. Au fait, des policiers sont déjà là pour protéger les lieux.

— Pourquoi ?

— Par mesure de précaution, répondit Duval avec diplomatie.

— Vous aurez toute ma collaboration, dit Marquis d'un ton grave.

L'homme d'affaires se déplia lentement du sofa. Ses genoux craquèrent. Il salua quelqu'un qui l'avait reconnu et se dirigea vers la sortie en enfilade menant au stationnement souterrain.

14

Sur les murs blancs de la salle de conférences s'alignaient les portraits des anciens chefs de la police provinciale et de la Sûreté. Aucun ne souriait. Toute une génération de chefs, qu'ils soient en noir et blanc ou en couleurs, vous regardaient avec leurs faciès austères. L'expression populaire « air de beu » pour qualifier les policiers se voyait confirmée. Même le lieutenant Dallaire, d'un naturel sympathique, ressemblait à un chef de junte.

Autour de la table ovale, Dallaire et le lieutenant Duval avaient réuni quatre policiers, deux spécialistes de l'Identité judiciaire et Rivard, le chimiste-toxicologue. Harel, son cube de Rubik posé devant lui sur la table, causait avec Prince. Duval prenait quelques notes sur une feuille: la répartition des tâches. À ses côtés, Dallaire lisait le dossier. La carafe d'eau réfractait les rayons du soleil en de jolis reflets arc-en-ciel.

— Est-ce que Marquis a de véritables chances de devenir maire un jour? demanda Dallaire à Duval.

— On dit que oui. Mais il doit briguer d'abord l'investiture du parti.

— Il y a beaucoup de mécontentement à l'endroit du maire actuel.

Duval commença la réunion.

— Bonjour, messieurs. En fin de journée, on se rend à l'île d'Orléans. Là où on va perquisitionner, une dame a été empoisonnée avec un pesticide quelconque, qui contenait de l'arsenic. Florence Marquis souffrait déjà d'un cancer: il semble qu'on ait voulu l'achever de façon à camoufler le crime. Elle avait une chance sur deux de survivre à sa maladie. C'était probablement trop pour certaines personnes. Le pesticide ne lui en a laissé aucune. Le poison que nous recherchons est une poudre que l'on peut dissoudre et mélanger à des aliments ou à des liquides. Il est inodore. La maison est immense, ce qui va compliquer les recherches. Nous fouillerons du grenier vers la cave. Vous ratisserez tous les recoins. Je veux que l'un d'entre vous s'occupe dès son arrivée de fouiller la chambre du couple et le bureau de madame Marquis. Vous y chercherez des documents manuscrits, des lettres qui pourraient nous donner des indices. Puisque la maison contient des objets de grande valeur, vous faites attention à ne rien casser. C'est tout ce que j'ai à dire pour l'instant. Des questions?

Louis leva la main.

— Crois-tu que Florence Marquis aurait pu se suicider? Elle ne voulait peut-être pas affronter l'épreuve de la maladie.

— C'est une possibilité. Elle ne serait pas la première. Au début du siècle, l'arsenic avait la cote chez les suicidaires. Et à propos d'arsenic, Louis, tu iras à la quincaillerie la plus près des Marquis. Demande-leur si quelqu'un de la famille est venu chercher des pesticides ou de la mort-aux-rats dans les derniers mois. Exige un relevé exhaustif des factures.

Duval passa ensuite la parole au toxicologue afin qu'il puisse éclairer les techniciens dans leur recherche, notamment sur les types de contenants dans lesquels pourrait se dissimuler la poudre. Il consulta sa montre et laissa entendre qu'il avait une commission urgente à faire, mais en fait il s'agissait d'une chose beaucoup plus grave.

15

En franchissant le seuil, Duval aperçut la tête poilue, qui se leva à son arrivée. Il souhaita que cette séance soit la dernière. Il avait fait la démarche de son plein gré, mais sans passer par les ressources offertes par le syndicat. Jamais il n'aurait eu le courage de s'ouvrir devant un psychologue lié de près ou de loin à son travail. S'il s'était confié à des proches, on lui aurait sans doute reproché cette initiative. Il avait marché sur son orgueil avant de se décider à consulter en secret. Le psychologue Paul Mercier se spécialisait dans les maladies du travail. Ses thérapies courtes, son approche béhavioriste visaient à remettre rapidement le client sur la bonne pente.

La pièce était exiguë. Sur le mur vert pâle derrière son bureau, les diplômes de Mercier étaient accrochés ainsi que son permis de l'ordre des psychologues. Le mobilier faisait dans la sobriété. Deux fauteuils, une chaise et un bureau. Duval salua Mercier, qui l'invita à s'asseoir. Les fauteuils en cuir noir étaient moelleux et confortables.

Le psychologue sortit son dossier, puis ajusta ses lunettes de forme hexagonale. Le lieutenant le regarda avec méfiance. En trois séances, il avait développé une relation ambivalente avec son thérapeute. Pendant que ce dernier consultait ses notes, Duval essayait de lire sur le visage de celui qui auscultait son âme en l'asticotant de questions. Il trouvait étrange cette figure masquée par une barbe poivre et sel et des cheveux bouclés qui cachaient les oreilles. Même les lèvres demeuraient invisibles tandis que les yeux se terraient derrière de grosses lunettes. Un nez et une bouche, voilà tout ce qui restait. Que signifiait ce demi-masque poilu ? se demanda le lieutenant. Le psychologue ouvrit la bouche. Ses dents ? Des chicots croches. Il avait dû consommer des centaines de kilos de sucre et avoir maintes caries. Sans doute avait-il grandi dans un milieu défavorisé, supposa le lieutenant. Et ce crayon portant à son extrémité la tête de Snoopy se voulait bien sûr un signe de fantaisie. Duval, par son examen scrupuleux, avait l'impression de lui rendre la monnaie de sa pièce. Dans son travail d'enquêteur, c'était lui qui posait les questions. Depuis trois semaines, les rôles étaient inversés. Mercier promenait sa sonde partout dans la tête de Daniel en révélant de grands pans de lui-même que celui-ci aurait préféré garder cachés. Le thérapeute referma le dossier, fixa son client droit dans les yeux.

— Comment ça va ?

— Correct.

— Avez-vous lu la documentation que je vous ai remise ?

— Oui.

— Vous êtes-vous reconnu ?

— Parfois.

Après avoir lu l'article, Duval l'avait passé dans la déchiqueteuse du bureau.

— Les mots imposture, mystificateur, usurpateur que vous avez utilisés dans nos entretiens décrivent parfaitement ce phénomène qui touche de plus en plus de gens : appelons-le le complexe de l'imposteur, même si l'appellation n'est pas encore entrée dans la littérature.

Duval écoutait comme si tout son avenir en dépendait.

— On va partir de ce que vous avez reconnu, reprit le psychologue. Je veux vous entendre là-dessus.

— Je souffre d'un perfectionnisme excessif. Je passe beaucoup de temps à me sous-estimer. Je suis incapable d'apprécier mes réalisations.

— En effet. Soit vous banalisez vos réussites, soit vous refusez de les revendiquer, laissant aux circonstances et aux hasards la paternité de vos bons coups. C'est typique des *workaholics*, conclut-il en relevant la tête.

— Ça me décrit assez bien, avoua Duval.

Le lieutenant avala sa salive de travers et dut contracter son pharynx pour ne pas tousser. Il commençait à avoir chaud. Il absorbait tout comme une éponge, attendant la suite. Mercier avait su faire sortir le chat noir de son sac. Le petit miroir lui renvoyait les ombres de ses troubles intérieurs. Daniel avait compris que, peu importe ce qu'il ferait, il amoindrirait ses succès. Ce déménagement, le fait d'avoir quitté ce qu'il avait bâti pour aboutir dans une maison de riches qu'il maudissait, l'avait mis face à ce syndrome d'imposture qu'il avait traduit en « sentiment de bon à rien », et ce, même si tous les signes autour de lui disaient le contraire : articles dans les journaux, promotions, médailles, regards admiratifs de collègues. Ce sentiment s'avérait aussi trompeur qu'un mirage. Mercier lui avait fait comprendre que son insécurité l'avait amené à faire sa maîtrise en criminologie, parce qu'il se jugeait inférieur aux collègues du laboratoire bardés de diplômes de deuxième et de troisième cycles.

La voix de Mercier l'extirpa de son auscultation interne.

— Lorsque vous me dites que vous avez l'impression de ne pas mériter d'habiter dans une résidence luxueuse, vous ne faites que confirmer ce complexe d'imposture. Qu'est-ce qui vous passe par la tête quand vous croisez un voisin ?

— Je me sens jugé par le regard des autres, qui doivent se dire : mais qu'est-ce qu'un policier fait dans une maison semblable ? Est-il corrompu ? N'est-ce pas grâce à sa femme, qui est une spécialiste ?

Mercier acquiesçait à chacune de ses affirmations.

— Ce sentiment vous rejoint-il dans la vie professionnelle ?

— Lorsque je suis sur le point de fermer un dossier non réglé, ce qu'on appelle un *cold case*, je me culpabilise. Les appels angoissés des proches des victimes me causent de l'anxiété. Je fais des heures supplémentaires. J'en prends plus large que mes épaules ne peuvent en supporter. Je deviens plus directif, je confie à mes équipiers des tâches qu'ils n'aiment pas toujours.

— Vous devez comprendre que votre travail, surtout le vôtre, est un travail où le pourcentage de réussite ne peut pas être calculé selon le nombre d'arrestations.

— Pourtant, on est jugés là-dessus.

Le lieutenant jouait avec les trois boutons de son veston. Il écoutait Mercier et approuvait. Le psychologue posa son crayon Snoopy sur sa lèvre inférieure, plissa les yeux.

— J'aimerais revenir quelques mois en arrière, avant l'achat de cette luxueuse résidence.

— Depuis quelque temps, il m'arrive d'arrêter devant mon ancienne demeure, une habitude à la fois saine et malsaine. Saine parce que j'ai trouvé dans cette maison une sorte d'équilibre dans une période de ma vie où je me retrouvais seul et où tout était à refaire, et malsaine parce que je voudrais la rapatrier alors que c'est maintenant impossible. J'imagine le conflit que cela occasionnerait si je disais à ma copine que je retourne vivre dans mon vieux cottage. C'est un peu comme ces hommes qui croient trouver dans une nouvelle flamme le visage de cette femme qu'ils ont tant aimée…

Au bout d'une heure à s'asticoter l'intérieur, Duval sortit son argent. Pas question de payer par chèque et de laisser une trace de son passage.

— Vous voulez un reçu ?

— Surtout pas.

— On se voit la semaine prochaine pour une autre séance ?

— Oui.

— À la prochaine séance, j'aimerais que vous reveniez sur un événement marquant de votre enfance qui vous hante encore et qui aurait contribué à faire de vous ce que vous êtes.

Duval se roidit. Il se demanda ce que le frisé allait fricoter avec ses souvenirs d'enfance.

— Je vais y réfléchir.

Il regarda l'heure : sa journée était tranchée comme un pain à sandwich : il était attendu à la centrale à trois heures trente et en fin d'après-midi chez Marquis. Duval songea que maintenant qu'il avait trouvé un nom à son problème, il pourrait le solutionner.

Il salua Mercier. Puisque la rue des psys, comme on l'appelle, et la centrale de police étaient situées sur le boulevard Saint-Cyrille, il avait stationné sa voiture dans la rue Fraser, en retrait, afin que personne ne puisse le soupçonner de sortir du bureau d'un psychologue.

16

En entrant à la centrale, il n'utilisa pas l'ascenseur. Il monta l'escalier en associant chaque marche à une résolution. Il était tellement concentré qu'il oublia de saluer le lieutenant Bégin, qui le trouva fort accaparé. Duval s'excusa en prétendant qu'il repassait mentalement un témoignage qu'il devait présenter à la cour.

- *Ne pas travailler après dix-huit heures, sauf s'il s'agit d'une urgence.*
- *Déléguer davantage.*
- *Connaître tes limites.*
- *Dire non fermement.*
- *Tu existes sans ton travail.*

La perfection n'existe pas, se répéta-t-il mentalement.

- *Proposer plus de sorties à Laurence.*
- *Être moins dur envers Louis…*

Duval médita ensuite chacune de ses prescriptions en longeant le corridor qui menait à son bureau. L'application de ces mesures serait difficile. Il en convenait. Mais il était à un stade où sa vie nécessitait des changements.

Il pénétra dans la salle de l'Escouade des homicides. Il aperçut Prince à travers les lattes ouvertes de son bureau. Il frappa et entra. Prince compilait les noms des policiers qui avaient souscrit pour la 6/49 dans l'espoir de prendre une retraite anticipée. Il déposa l'argent dans une enveloppe et la cacheta.

— En passant, j'ai organisé une rencontre avec Gisèle Chartrand, l'ex-blonde de Savard, et elle en a gros sur la patate. Elle doit venir à quinze heures trente.

— À ce propos, je voudrais te confier la totalité de cette affaire.

— T'es sérieux ?

La grosse tête de Prince rayonna en voyant le signe d'acquiescement de son patron.

— Je te remercie de ta confiance, Daniel.

Duval salua Bernard, satisfait de tenir une de ses résolutions. Avant d'aller chez Marquis, il voulait étudier le testament rédigé par sa femme ainsi que celui fait devant notaire quelques années auparavant, et il lui fallait vérifier certaines informations. Il marcha jusqu'à son classeur en bois. Il avait été l'un des seuls de la centrale à conserver ce meuble d'une autre époque, sa boîte à crimes, comme il l'appelait. Il ouvrit le lourd tiroir et sortit la déposition de Germain Charbonneau. Duval y avait annexé le testament de Florence Marquis. Charbonneau occupait un poste de directeur administratif à la délégation du Québec à Paris. Il n'était pas soupçonné, car il se trouvait en Europe pendant les semaines où l'on était en train d'empoisonner sa sœur. Seul frère de Florence, il se demandait pourquoi sa part avait été réduite du jour au lendemain. Il ne s'était pas chicané avec Florence, leur relation était toujours restée très bonne. Alors ?

Duval repéra les nids de querelles possibles, les clauses du testament prétextes à conspiration.

Il décrocha son veston de la patère et prit la direction de l'île d'Orléans. C'était à son tour d'asticoter quelqu'un. Marquis n'avait qu'à bien se tenir.

17

Le pont de l'île d'Orléans découpait le ciel de ses lignes fluides. Il ressemblait à deux lyres renversées. Mais ce n'était pas un endroit pour rêvasser. Le moindre instant d'inattention pouvait être fatal sur son tablier étroit. Les voitures se frôlaient à 80 kilomètres/heure. Duval se méfiait. Une affiche du camp du Oui avait été accrochée par un casse-cou au parapet. Elle ne tenait plus que par un coin, fouettée par le vent, comme si Éole voulait chasser ce mauvais souvenir. À cette vue, Duval chantonna un refrain de Félix Leclerc, le grand poète de l'île, celui que son père aimait tant fredonner.

Attends-moi, ti-gars, tu vas tomber si j'suis pas là
Le plaisir de l'un, c'est d'voir l'autre se casser l'cou…

Au bout du pont, à travers le chuintement des pneus sur la chaussée, un son étrange gagna l'habitacle de la Chevrolet. On aurait dit que des milliers d'archets battaient les cordes d'une section de violons: Ornk. Ornk. Ornk. Le regard du lieutenant dévia vers les battures, à l'est. Une volée d'oies s'était arrêtée avant de reprendre la route du Nord. Les rochers et la rive étaient blancs de plumes. Les cris des volatiles étaient multipliés par mille. À l'arrière-plan, l'ombre de gros nuages cotonneux se mouvait sur les Laurentides. La journée passait du clair à l'obscur. À l'ouest, de grands dards de lumière perçaient un nuage comme dans les images saintes de son enfance. Il n'y manquait que saint Joseph.

À l'intersection du chemin Royal, il vira à droite. Les maisons ancestrales à toits pentus étaient couchées dans un lit de verdure. De belles grosses vaches paissaient dans les champs. Duval dépassa un tracteur qui se rangea sur l'accotement pour faciliter sa manœuvre. Le chemin sinueux et accidenté qui mène à Sainte-Pétronille passa de l'ombre à la lumière.

Duval ralentit et repéra l'adresse sur la boîte aux lettres de Marquis. Il suivit un chemin privé, bordé de saules qui épousaient les courbes d'un ruisseau, jusqu'au manoir de Charles Marquis.

La résidence de trois étages était classique, toute symétrique. Des fenêtres à carreaux lui donnaient des airs de petit Versailles. À part la Jaguar, l'Aston Martin, la Porsche et les véhicules de la police, on se serait cru au XVIIIe siècle. Marquis avait dû en couler du ciment pour s'offrir de tels privilèges, pensa le lieutenant. Le béton pour les pauvres et la beauté de la pierre pour les nantis.

Duval sentit le vent du large et l'odeur de varech. De la pointe où habitait Marquis, on voyait la ville de Québec qui s'élevait sur le cap Diamant. Au-dessus du fleuve, des centaines d'oies reformaient leur position en V.

Un policier en uniforme sortit de la maison au moment où Duval observait, les yeux piqués vers le ciel, le cortège d'oiseaux.

— Bonjour, lieutenant. Vous adorez les oies ?

— Elles sont belles, ne sont coupables d'aucun crime ; elles sont blanches comme neige, elles savent quoi faire de leur liberté. Si l'une d'elles te chie sur la tête, c'est sans intention…

Le policier sourit.

— L'île d'Orléans vous rend poète, lieutenant.

Duval fixa Baby Face, le nom qu'il donnait dans sa tête à ce jeune policier aux joues roses comme celles d'un poupon.

— Vous avez trouvé quelque chose ?

— On vient juste de commencer. La fouille devrait être longue. Il y a aussi un cottage au bout du terrain.

— Un cottage ?

— On ne peut pas le voir d'ici à cause des arbres. C'est la maison de l'homme à tout faire. Monsieur Marquis engage quelqu'un à temps plein pour entretenir les lieux.

Duval entra dans la maison. Le vestibule l'époustoufla : il était aussi grand que l'appartement de Mimi. Les policiers qui avaient assisté à la réunion et les techniciens de l'Identité judiciaire s'affairaient. Un policier s'approcha de Duval.

— Monsieur Marquis est au salon.

D'un geste de la main qui reproduisait les enfilades du manoir, il lui indiqua comment s'y rendre.

Marquis était assis dans un fauteuil sous une lampe Tiffany avec son vitrail composé de feuilles et de libellules. Il avait revêtu une tenue plus décontractée : un jean blanc et un chandail Lacoste griffé du petit alligator. Les pieds sur le pouf, il lisait *The Wall Street Journal* en écoutant un quintette pour clarinette de Mozart.

Derrière lui, la grande baie offrait un paysage toujours mouvant : sur le fleuve, un gros cargo entrait au port de Québec ; au-dessus, la ville fortifiée montrait son âge et sa jeunesse à la fois ; son patrimoine et sa modernité, sa pierre et son béton. Chacun des petits carreaux de la fenestration était un tableau miniature en soi : la verdure des battures, le gris-bleu du fleuve, le Château Frontenac, l'édifice Price, des oies fuyantes. L'âtre en pierre avait la taille d'un mur. À droite du lieutenant, deux pianos à queue Steinway se faisaient face. Sur une étagère vitrée, éclairée de l'intérieur, étaient disposés des stèles, des vases, des bijoux et des figurines en pierre qui semblaient appartenir à une autre époque. Daniel observa des sculptures inuites en pierre de savon.

Duval toussota. Marquis releva la tête. La pièce était si spacieuse que l'homme d'affaires avait mis un temps à le voir et à mettre de côté ses colonnes de chiffres. Dans sa main, le verre de cognac prenait la couleur de l'ambre sous les rayons du soleil.

— Monsieur Duval. Excusez-moi ! J'étais absorbé dans la bible des gens d'affaires.

— À la hausse ou à la baisse ?

— Vous savez, au bout du compte, on devient un équilibriste à ce jeu. Je vous sers quelque chose ?

— Non, merci.

— C'est vrai, jamais en service.

Il plia le journal et le rangea dans le porte-revues en bois. D'un geste, il invita Duval à prendre place sur le canapé.

— Je suppose que vous avez plusieurs questions à me poser.

— En effet.

— Allez-y, dit Marquis en soulevant son verre.

— Depuis quand étiez-vous marié, monsieur Marquis ?

— Je ne comptais plus les années, mais puisque vous me le demandez…

Marquis leva la tête en effectuant un calcul mental.

— Vingt-six ans.

— Avez-vous fêté vos noces d'argent ? demanda Duval sans mauvaise foi.

— Nous menions déjà des vies parallèles, Florence et moi.

— Vous voulez m'en dire plus ?

D'un geste lent, Marquis porta son verre de cognac à ses lèvres.

— Ma femme et moi faisions chambre à part depuis plus de cinq ans.

— À cause de sa maladie ?

— Non.

— Aviez-vous des querelles conjugales ?

— Qui n'en a pas ? Mais pas plus que n'importe quel couple.

— Alors pourquoi ?

— Elle était très croyante. Elle vivait une sorte de retraite spirituelle. J'ai d'ailleurs fait construire à sa demande la chapelle blanche au bord du fleuve. Je la lui ai offerte l'année dernière pour son anniversaire.

— Aviez-vous l'intention de divorcer ?

— Non. Nous vivions un mariage de raison. Pour elle, le mariage constituait un lien sacré qu'on ne pouvait défaire.

— Est-ce que votre femme était dépressive ?

— Oui. Très, même si elle éprouvait un grand élan religieux. Elle parlait du Christ comme d'un amant. Depuis plusieurs années, elle lisait les mystiques, entre autres sainte Thérèse d'Avila. Elle s'est convaincue que son cancer était une grâce de Dieu. Elle était prête à souffrir comme les saintes qu'elle admirait tant. Elle vivait ses douleurs pour la joie et la miséricorde du Seigneur. J'avais du mal à la suivre… Il faut dire qu'elle avait souffert bien avant son cancer. Elle avait des pertes de sang extrêmement douloureuses. Ç'a été un des calvaires de sa vie. Elle organisait dans la chapelle des soirées de prière et de réflexion. Je la revois, les derniers jours, marcher lentement avec sa canne jusqu'à la chapelle. Elle y était souvent malade.

— Avait-elle des tendances suicidaires ?

Pensif, Marquis grimaça et nia du bonnet.

— Je sais que, dans sa jeunesse, elle a vécu un drame – je vous fais là une confidence. Elle aimait un gars de Saint-Hilarion, un draveur, qui est mort en Italie au cours des derniers jours de la guerre. Elle aurait alors – c'est ce qu'elle m'a conté – essayé de mettre fin à ses jours. Ils devaient se marier. Elle est entrée au couvent. Elle a même été novice. Puis elle s'est ravisée. Mais sa foi a toujours été forte. Je crois qu'elle aurait aimé, finalement, se retirer au couvent de carmélites. Elle a toujours été ambivalente sur cette question, à s'en faire des remords.

— Y avait-il quelque chose dans sa vie qui aurait pu la pousser de nouveau à se tuer ?

— Souvent, lorsqu'une personne se suicide, on cherche des raisons et on entend toujours les mêmes histoires : elle filait un mauvais coton, elle ressentait un vide, elle s'ennuyait, elle se cherchait. Puis on se rend compte qu'on éprouve tous ce mal de vivre à un moment ou à un autre.

— Votre femme avait-elle des ennemis ?

— Pas à proprement parler. Tout le monde admirait Florence. Ses amis ont même créé une fondation qui porte son nom : la Fondation des amis de Florence Marquis.

— Quel en est le but ?

— Aider les gens dans le besoin.

— Qui la dirige ?

— La présidente du C.A. est ma sœur, Estelle Lambert.

— Donc, vous ne connaissez personne qui lui voulait du mal ?

— Non, Florence était une femme qu'on aime.

— J'ai lu qu'elle était éditrice ?

— Oui.

— Quel genre de livres publiait-elle ?

— Des ouvrages religieux.

— Aurait-elle pu refuser un manuscrit ou se quereller pour des droits d'auteur ou d'autres considérations du genre ?

Marquis réfléchit.

— Non, je ne crois pas.

Duval plongea son regard dans la grande baie. Une autre volée d'oies fendait le ciel au-dessus du Saint-Laurent. Le lieutenant tourna la page de son calepin.

— J'ai lu dans *Le Soleil* qu'il y aurait eu des miracles à la chapelle. C'est quoi, cette histoire-là ?

Marquis expira longuement en hochant la tête.

— Des fidèles auraient vu suinter à plusieurs reprises l'icône de la Vierge noire. Un phénomène qui se serait produit également ailleurs, dans d'autres cercles charismatiques.

— Est-ce que vous avez eu des problèmes de vermine dans le passé ?

— Qu'est-ce que vous voulez dire ?

— Est-ce que votre maison ou les alentours ont déjà été infestés par des insectes, des souris… ?

Marquis se rembrunit, insulté par la question.

— Avez-vous vu les lieux ? Ce n'est pas un taudis. Vous n'êtes pas dans Saint-Roch, ici !

Duval lui souhaita de ne pas commettre des bourdes de la sorte durant sa campagne. Marquis fit tournoyer l'alcool au fond de son verre. Les rides s'étaient creusées sur son front.

— Je ne fais que vous poser la question, reprit l'enquêteur.

— C'est le jardinier qui s'occupe de ces détails-là. Mais je ne me rappelle pas qu'on ait eu de la vermine dans le coin.

— Qui soignait votre femme durant sa maladie ?

— Comme vous savez, je travaille soixante-quinze heures par semaine. Les derniers mois ont été très difficiles. En plus de devoir vivre avec Florence qui se mourait d'un cancer, il me fallait vendre mes compagnies : des négociations très intenses, éprouvantes, qui viennent tout juste d'aboutir. C'est notre domestique, Madeleine, qui s'occupait de Florence. Notre médecin de famille, le docteur Camirand, venait régulièrement, de même que le curé Ouellet. Mais celle qui a passé le plus de temps avec ma femme, c'est ma sœur Estelle. Elles ont toujours été de bonnes amies. Elle habite à Saint-François.

— Est-ce que vous, vous entretenez de bonnes relations avec elle ?

— Pas vraiment, si vous voulez tout savoir.

— Pourquoi ?

— Elle est jalouse de ma fortune.

— Votre femme ne vous a rien laissé dans son testament.

Marquis gloussa, afficha un sourire moqueur.

— Monsieur Duval, excusez-moi si je dois faire preuve d'ostentation, mais ma fortune est évaluée à des dizaines de millions. J'aurais plus aimé qu'elle me laisse un petit mot.

— Il semble aussi que votre sœur ait vu doubler le montant qui était initialement prévu pour elle dans le testament notarié.

— Voilà une bonne piste à explorer.

— Êtes-vous en train de me dire que vous soupçonnez votre sœur ?

— Écoutez : je croyais encore hier que ma femme était morte des suites d'une intoxication liée à sa chimiothérapie. Mon avocat avait même entrepris, aux lendemains de la mort de mon épouse, une poursuite contre l'hôpital. Mais j'aimerais vous parler de ma sœur, Estelle… Dans la famille, elle est connue comme la jongleuse de testaments. Je n'irai pas jusqu'à en faire une Messaline, je vous laisse le soin d'en juger. Ce n'est pas la première fois qu'elle accompagne des mourants : une vraie spécialiste ! Elle a fait son cours en soins infirmiers. Quand notre frère Réginald est décédé, elle ne l'avait pas vu depuis deux ans. Elle a voulu se réconcilier avec lui. Comme il était divorcé, elle s'en occupait et lui, ça faisait son affaire. Même si Réginald n'était pas riche, il possédait un superbe chalet en bois rond de deux étages, un bungalow à

Sainte-Foy et quelques placements. Étrangement, elle a mis la main sur la plus grosse part de l'héritage, dont le chalet du lac Jacques-Cartier.

— De quoi est mort votre frère ?

— D'un cancer de la prostate.

Du coin de l'œil, le lieutenant vit apparaître Louis entre un Indien en bronze de Laliberté et une sculpture montrant deux longilignes et rachitiques personnages de Giacometti. D'un signe de tête, le Gros lui fit comprendre qu'il voulait lui parler en privé.

Duval se tourna vers Marquis.

— Ce sera tout pour l'instant.

— Je reste à votre disposition.

— Pourriez-vous me donner l'adresse et le numéro de téléphone de votre sœur ?

Le lieutenant passa son carnet à Marquis et celui-ci y inscrivit les coordonnées.

— Je peux l'essayer ? demanda Louis à Marquis en désignant l'un des pianos à queue.

Sans attendre la réponse, il pianota gauchement la mélodie de *My Way* en marmonnant le premier couplet.

— J'aurais tellement aimé jouer du piano. Jouez-vous ? demanda Louis à Marquis.

— Non. Florence, par contre, était une excellente pianiste.

— Pourquoi deux pianos ?

— Elle faisait des duos avec des amis musiciens.

Harel bousilla les dernières notes de la ligne mélodique et son patron, d'un doigt impatient, lui intima de le suivre.

En passant devant un tableau abstrait, Louis grimaça.

— C'est même pas beau.

— Qu'est-ce que tu voulais ?

— Je suis allé à la quincaillerie. Le gérant ne se rappelle pas avoir vendu des pesticides à monsieur Marquis ou à son jardinier. Mais il est certain d'en avoir commandé il y a quelques semaines au fournisseur. Il est allé voir sur une tablette et il s'est rendu compte que son inventaire avait diminué. Lui-même n'en a pas vendu, mais la fin de semaine, c'est pas lui qui tient la caisse. Il m'a dit que sa mémoire le trompait peut-être et qu'il passerait au peigne fin ses factures de commande. Ici, comment ça se passe ?

— C'est intéressant. Je sens qu'on va travailler fort.

— Marquis te semble *clean* ou pas ?

— Je ne peux pas dire pour l'instant. Par contre, d'ici la fin du jour, je veux que tu prennes rendez-vous avec Estelle Lambert pour demain.

Duval déchira la page de son carnet et la tendit à Loulou. Le lieutenant monta ensuite à l'étage pour voir comment la fouille avançait. Louis le suivit en claudiquant.

Un jeune policier fraîchement diplômé de l'École de police de Nicolet vidait une commode dans la chambre de Florence Marquis. Cette dernière avait occupé une toute petite pièce. Le lit étroit se composait d'un matelas très mince sur un sommier. Une couverture de laine grise était pliée au pied du lit. À part le crucifix et une photo du curé d'Ars, tout était d'une blancheur immaculée. Une chambre blanche, une chambre d'ascète. La pauvreté du lieu tranchait avec le luxe des autres pièces. Devant la fenêtre à carreaux, une branche de bouleau ajoutait sa blancheur au reste. Était-ce sur ce lit qu'on lui avait administré la ou les doses léthales ? Il fallait que ce soit un proche ou une personne de confiance.

Comme l'avait mentionné Marquis, son épouse avait beaucoup invoqué les grâces de Marie. Sur un autel drapé de blanc, deux cierges encadraient une icône de la Vierge noire aux côtés des livres de sainte Thérèse d'Avila. Un prie-Dieu en chêne, ouvré par un ébéniste de talent, prolongeait l'autel.

Louis se signa devant l'icône de la Vierge noire.

— Pourquoi est-elle noire ? demanda Duval.

— C'est une représentation réaliste. Tu sais bien que les Jésus et Marie blancs comme neige qu'on nous présente sont impossibles. Ils ont vécu au Moyen-Orient.

Duval resta sidéré.

— Tu m'apprends quelque chose cet après-midi !

— Quelqu'un a osé l'empoisonner sous le regard de la Vierge Marie. Je vais l'invoquer dans notre enquête. Je suis convaincu qu'elle va intercéder pour nous.

— Toi qui es impliqué dans le mouvement charismatique, avais-tu entendu parler de Florence Marquis ?

— Oui, son action est très connue. Elle a aussi publié des livres.

— Et le curé d'Ars, tu le connaissais aussi ?

— Ben oui, voyons don'. Le diable est apparu souvent dans l'église où couchait le bon curé d'Ars. Satan faisait déplacer son lit.

Duval sourcilla, sceptique.

Les deux enquêteurs traversèrent dans le bureau de Florence, adjacent à la chambre. Dans le passage qui menait au bureau, Louis s'arrêta devant un tableau sur lequel rampaient d'étranges bestioles à mille pattes aux couleurs vives.

— C'est quoi, ça ? Un coloriage de débile léger ?

Il s'avança pour lire ce qui était gravé sur la plaque de cuivre.

— « *Bestiaire*, Alfred Pellan ». Pas étonnant qu'y soit resté inconnu !

Duval toisa le Gros avec un dépit teinté de résignation.

— Ça coûte au bas mot une année de salaire, un tableau pareil.

— Non ! Pas pour cette croûte-là ?

— Oui. Il en vaudra le double dans dix ans.

— C'est scandaleux !

Ils entrèrent dans le bureau. C'est de là que Florence Marquis dirigeait sa maison d'édition. La pièce était spacieuse, rehaussée d'une belle poutre apparente. Les murs en plâtre contenaient la mémoire du passé religieux de l'éditrice.

— Regarde ça ! dit Louis, impressionné.

Trois cadres, les uns à côté des autres, montraient Florence à différents moments de sa vie, photographiée avec trois papes différents : le nouveau pape Jean-Paul II, Paul VI et Jean XXIII. Trois âges, trois temps de sa vie, et une constante : la religion.

— Il fallait que ce soit une femme importante. Avant que toi et moi on se fasse photographier avec un pape, les curés vont pouvoir se marier, philosopha Louis.

Sur une autre photo, elle était accompagnée du cardinal Léger et de Maurice Duplessis. Il y avait aussi plusieurs clichés de religieux et de religieuses. Une grande bibliothèque contenait tous les livres que Florence avait publiés au fil des ans. Il remarqua l'un des titres, *Le Saint Curé d'Ars aux prises avec le Diable*.

Duval continua de scruter la pièce en pivotant sur lui-même.

Un tableau de Marc-Aurèle Fortin au cadre orné de feuilles d'or était accroché à côté de la fenêtre. L'effet était saisissant : les peupliers peints prolongeaient ceux de l'extérieur. De la grande fenêtre à carreaux, on voyait le jardin qui déroulait ses verts jusqu'au gris-bleu du fleuve et la chapelle qu'elle s'était fait construire.

Sur le bureau à cylindre reposaient divers objets : papier, lettres, machine à écrire, plumes. Duval avait l'impression que rien n'avait bougé depuis la mort de Florence.

Trois classeurs en bois s'alignaient dans un coin. Posté devant, un policier épluchait des documents manuscrits qu'on allait saisir. Heureusement, Florence Marquis avait tout classé par ordre alphabétique.

— Avez-vous trouvé quelque chose ? demanda Duval au policier.

— Peut-être ; pourriez-vous jeter un coup d'œil à ça ?

Le policier lui tendit une chemise qui contenait une circulaire d'information du gouvernement qui expliquait la nouvelle règle concernant la loi sur les divorces et le partage des biens qui en découlait. Une carte professionnelle au nom de maître Jérôme Champagne y était épinglée.

— Très intéressant ! Où avez-vous découvert ça ?

— Dans ce classeur.

— Cherchez tout ce qui pourrait être lié à ce document ; peut-être qu'elle a pris contact avec d'autres avocats.

Louis s'attaqua au tiroir du haut et feuilleta les dossiers. Duval ouvrit le premier tiroir du classeur réunissant la « correspondance » de Florence Marquis. Il prit la chemise datée « septembre et octobre ». Des dizaines d'enveloppes avaient été jetées pêle-mêle dans ce porte-documents, sans doute dans les derniers jours avant qu'elle meure, car les autres envois étaient classés avec une rigueur d'archiviste. Chaque mois avait son enveloppe avec la correspondance par ordre chronologique. La plupart des lettres provenaient d'organisations religieuses qui se disputaient le magot à venir. Dans un style fleuri et grandiloquent, les demandeurs vantaient leurs bonnes œuvres d'ici et de par le vaste monde. Les congrégations offraient de prier jusqu'à la fin de leurs jours pour la riche mécène. D'autres fondations, médicales cette fois, informaient madame Marquis de leurs recherches et avancées : Société canadienne du cancer, Fondation de la paralysie cérébrale et de la fibrose kystique, etc.

Le lieutenant n'en revenait pas du nombre de prédateurs qui s'étaient pourléché les babines à l'idée d'encaisser la fortune de la défunte. Mais une considération le turlupinait. Il se leva, marcha jusqu'à la fenêtre. Au loin, à travers les pousses printanières, il apercevait la corniche du cottage dont lui avait parlé le policier. En contrebas, sur la rive, se découpaient le toit et le clocher de la petite chapelle blanche. Une goélette d'un autre âge glissait lentement sur le fleuve. Tout en embrassant du regard le paysage, il songea que Florence Marquis avait pensé à léguer une partie de sa fortune à ces organismes pour ensuite changer d'idée. Pourtant, vu l'héritage laissé à ses proches, tout près des sept chiffres, il n'y aurait pas eu de quoi alerter toutes ces organisations religieuses et fondations médicales. Un hôpital de Montréal avait même planifié l'achat d'un scanner qui coûtait un demi-million de dollars. Quelque chose clochait. À lire ces lettres, on avait l'impression que Florence Marquis avait d'abord approché ces organisations pour ensuite les laisser tomber. Pourquoi ? La respiration du lieutenant embua la fenêtre.

— À quoi tu penses ? dit Louis en interrompant son travail. On dirait que tu mijotes un crime.

Sans attendre de réponse, il reprit son examen. Duval, lui, restait pensif, tout à ses conjectures. Les Marquis faisaient chambre à part. Le document qu'il venait d'examiner laissait penser que Florence Marquis envisageait le divorce. Pourtant, Marquis avait affirmé que le sacrement du mariage était inviolable aux yeux de sa femme. Dans cette optique, Marquis aurait-il accepté de couper la poire en deux, soit une dizaine de millions de dollars, pour enrichir les légataires de sa femme ? A-t-on envie de voir dilapider le prix de son labeur aussi facilement, aussi noble soit la cause ? Certainement pas, se dit Duval. Il aperçut au loin un homme qui marchait en direction du cottage. Était-ce le jardinier ? Un chemin en moellons d'inspiration romantique traçait un parcours capricieux à travers les arbres et les rhododendrons.

Un policier apparut dans le chambranle.

— Lieutenant Duval, le chimiste vous demande au sous-sol.

— J'arrive.

Duval descendit d'un bon pas.

Au salon, Marquis faisait jouer *La Valse triste* de Sibelius. Duval la connaissait car Mimi l'écoutait aussi lorsqu'elle était encore à la maison. De la cuisine, une trappe donnait accès à la cave. Duval aborda prudemment la cage de l'escalier, qui ressemblait davantage à une échelle. L'odeur âcre et rance de l'humidité monta aussitôt à ses narines. Rivard avait installé des projecteurs pour mieux « appréhender les lieux », comme il aimait à dire.

— Regarde.

Il tenait dans ses mains une trappe à rats toujours enclenchée. Le mécanisme du ressort était entièrement rouillé.

— Marquis m'a dit qu'il n'y avait pas de rats ici, s'étonna Duval.

Le long nez de Rivard le guidait autant que ses yeux dans cet espace où couraient de long en large les vieilles poutres crevassées. Sur une étagère s'alignait une variété de produits de quincaillerie.

— J'ai tout passé en revue. Je n'ai rien découvert. J'ai pris quelques échantillons des poudres trouvées sur les tablettes. Si quelqu'un a échappé même une infime quantité d'un produit qui contient de l'arsenic, ce sera assez pour qu'on l'identifie.

Duval avança vers un autre coin du sous-sol. Il se pencha, prit un bâton et l'approcha d'une plaquette qui se referma en claquant. Il ramassa le piège et le remit à Rivard.

— Tiens, en voilà un autre !

Duval nota dans son carnet le mensonge de Marquis et sa feinte indignation.

Il jeta un coup d'œil circulaire. Richard Marquis, le fils, avait été un enfant gâté, à voir les jouets laissés à l'abandon : un cheval à bascule, des voitures métalliques à pédaliers, des camions de bois. Sur une étagère, des dizaines et des dizaines de jeux de société rongés et jaunis par l'humidité. Il se pencha et vit un jeu intitulé « The Young Chimist ». Il s'empara de la boîte.

— Marcel, viens voir.

— Intéressant et de belle qualité !

Rivard ouvrit le boîtier. Il contenait de la vaisselle de laboratoire, un ballon, des éprouvettes, un brûleur et des fioles emplies de poudres chimiques.

— On va l'examiner, dit Rivard. Qu'est-ce que j'aurais fait pour avoir un cadeau comme ça quand j'étais petit !

Un faisceau lumineux les aveugla du haut de la trappe.

— Dany, peux-tu venir en haut ?

Duval reconnut la voix de Loulou. D'une main, il abrita ses yeux éblouis.

— Ferme ta lumière, tu m'aveugles.

Il remonta à l'étage.

— J'ai trouvé une bouteille de Bromo Seltzer derrière le classeur, expliqua Louis. C'est bizarre.

Le lieutenant regarda la bouteille sans la prendre, car il avait enlevé ses gants.

— Ça ressemble aux granules dont tu parlais durant le briefing, ajouta Louis.

— Consigne-la.

Le Gros regarda l'heure.

— Je vais devoir y aller. Il faut que je prépare mon émission.

— Gros travail ! railla Duval.

Le lieutenant avait envie de rire. Il savait bien que Louis était brouillon. Tout au plus devait-il faire un choix musical de dernière minute. Quelque part dans la maison, une horloge de parquet marqua le coup de dix-huit heures. Il pensa à ses nouvelles résolutions. Il aurait dû, lui aussi, plier bagage. Mais ce métier ne le lui permettait pas. Demandait-on au chirurgien de ranger son bistouri parce qu'il était l'heure de partir ?

Duval retourna au salon. L'homme d'affaires parlait au téléphone. Le lieutenant leva un doigt afin de l'interrompre un instant.

— Avez-vous la clé du cottage ?

— Demandez à Madeleine dans la cuisine.

La domestique ressemblait à la bonne Adèle de la série du même nom. Elle portait un tablier et un chapeau en dentelle. L'odeur de la soupe aux poireaux faisait saliver les papilles. Derrière son bloc de boucher, Madeleine enfarinait des jarrets de veau. Le maître de la maison se régalerait d'un osso buco à l'heure des Français.

— Vous êtes Madeleine ?

— Oui, dit-elle en continuant de rouler le veau dans la farine.

— Avez-vous la clé du cottage ?

— Je crois que, pour une fois, monsieur Dolbec est là, mais je ne prendrais pas de risque… répondit-elle avec humeur.

Elle décrocha du porte-clés mural un trousseau qu'elle tendit au lieutenant.

— Depuis quand êtes-vous au service de monsieur Marquis ?

— Vingt-deux ans.

Elle alluma la cuisinière au gaz, beurra abondamment la cocotte et y fit dorer la viande. Elle ajouta ensuite les légumes, le concentré de tomates, saupoudra le tout d'herbes de Provence puis enfourna son plat.

— Étiez-vous en service quand madame Marquis est morte ?

Elle nettoya ses mains collées de farine sous le robinet.

— Oui. Pauvre madame Marquis. Que Dieu ait son âme. Elle était si bonne.

Elle allongea le bras pour ranger son encyclopédie de la cuisine canadienne-française.

— C'était une femme extraordinaire, à ce qu'il paraît ?

Ses yeux s'allumèrent.

— Ah oui ! Bonne comme ça ne se fait plus. Une vraie sainte.

Tout en vantant les mérites de la défunte, elle versa de la crème, de la graisse, de la vanille et du beurre dans un cul-de-poule. Duval apprécia les murs lambrissés, les céramiques d'une autre époque, l'armoire datant du régime français meurtrie par l'âge. Sa nostalgie pour son ancienne demeure s'amplifia soudain.

— Parlez-moi des circonstances de sa mort…

— Elle se rendait quotidiennement à la chapelle. Elle y restait des heures. Ce jour-là, voyant qu'elle ne revenait pas, j'ai envoyé le jardinier vérifier ce qui se passait. Il a trouvé madame inconsciente dans l'allée. Monsieur Marquis et monsieur Dolbec l'ont portée dans la maison pendant que j'appelais le docteur.

— Qui se trouvait également dans la maison ce jour-là ?

— Le docteur Camirand est venu aussitôt, mais il était trop tard.

— C'est tout ? Y avait-il madame Lambert ?

— Non. Elle n'était pas là.

— Personne d'autre ?

Elle se mit à réfléchir tout en ajoutant à la recette du sucre, des œufs et du cacao.

— Comme je vous l'ai dit, l'homme de maintenance, monsieur Dolbec, était dans le cottage.

Elle battit le mélange qui prit une teinte chocolatée.

— A-t-il accès à la maison ?

— Oui. Il est supposé y faire des réparations, des aménagements.

— Il ne s'est pas produit d'événements spéciaux, ce jour-là ?

— Non, pas à ma connaissance.

— Quel était le régime alimentaire de madame Marquis ?

— Madame Florence mangeait peu en raison de son cancer. Même avant sa maladie, elle avait un régime ascétique, plutôt frugal. Comme elle avait des crampes douloureuses dès qu'elle mangeait, son appétit avait beaucoup diminué.

— De quel type de cancer souffrait-elle ?

La bonne baissa les yeux. De honte ou de compassion ? Il n'aurait pu le dire.

— Elle souffrait d'un cancer du col de l'utérus à un stade avancé lorsqu'ils l'ont dépisté. Madame a toujours eu des saignements difficiles et prolongés. Après son premier traitement, elle perdait ses cheveux, elle avait des maux de cœur. Combien de fois j'ai dû nettoyer la chapelle parce qu'elle avait vomi sur le plancher. Elle n'avait pas le temps de se pencher et de faire dans la chaudière.

— Y avait-il un aliment qu'elle chérissait plus qu'un autre à la fin ?

— Elle adorait l'eau minérale, dit-elle en cessant de verser du lait dans le mélange. Pourquoi me posez-vous toutes ces questions ?

— Parce que madame Marquis est morte empoisonnée.

Une expression ahurie paralysa les traits de la bonne, gela ses rides. Sa bouche demeura ouverte en un « O » de stupéfaction. Seule une main tremblante remonta lentement jusque sur la lèvre inférieure.

— Empoisonnée !

— Oui.

Une grosse larme perla de l'œil gauche.

— C'est épouvantable. Qui aurait fait ça ?

— C'est ce que je dois découvrir.

Elle cessa de graisser le fond du moule carré avec du papier ciré. Elle secouait la tête, incrédule.

— Savez-vous si l'on garde du poison à vermine ici ? enchaîna le lieutenant.

— Du poison à.... Je ne sais pas. Mon Dieu, Seigneur ! Ç'a pas de bon sens !

Elle eut une bouffée de chaleur, dut s'asseoir. Son collant blanc ne cachait pas les varices qui striaient ses gros mollets.

Duval s'appuya contre le bloc de boucher.

— Madeleine, les prochaines questions que je vais vous poser sont très importantes.

La cuisinière le regarda en se concentrant comme si elle répondait à l'animateur de *The Price is Right*.

— Est-ce que les Marquis se chicanaient ?

Elle dévisagea le lieutenant, visiblement peu disposée à discuter de la vie privée de son patron.

— Est-ce que je dois absolument vous répondre ?

— Madeleine, cela regarde la justice de la province de Québec dont je suis le représentant. Je suis là pour comprendre ce qui est arrivé à Florence Marquis.

Elle reprit contenance.

— Monsieur était bon pour madame.

— Oui, mais se querellaient-ils ?

— Je dirais qu'ils ne se parlaient plus beaucoup. Comme tout le monde, ils avaient des désaccords.

— Sur quoi avaient-ils des différends ?

— Écoutez, demandez à l'ex-homme de maintenance de monsieur Marquis. Il pourra mieux vous parler de ces affaires-là…

Elle hochait nerveusement la tête, aux prises avec le démon de l'anxiété. Elle reprit le graissage de son moule.

— L'ex-homme de maintenance, vous dites ?

— Oui. Il pourra vous en parler. Moi, j'en suis pas capable.

— Quel est son nom ?

— Jean-Marie Dansereau.

— Pourquoi n'est-il plus au service de monsieur ?

— On l'a remplacé.

— Vous avez son numéro de téléphone ?

— Oui, un instant…

Elle consulta le carnet d'adresses près du téléphone mural. Sur le revers d'un carton d'allumettes, elle écrivit d'une main tremblante le numéro qu'elle remit à Duval. Il glissa le carton dans son calepin.

— Je vais repasser. Merci de votre collaboration.

En sortant de la cuisine, Duval regarda l'heure. Il était découragé. Mimi devait venir souper à la maison. Il avait dérogé à ses nouvelles résolutions. Il n'avait pas abattu la moitié du travail qu'il voulait accomplir. Rivard, le chimiste, était déjà parti, de même que les techniciens. Dans le passage, il ne restait plus que deux agents en uniforme qui se cherchaient maintenant du travail.

— Est-ce qu'il y en a un qui peut m'accompagner jusqu'au cottage ?

Le grand blond serra les dents.

— J'ai rendez-vous au club de tir.

Duval se tourna vers l'autre.

— J'ai du temps pour vous, lieutenant Duval, soupira-t-il.

Le terrain dévalait en douceur vers la grève. Un long sentier en lacets menait au cottage ; le thym serpolet poussait entre les pavés chinois. Les îlots blancs, roses et orange de rhododendrons et les arbres donnaient toute la mesure de cet arboretum.

— Il est chanceux, l'homme de maintenance. J'aimerais ça, avoir une maison pareille, dit le policier.

— Et moi donc ! grogna Duval.

Une rose des vents tournoyait sur le pignon du toit. Deux pins blancs s'élevaient jusqu'à trois fois la hauteur de la maison. Un geai gris perché sur une branche jasait.

Duval frappa deux coups. Aucune réponse. Il cogna encore, puis inséra la clé dans la serrure, mais elle n'entrait pas. Il réessaya, en vain, inversa la clé sans plus de succès. Les rideaux étaient tous fermés.

— Elle s'est peut-être trompée de clé ?

— Non, répondit Duval. C'est écrit sur le porte-clés : « maison du jardinier ».

Il se tourna vers le policier qui était demeuré en retrait.

— Avez-vous pris les carnets de transactions bancaires de madame Marquis ?

— Oui, je me rappelle qu'on a pris ça.

— Ce sera tout pour aujourd'hui.

— Vous ne rentrez pas ?

Le lieutenant fit non de la tête. Il avait entrevu la chapelle blanche à travers les feuillus et décidé d'aller jeter un coup d'œil.

L'agent le salua et retraita vers la maison, sans doute soulagé, se dit Duval, de ne pas avoir à travailler tous les jours avec un zélé comme lui.

Une allée de sapins baumiers longeait le talus jusqu'à la rive jonchée de gros galets. La chapelle aux lignes élégantes se découpa à travers les arbres. Elle était en clin de cèdre et avait été construite sur pilotis. Tout autour, on avait fait preuve d'économie dans l'abattage d'arbres. Au-dessus du portail, une belle rosace montrait la Vierge noire sur fond de ciel bleu. Le clocher s'élevait au milieu des arbres. De chaque côté du temple, six ouvertures en ogives contenaient de superbes vitraux. Duval gravit les cinq marches qui menaient au parvis. Il poussa le loquet et la porte s'ouvrit. La blondeur du bois franc verni, la blancheur du plâtre sur les murs et la luminosité des vitraux en faisaient un lieu de lumière. L'endroit sentait bon les essences de bois et l'encens. Une dizaine de rangées de bancs étaient traversées par une allée conduisant à l'autel au tabernacle drapé de blanc. Une magistrale icône de la Vierge noire, au cadre orné de feuilles d'or, était accrochée derrière l'autel à côté du Christ en croix. Des dizaines de lampions étaient allumés. Duval détailla les vitraux. En bon Canadien français élevé dans la religion catholique, il comprit vite qu'ils présentaient des scènes liées aux moments joyeux, glorieux et douloureux vécus par la mère de Dieu. D'un côté les beaux moments dans des teintes de bleu, de jaune et de vert : l'annonce qu'Elle sera enceinte de Dieu, la visite de Sa cousine Élisabeth, enceinte de saint Jean-Baptiste, la naissance de Son fils Jésus, Sa résurrection et l'apparition de Son fils aux apôtres, Son ascension au ciel portée par les anges. Duval se tourna pour lire les mystères douloureux dans des tons de rouge, de mauve et de noir : la Présentation au Temple et l'annonce de la prophétie qu'Elle recevra un glaive au cœur, Son fils portant la croix, Marie qui le voit mourir. Florence Marquis avait-elle vécu le drame de sa vie en symbiose avec celui de la Vierge ? se demanda Duval en s'assoyant. Le drame de l'enfant arraché à sa mère le ramena à celui de Laurence, mais il s'interdit d'y penser plus longuement.

Puis un détail le consterna. Dans chaque représentation des mystères douloureux, la Vierge noire était accompagnée d'une amie à la longue chevelure blanche qui ressemblait à Florence Marquis. Duval parcourut chacun des tableaux. Une autre observation le mit dans un état d'excitation. Il s'avança pour vérifier sa découverte. Sidéré, il hocha la tête. Dans la scène de la crucifixion, Charles Marquis avait servi de modèle pour l'un des tortionnaires romains. Il nota fébrilement ces informations dans son carnet et sortit. Entre-temps, deux personnes étaient entrées pour prier sans qu'il s'en rende compte.

Il remonta le sentier et croisa trois autres fidèles, missel à la main. Il comprit que les gens avaient accès à la chapelle, même si elle était située sur un terrain privé.

Duval frappa à la porte vitrée de la cuisine pour attirer l'attention de la domestique. Les odeurs de gâteau et d'osso buco le mirent en appétit.

— La clé ne fonctionne pas.

— Monsieur Dolbec a dû changer la serrure après le départ de monsieur Dansereau. Il avait peut-être peur que l'ancien jardinier revienne et fouille dans ses affaires.

Duval huma une dernière fois le repas de Charles Marquis et mit fin à sa journée de travail.

Mais non. Ce n'était pas fini. Avant de retourner à la maison, il lui fallait arrêter à la poste pour y enregistrer sa lettre. La succursale près de la côte de la Montagne était ouverte à cette heure. Il refusait de payer quelque dommage que ce soit. La vieille hésiterait peut-être à le traîner en cour. Sinon, la fissure deviendrait un gouffre à billets verts pour deux bureaux d'avocats.

18

Duval était seul dans la maison pleine de silence. Le regard perdu dans tout ce vide, il se fit la réflexion que les vastes espaces supportaient mal la solitude. Sur la table, il aperçut une note de Laurence. Elle et

Mimi étaient parties au cinéma: « Il reste du poulet dans le four. » Elles ne l'avaient pas attendu. Il s'en mordit les lèvres, se dit qu'il ne méritait pas mieux. Encore une fois, il n'avait pas respecté ses engagements.

— *Shit!* grommela-t-il pour lui-même.

Il alluma le four, puis sortit une bouteille de rouge du cellier et la déboucha. Il monta à l'étage. Après s'être douché, il enfila un jean délavé et un t-shirt noir. Chaque fois, le grand escalier lui donnait l'impression qu'il effectuait une entrée dans un gala. Il descendit les trois marches jusqu'au salon, se laissa choir sur le canapé de cuir. Il ouvrit le téléviseur, se leva et sélectionna un poste. Il n'y avait que les niaiseries habituelles. Il referma l'appareil. La vue de la chaîne audio appelait la musique. Il parcourut ses disques et s'arrêta sur l'album d'Erroll Garner, *Concert by the Sea*, qu'il aimait particulièrement. Ce disque était synonyme de détente après une journée bien remplie. Garner, le virtuose, faisait ressortir chacune des voix comme nul autre pianiste. Duval l'adorait. Cette main gauche valait cinq bâtons de dynamite. Mais dans cette immense pièce, il avait l'impression que les notes se perdaient dans le vide.

Le lieutenant marcha jusqu'au comptoir, se versa du vin. Il parcourut le courrier du jour: des comptes, un abonnement gratuit au *Reader's Digest*. Il avait reçu sa revue du FBI et le *Runner's world*. Malheureusement, sa fasciite plantaire, une blessure récurrente, l'empêchait de courir depuis des semaines. Il commença à parcourir la revue du FBI mais s'arrêta. «C'est du boulot, ça! » Il plongea son regard dans le grand espace vitré, leva ses yeux vers le toit cathédrale. Il avait l'impression de vivre dans un aquarium, d'y tourner en rond, incapable de se détendre. C'était une maison pour élever dix petits bélugas. Il soupira:

comment pourrait-il réhabiliter ce lieu sans âme ? Il était mal à l'aise d'y vivre. Il n'y trouvait pas la chaleur de son cottage centenaire : les planchers de bois franc qui craquent, le plafond mansardé, la cuisine lambrissée. Devant lui, comme sur un écran géant, un porte-conteneurs glissait sur le fleuve. Il fouilla parmi les revues mais n'y trouva que des magazines féminins. Sur la table, le roman que lisait Laurence, *La Vie devant soi*, attira son attention, mais pas assez pour qu'il se redresse et s'invite à la lecture. Il regarda l'heure, fixa les poutres et le ventilateur au plafond. L'ennui le gagnait dangereusement. Il repensa au testament. Qui perdait et qui gagnait au change en modifiant le testament ? La sœur de Marquis, Estelle Lambert, doublait son legs. Elle obtenait aussi des honoraires importants pour gérer la succession. Elle avait bénéficié d'une procuration qui lui avait permis de sortir de l'argent au cours des semaines qui avaient précédé la mort de Florence. Elle agissait comme exécutrice testamentaire. C'est aussi elle qui avait pris soin de Florence Marquis dans les dernières semaines de sa vie. Pourquoi, un mois avant de mourir, celle-ci avait-elle changé son testament ? Lui avait-on forcé la main ? Devait-il appeler Louis pour lui faire part de ses soupçons ? Le Gros devait se relaxer avant son émission de radio. Daniel aurait aimé voir Mimi, il se sentait coupable de son retard. En voyant la bande dessinée *Snoopy* sur la table, il pensa à Mercier, le psychologue, et mit fin à sa réflexion. Il songea à la lettre enregistrée. Devant ce menu de choses plates à méditer, il décida de se botter le derrière. Il fallait cesser de penser et se réfugier dans un cinéma avec ceux qu'il aimait.

Le film commençait cinq minutes plus tard. En ajoutant les bandes-annonces, il avait une marge de manœuvre de quinze minutes. Juste assez pour arriver à temps et mettre en action ses résolutions.

Il alla jusqu'au four, arracha une cuisse de poulet, mordit dedans comme un fauve jusqu'à ce qu'il n'en reste que quelques lambeaux. Il passa ses mains graisseuses sous le jet d'eau, s'essuya avec le torchon à vaisselle, ce que détestait Laurence, et le jeta dans la descente de linge. Ses clés? Où étaient ses clés dans cet entrepôt-maison? En haut avec son pantalon de travail, se rappela-t-il. Cet escalier allait le rendre fou. Il courut à l'étage supérieur comme après un fuyard.

19

Dès la trentième minute, Daniel avait dormi jusqu'à la fin, et ce, malgré les coups de coude dans les flancs que lui assénaient Laurence et Mimi. Pendant qu'elles discutaient avec passion des sens cachés du film, il marchait derrière sans intervenir. Dans le stationnement, les deux femmes se firent la bise. Il était content de voir qu'elles s'entendaient bien. Par moments, elles ressemblaient davantage à deux sœurs. Daniel reconduisit sa fille à son appartement tandis que Laurence rentrait à la maison. Mimi portait son chandail en coton ouaté aux couleurs bleu ciel du MÉOUI, le Mouvement étudiant pour le Oui. Elle venait de conclure sa deuxième année au conservatoire de musique.

— J'ai une entrevue demain dans un magasin de disques de la rue Saint-Jean. Ils ont besoin d'un spécialiste de musique classique.

— Qu'est-ce que tu vas faire si t'as pas l'emploi?

— J'ai d'excellentes chances d'obtenir le travail. Sinon, avec mes leçons privées de flûte, je peux payer mon loyer. Puis il me reste un peu d'argent de mon prêt étudiant.

Daniel syntonisa l'émission de Louis. L'indicatif musical, *Claudette*, de Roy Orbison, jouait, mais le technicien avait oublié de fermer le micro. Louis y allait de ses propos graveleux habituels.

— T'aurais dû voir la fille qui était à côté de moi au match des Métros. Elle avait tout le haut presque à l'air. Y aurait pas fallu qu'une fausse balle tombe dans son décolleté parce que moi, je faisais le catch.

Duval et Mimi éclatèrent de rire.

— Dire que c'est une émission religieuse !

— Relouigieuse ! surenchérit le lieutenant.

Un auditeur appela à la station. Louis le remercia, le micro fut enfin fermé et le refrain de *Claudette* reprit de plus belle.

Claudette était la copine de Louis, une grosse fille engagée dans le mouvement charismatique.

Le nouveau commanditaire, le Poulet frit du colonel Kentucky, fit entendre sa ritournelle.

Louis, derrière le micro, annonça le programme de la soirée : « J'aurai une entrevue avec une ex-héroïnomane strip-teaseuse convertie au mouvement charismatique. Ensuite, un appel en direct de la prison avec le génie qui m'a traité la semaine passée de gros "beu" sale. C'est là qu'on va voir s'il a des couilles. Puis, il y aura de la bonne musique : Buddy Holly, Elvis Presley, Petula Clark, Boule Noire. Je commence tout de suite avec une chanson de Joe Dassin que me demande Jeannine de Jésus Ouvrier : *Les jardins du Luxembourg*. »

Duval vira dans la côte Sainte-Geneviève. En bas du cap, la rue de la Couronne s'y prolongeait dans une ligne parfaite. On aurait dit un tremplin de saut à ski.

Mimi habitait un immeuble à trois étages en grosses pierres, juste derrière une tour brune récemment construite qui lui dérobait tout le soleil. L'immeuble jouxtait la taverne Malette. Mimi partageait son appartement avec une étudiante du conservatoire.

Daniel sortit son portefeuille et tendit deux billets de vingt dollars à Mimi.

— Laisse faire, dit-elle en repoussant les billets.

— Si tu peux juste payer ton appartement, tu rempliras pas ton garde-manger.

— Je vais sûrement avoir la job.

— D'ici là, prends ça. Tu me rembourseras quand tu pourras.

Mimi ne se fit pas prier davantage.

— Je vais te le remettre aussitôt que j'ai mon nouvel emploi.

Duval rangea son portefeuille.

— Laurence a l'air de mieux aller ? s'enquit Mimi comme si elle n'en était pas sûre.

— Elle a des hauts et des bas.

Il refusa d'élaborer. Le sujet le mettait mal à l'aise devant sa fille qui pourtant encourageait sa belle-mère dans son désir d'avoir un enfant avec son père.

Elle se pencha pour lui donner deux grosses bises.

— Est-ce que Frédéric a essayé de te revoir ? s'inquiéta-t-il.

— Non, puis reviens pas là-dessus, le coupa-t-elle.

Mimi avait cassé trois semaines plus tôt avec Frédéric, son percussionniste, qui avait un jour cherché à savoir si Duval avait fait des rafles durant la crise d'Octobre à Montréal. La cassure amoureuse avait réjoui le lieutenant. L'amoureux rejeté faisait des crises de larmes et des appels pathétiques à Mimi pour qu'elle revienne.

— On se rappelle, dit Mimi.

— Fais attention à toi.

Duval la salua. Il attendit qu'elle fût entrée dans son appartement pour redémarrer. Il n'aimait pas la voir habiter dans ce quartier bigarré, mal éclairé, où vivaient entassés démunis, artistes, prostitués, étudiants, délinquants et revendeurs. Dans son miroir, l'affiche de la taverne Malette, un bar homosexuel, clignotait. Deux hommes discutaient en grillant une cigarette et se frôlant des mains.

Dix minutes plus tard, le boulevard Champlain étirait ses lignes droites et ses courbes invitantes. À gauche, le fleuve lisse et plat réfléchissait les lumières riveraines. Le grand mur de schiste du cap Diamant servait d'arrière-scène. Le Cherokee du lieutenant passa à l'ombre des réservoirs d'essence de la compagnie Irving. Duval écoutait l'émission de Louis. La chanson de Barry White se termina en queue de poisson lorsque le bras de la table de lecture glissa en égratignant le disque. Louis prit le micro.

— Vous êtes à l'écoute de CDEO. J'ai en ligne Gus. Il veut garder l'anonymat, y doit être une grosse vedette en prison. Il nous dira pas son nom de famille, lui qui m'a traité de tous les noms la semaine dernière. Salut, Auguste, peux-tu voir le beau croissant de lune, ce soir ? Excuse-moi, j'oubliais que tu pouvais pas le voir à cette heure-ci, dans ta cellule…

Le prisonnier coupa la parole à Loulou.

— Heille, le beu, ta musique est pourrite. On dirait de la marde en canne qui sort de la radio. Penses-tu, *man*, qu'on t'écoute parce qu'on aime ça ? Bin, sti, on écoute ton programme pour rire de toé.

— Je te rappelle le thème de la semaine, Gustave. L'amour viendra-t-il à bout de la haine ? T'es un peu hors sujet.

— Bin non, l'poulet, j'aime t'haïr.

Louis entendit de gros éclats de rire derrière lui.

— On dirait que tout le zoo écoute l'émission de mononcle Loulou.

Duval connaissait Louis. Il voyait bien dans quel piège son ami voulait attirer son invité. Il comprenait pourquoi le dossier judiciaire de Roger Hallé dormait sur le bureau de Louis. Roger Hallé, alias Gus, un prédateur sexuel qui avait été condamné pour le meurtre d'une fillette, Andrée Moreau, avait violé, durant sa libération conditionnelle, une fille de dix-huit ans. L'affaire avait fait la une six ans plus tôt. L'adolescente était belle, promise à un brillant avenir.

Duval stationna sa voiture sur l'accotement en dessous du vieux pont.

Le détenu continuait d'insulter Loulou.

— Toé, tu dois pas trop baiser après t'être fait amancher par mon chum Hurtubise…

— Contrairement à toi, j'ai pas besoin de me pogner le pompon en lisant des revues cochonnes.

Loulou déclencha une quinte de rires chez les détenus.

— Avoue-lé que t'as pas de femme !

— Pourquoi tu penses que je fais jouer *Claudette*, de Roy Orbison, toutes les semaines ?

— Parce que t'écoutes de la marde en canne.

— Claudette, je l'ai tatouée dans mon cœur. J'ai pas besoin de faire tatouer la face de mes blondes sur mes bras ou sur ma poitrine avec leurs noms, comme toi.

— Comment ça tu sais ça ?

— Ça se sent. T'es un gars frustré que ses blondes ont laissé parce que t'étais une tête de linotte. Tu pensais juste à toi tout le temps. Elles t'ont crissé là comme un vieux *botch* de cigarette.

Duval entendit des rires dans la prison.

— Va chier !

— Tu dois te sentir tout seul dans ta petite cellule. Tes chums, qui t'aiment pas tant que ça, rient de toi. Je suis sûr qu'ils médisent aussi dans ton dos.

Le chœur des rieurs doubla d'intensité. Gus ne disait plus un mot.

Comme criminologue, on a déjà vu mieux, se dit le lieutenant qui fut aveuglé par les feux d'un camion dans le rétroviseur. Le camion roulait si vite que la voiture fut secouée à son passage. Sur le pont de Québec, un train de marchandises passait à petite vitesse.

Louis poursuivit sur sa lancée. Duval se doutait bien que son collègue consultait le casier judiciaire du détenu.

— Toé, Gus, je t'écoute depuis deux semaines et je me dis que t'as dû avoir une enfance bin fuckée. Ton père buvait. Ta mère prenait des « pelules ». Y battait ta mère, pis toi aussi. T'avais honte d'eux. Tu passais tes étés sur ton balcon sans jamais sortir de ton quartier minable. Tu t'es mis à voler dans des tabagies. Puis t'as commencé à ramasser des petites filles de ton quartier, tu les tassais dans les coins, tu leur pognais les fesses, tu les taponnais sans te demander si tu commettais une agression sexuelle. Parce que toé, tu penses juste à ton hostie de gros cul.

Duval entendit des rires. « Envoye, Gus, câlice, réponds-y. » Mais le prisonnier avait la langue givrée.

— Puis un jour t'as tué une de ces petites filles. T'avais encore raté. On n'a jamais retrouvé son corps. Ça te fait plaisir, ça, hein ? Pas les parents de la petite.

— Va chier !

— Grand tarla. Et chaque jour le visage de la petite pis ceux de ses parents qui te dévisageaient lors du procès viennent te hanter. Tu sortiras jamais de là. Quatre murs, des barreaux, des images affreuses dans ta tête. T'es parano. Tu te demandes tout le temps si quelqu'un te piquera pas dans le dos.

— Gros beu sale ! Mange de la marde !

— Mon Gus, ton temps est écoulé… du moins dans mon émission parce que, en prison, il t'en reste beaucoup à faire.

— Mon tabarnak ! Si je sors d'ici, j'vas t'faire la job.

— Commence par sauver ton âme. Ce sera bien assez. En tout cas, Gus, si tu veux me rappeler la semaine prochaine, j'attends ton appel. Je te laisse sur une chanson et une parole de saint Pierre, le chum de mon grand Chum : « Souvenez-vous de ceux qui sont en prison, comme si vous étiez prisonniers avec eux, de ceux qui sont maltraités, puisque vous aussi, vous avez un corps. »

En sourdine, on entendit la guitare et la pédale Wah Wah de George Harrison.

— Je te dédie la prochaine chanson, Auguste : *My Sweet Lord*. Y a juste lui qui peut te réchauffer le cœur en prison et redonner un sens à ta vie. Médite là-dessus. Ouvre le tiroir à côté de ton lit. Le grand livre est là. Bonne semaine ! Pis à vous autres aussi, la gang.

Duval regarda le miroir. S'il s'était écouté, il serait allé rejoindre Louis à la station pour prendre un verre. Mais le lendemain viendrait encore trop vite. Comme c'était la dernière soirée de Laurence avant qu'elle reprenne ses longs quarts de nuit à l'hôpital, il rentra sagement à la maison.

20

VENDREDI, 23 MAI

La réunion matinale s'amorça dans la bonne humeur. Autour de la machine à café, chacun y allait d'un commentaire ironique à l'endroit du revenant : Francis affichait une forme splendide. Même Bernard Prince sortit de sa réserve.

— Tu comprends maintenant, Francis, pourquoi l'indépendance du Québec me donne des maux d'estomac.

La grimace de Francis se mua en sourire. Il ne répliqua pas. Il a digéré sa défaite après deux jours à courir du lit aux toilettes, se dit Duval. Frais rasé, le grand blond était vêtu d'un beau complet vert pâle. Ce large sourire qui lui collait au visage le rendait sympathique et avenant. Mais derrière cet air de bouddha se cachait un redoutable maître d'aïkido capable de terrasser un ours.

— Qui a écouté l'émission de Loulou ? demanda Duval.

Francis leva la main.

— Sacré Louis, tu joues à lire dans le passé des gens ? Y a de l'argent à faire à l'Expo Québec.

— J'ai triché un peu, mais c'est pour la bonne cause.

— Ce que Loulou ne dit pas, expliqua Duval en s'esclaffant, c'est que les gardiens de la prison lui ont divulgué l'identité de Gus et qu'il s'amuse avec lui comme un bon moucheur avec sa truite. C'est pas dur, il a le dossier criminel de Roger Hallé devant lui…

— Attends de voir la semaine prochaine. Je m'en vais te le faire pleurer comme un veau.

— C'est quoi ton but ? demanda Bernard. C'est-tu un *freak show*, ton émission ? Crisse-lui la paix, à ce gars-là. Y va passer sa vie en prison !

— Bernie, un peu de respect. J'aimerais le voir demander pardon à la famille Moreau. Et je crois pouvoir convaincre le père de la victime d'accepter le pardon du meurtrier de sa fille.

Duval s'installa à la table pour le briefing. Il résuma à Francis le déroulement de l'enquête en cours. Bernard annonça ensuite que, dans le dossier du bébé secoué, il recevait l'ex-blonde de Savard, celle qui avait perdu son enfant prématurément.

— Il semble qu'elle accepterait de témoigner contre son ex.

— Excellent !

— Ce matin, je rends visite avec Louis à l'ancien homme d'entretien de Marquis. On a aussi rendez-vous avec la sœur de Marquis, Estelle Lambert. Elle est une des grandes gagnantes des modifications testamentaires.

Duval se tourna vers Francis qui traçait des cercles sur une feuille.

— Je vais te demander, Francis, d'aller chez Richard Marquis, le fils de Charles et de Florence Marquis, qui se retrouve rentier à l'âge de trente ans. Lui aussi aurait vu sa mise augmenter avec le dernier testament. Une plus-value de 50 %. Il peut vivre uniquement de ses intérêts. Il gagne autant qu'un médecin sans avoir à se lever le matin. Il a toujours vécu aux crochets dorés de sa maman. On pourrait peut-être trouver dans son appartement de l'arsenic ? Enfin, je ne me fais pas d'illusions. Les empoisonneurs savent effacer les traces de leur crime.

Duval lui refila l'adresse sur un bout de papier. Louis, qui ne cessait d'agiter les bonbons au fond de sa boîte de Tic-Tac, exaspéra Duval.

— As-tu fini avec ça ?

Le Gros rangea piteusement sa boîte dans son veston.

— Est-ce que les experts en documents ont examiné le testament ? demanda Duval à Bernard.

— J'ai demandé au labo de s'en occuper. Je devrais recevoir l'expertise en fin de journée.

— Même si le testament ne semble pas avoir été modifié frauduleusement, il est possible que Florence Marquis, sous l'effet des médicaments et du poison, se soit laissé convaincre de changer certaines dispositions.

Le lieutenant remit à Bernard une feuille.

— Toi, Bernie, quand t'en auras fini avec la déposition de l'ex-copine de Savard, je veux que tu t'informes au sujet de Réginald Marquis, le frère d'Estelle Lambert et de Charles Marquis. Marquis m'a affirmé que sa sœur a très bien pu soutirer une partie de l'héritage de son frère comme elle l'aurait fait avec sa belle-sœur. C'est elle qui a raflé le chalet en bois rond que tous espéraient. Renseigne-toi sur les circonstances entourant sa mort. J'espère juste qu'il ne souffrait pas de crampes stomacales et de diarrhée…

— On se rejoint où ?

— Aux Délices du Vietnam, un nouveau resto dans Saint-Vallier, juste à côté de chez Latulippe, lança aussitôt Louis.

21

Jean-Marie Dansereau habitait un affreux immeuble dans le quartier Montmorency, à côté de la voie ferroviaire. Les trains passaient presque dans les cours arrière. L'immeuble de trois étages avait été recouvert d'un revêtement en aluminium blanc noirci par la suie noire des locomotives. Le bois des fenêtres était rongé par l'humidité du fleuve à proximité. Un escalier en fer, à la peinture tout écaillée, faisait pitié à voir.

Dansereau les attendait puisqu'il ne laissa même pas le temps à Duval de frapper.

— Entrez, messieurs.

Un nuage de fumée de cigarettes planait autour des luminaires.

— Daniel Duval, dit le lieutenant en tendant la main. Mon collègue Louis Harel.

Les lieux étaient garnis de meubles des années quarante. Dansereau les invita à s'asseoir derrière une table ovale en stratifié blanc tachetée de picots multicolores. Il avait étalé sur la table des centaines de coupons de cigarettes MarkTen qu'il échangerait contre des cadeaux. Le catalogue MarkTen était ouvert : Dansereau semblait avoir fait son choix sur un foyer électrique avec deux bûches lumineuses à variation d'intensité. À la radio, une chanson de Fernand Gignac, ennuyante comme une succession de jours pluvieux, ajoutait au caractère vieillot des lieux. De la main gauche, Dansereau planta sa cigarette dans sa bouche et l'alluma au mégot qui se consumait dans sa main droite. Il écrasa le mégot dans un cendrier sur pied surmonté d'un DC-3. Duval savait que son complet fraîchement sorti du blanchisseur allait sentir mauvais. Dansereau continua d'écrabouiller sa cigarette comme s'il voulait lui arracher un cri d'agonie. D'une main agacée, Duval éventa son espace immédiat. Ce cendrier, pour l'anti-fumeur qu'il était, avait toujours représenté un paradoxe, un étrange symbole. Le DC-3, selon l'avis des experts, était l'avion le plus sûr de l'histoire de l'aviation, et voilà qu'en dessous la mort s'écrasait à petit feu, semant la dévastation.

— Voulez-vous un café ? Je viens d'en préparer.

Tous deux déclinèrent à l'unisson.

Dansereau avait une pomme d'Adam qui faisait penser à une poulie. Ses cheveux clairsemés, son visage émacié au teint grisâtre, ses yeux minces, chassieux, et son corps famélique témoignaient d'une santé déclinante. Il toussa. Une toux grasse, une toux d'emphysémateux qui torturait les oreilles.

Duval sortit son carnet, auquel il épinglait son stylo.

— Combien d'années avez-vous travaillé pour les Marquis ?

— Dix-huit ans. Ça aurait fait vingt ans cette année.

— Quelles étaient vos tâches ?

— Jardinage, menuiserie, plomberie, électricité. Je faisais tout. Je suis pas sûr que c'est le cas du plein de pouces que Marquis a engagé. Avez-vous vu l'état de la maison ? Le jardin n'est pas entretenu. Il n'a même pas ramassé les feuilles. Il se pogne le cul ! ragea le vieil homme.

— Pourquoi avez-vous été congédié dans ce cas-là ? demanda Louis.

— Madeleine Linteau ne vous a rien conté ?

— Madame Linteau dit que vous avez justement des choses à signaler.

— C'est bien elle, ça. Passer par quelqu'un d'autre pour ne pas raconter ce qu'elle sait. Vieille prude de sainte-nitouche !

Avec son pouce et son majeur, Dansereau gratta ses minces sourcils.

— Madame Linteau est entrée dans la chambre de monsieur Marquis et elle l'a aperçu en train de se faire sucer par son petit nouveau. Voilà à quoi sert surtout le nouvel homme d'entretien. Puis un jour, madame Marquis a découvert le pot aux roses.

— Vous êtes en train de me dire que Charles Marquis est homosexuel ?

— Vous demanderez à madame Linteau. Mais elle est trop pudique pour parler de ces choses-là. Imaginez ce qu'elle a ressenti, une vieille fille comme elle, une dame de Sainte-Anne.

— Comment s'appelle l'homme d'entretien?

— Serge Dolbec.

— Ce serait le *cream puff* de monsieur? ironisa Louis.

— C'est en plein ça, répondit Dansereau en s'esclaffant. Moi, j'ai perdu ma place pour qu'il puisse s'installer dans ma maison. Pensez si j'étais pas bien, avant: nourri, blanchi, bien payé!

— Vous étiez au service de monsieur Marquis quand il a embauché Dolbec? demanda Duval.

— Débauché, tu veux dire! trancha Louis.

Le vieil homme se tapa sur les cuisses.

— Est bonne, celle-là! Vous êtes drôle, vous!

Duval, qui n'aimait pas perdre son temps, toisa Louis. Le Gros sortit sa boîte de Tic-Tac et laissa couler une averse de pastilles dans sa bouche.

— Monsieur l'avait engagé pour faire de la peinture dans la maison. Il travaillait tellement mal que j'étais toujours en train de m'engueuler avec lui. Je repassais tout le temps derrière lui. Puis, un bon matin, monsieur Marquis m'a dit qu'il n'avait plus besoin de moi.

— Est-ce que madame Marquis était déjà malade à ce moment-là?

— Oui. L'écœurant faisait ça en cachette pendant que son épouse, une sainte femme, était atteinte du cancer. Mais, entre vous et moi, la pauvre dame n'a pas dû être comblée souvent de ce côté-là, si vous voulez savoir.

— Vous avez été congédié pour laisser la place à l'amant de Charles Marquis.

— C'est ce que madame Linteau pourra vous confirmer, à moins qu'elle ait trop peur pour ses chaudrons. Si elle vous a envoyés jusqu'ici, c'est parce qu'elle a peur de perdre sa job. Moi, j'ai rien à cacher, rien à perdre.

On entendit une clochette frénétique, fortement martelée. Un train passa et tout l'immeuble trembla. En contre-plongée, le toit des wagons tachait l'air d'une file de couleurs industrielles. La fumée noire de la locomotive s'étirait entre les maisons.

— Si je résume bien, monsieur Dansereau, votre place étant cédée à Dolbec, monsieur Marquis pouvait le voir sans éveiller les soupçons de sa femme.

— Dix-huit ans de service pour être remplacé par un trou du cul et un suceux de balustre. C'est injuste ! cria l'autre de sa voix ébréchée de vieux bourru en colère en agitant fébrilement ses coupons de la main gauche.

— Avez-vous des soupçons ? demanda Duval.

— J'ai toujours trouvé que le fils avait une relation bizarre avec sa mère.

Dansereau se tut comme s'il en avait trop dit.

— Continuez.

— Ils avaient une relation malsaine. La mère le surprotégeait. Elle ne vivait que pour lui. C'était un parasite. Il végétait. Son père en avait honte. Mais madame s'en souciait constamment. Il jouait cette carte pour lui soutirer le plus d'argent possible, il s'accrochait aux semelles de sa mère. Je vous le dis, une face à claques. Le père, lui, détestait son fils, qu'il trouvait d'une paresse épouvantable. Parfois, l'été, il me le confiait pour que je lui donne du travail, mais Richard sacrait son camp après une heure. Il allait rêvasser sous les arbres. J'aimais mieux pas l'avoir dans les pattes. Y voulait pas travailler, pis y travaillait mal. Je sais qu'il a déçu sa mère dans les derniers temps. Elle avait beaucoup investi sur lui et, en retour, il lui avait fait une promesse.

— Quelle promesse ? demanda Duval.

— De retourner aux études. Il venait d'être renvoyé du cégep pour avoir triché dans un examen de physique ou de chimie.

Duval releva la tête de son carnet pendant que Dansereau plantait une autre cigarette dans sa bouche et l'allumait avec le mégot encore chaud. Ses doigts jaunis par la nicotine dégoûtaient le lieutenant.

— Physique ou chimie ?

— Je ne sais pas. Il étudiait en sciences pures, ça, j'en suis sûr. Je suis à peu près certain qu'il est responsable du cancer de sa mère, dit-il en écrasant le bout fumant de la cigarette.

— Pourquoi vous dites ça ?

— Il faisait de terribles colères contre elle.

— Monsieur Dansereau, gardiez-vous du poison à vermine dans le cottage de Sainte-Pétronille ?

L'homme avala sa salive de travers.

— Qu'est-ce que vous voulez dire ?

— Rassurez-vous, je ne vous accuse de rien.

— Madame Florence a été empoisonnée ?

Il réfléchit, le menton bien calé dans sa main droite.

— Je me rappelle avoir installé il y a très longtemps des trappes à rats dans la cave, mais j'ai jamais vu aucune trace de rongeurs.

Duval referma son carnet noir. Il fallait se hâter pour ne pas rater Estelle Lambert, la belle-sœur de Florence Marquis. Il se leva et tendit la main à Dansereau, qui retourna à ses coupons de cigarettes.

22

La Chevrolet rallia l'île en quelques minutes. La Pommeraie Lambert était située juste après Saint-Pierre. Un chemin entouré de verdure et de pommiers menait à une vieille maison canadienne. Une Lincoln Continental noire était garée dans le stationnement. En contrebas, la cidrerie en bardeaux de cèdre, toit rouge et volets blancs, était entourée de pommiers fleuris. Derrière ce décor se dressait l'imposant mont Sainte-Anne avec ses pistes de ski.

Un mastiff se lança au bout de sa corde.

— Y a toujours un maudit chien quelque part pour nous faire chier, maugréa Louis.

Une dame sortit et ordonna à « Lancelot » de rentrer dans sa niche. Le molosse retraita, non sans émettre quelques grognements inquiétants et décocher des œillades en biais.

— Vous pouvez venir. Il ne vous fera pas de mal.

Elle avait un accent pointu, plus français que québécois. Sa diction rappela à Duval celle des animatrices de Radio-Canada dans les débuts de la télévision.

Les enquêteurs sortirent de la voiture. Le chien jappa à nouveau mais resta dans sa niche. Seule sa tête émergeait avec ses yeux fous, crocs à découvert.

— N'ayez crainte, il ne vous mangera pas. Entrez.

La porte se referma derrière eux. Estelle Lambert, une femme mince et grande, portait un tailleur bleu et un chemisier blanc. Ses cheveux blonds coiffés en chignon tiraient sur le blanc. La peau lisse et opaline de son visage semblait étirée par des élastiques vers la nuque : un masque de silicone aux traits fins percé par des yeux bruns que redoublaient des verres épais. Elle s'était sans doute fait remonter le visage, comme le révélaient les faux plis aux coins des lèvres. Ses longues mains devaient valoir une fortune, à y voir les bagues en or serties de diamants.

Elle les invita au salon traversé de belles poutres centenaires. La pendule sonna onze heures. Il se dégageait une bonne odeur de cèdre dans la maison.

— Vous voulez goûter à notre cidre, notre Crémant de pomme Lambert ?

— Non, merci.

Duval la détailla alors qu'elle s'efforçait par coquetterie d'ouvrir ses yeux le plus grand possible ; ses verres faisaient ce travail en prime. Le lieutenant se sentit presque intimidé devant ce visage aux gros yeux jaunes : il lui rappelait une vipère entrevue dans un reportage du *National Geographic*.

— Nous aimerions vous poser quelques questions au sujet de votre belle-sœur, Florence Marquis.

— Pauvre Florence, que Dieu ait son âme ! Elle était tellement bonne.

Ses yeux se mouillèrent aussitôt. Louis sortit un papier-mouchoir de sa poche, mais elle déclina son offre par une moue dédaigneuse. Elle se leva pour prendre un mouchoir sur le comptoir.

Duval émit un grognement. Cette femme lui tombait déjà sur les nerfs.

— J'aimais tellement Florence. Chaque jour qui passe sans elle augmente le vide qui s'est créé depuis son départ, se lamenta-t-elle.

Duval détailla la tragédienne qui jouait sur tous les registres et de toutes ses expressions faciales. Il détestait les gens qui se mettaient en scène. Il en avait assez de ces tirades à l'emporte-pièce. Il la coupa, agacé.

— Madame Lambert, je veux bien compatir avec vous, mais nous avons des questions à vous poser.

Elle se crispa, le fixa de ses yeux de reptile qu'on aurait dit sans paupières, immobiles. Il ne manquait que la langue fourchue.

— Je vous écoute, fit-elle, offensée.

— Quelle était votre relation avec votre belle-sœur ?

— Ah ! si vous saviez… Nous étions inséparables, deux grandes sœurs. Nous partagions plusieurs passions : les arts, la musique, la foi…

Duval l'interrompit.

— Et votre relation avec votre frère, à quoi ressemble-t-elle ?

— Mon frère est un parvenu qui s'est toujours cru supérieur à cause de son argent. Avec Florence, il se comportait comme un goujat.

Duval buta sur le mot goujat : avec accent circonflexe ou non ? Elle avait prononcé « goujat » et non « goujât ». Il vérifierait plus tard, mais il lui semblait que la dernière prononciation était la bonne.

— Étiez-vous au chevet de Florence Marquis le jour où elle est morte ?

— Non, dit-elle aux frontières du sanglot. Mon frère m'a indiqué le chemin de la porte quelque temps avant sa mort.

— Pourquoi ?

— Il croyait que je lui jouais dans le dos.

— Pourquoi pensait-il ça ?

— Parce que je m'occupais des affaires de Florence. Il savait qu'elle voulait publier son journal spirituel. Tous nos amis du cercle de prière lui enjoignaient de le faire. Charles n'aimait pas cette idée. Il croyait que la publication de ce livre pourrait nuire à sa future campagne à la mairie.

Elle se moucha, essuya ses yeux avec un autre mouchoir.

— Quand ce livre doit-il sortir ?

— À l'automne.

— Je voudrais en avoir une copie.

— C'est le correcteur, David Gagnon, qui l'a en main. Vous n'aurez qu'à le contacter. Il collaborait avec Florence depuis plusieurs années. C'est à lui qu'elle a confié le travail d'édition.

— La dernière fois que vous avez vu Florence, souffrait-elle beaucoup ?

— Elle avait ces affreuses crampes stomacales, des picotements aux jambes, des diarrhées, des nausées et même des hallucinations. C'était horrible !

— L'idée ne vous est pas passée par la tête qu'elle aurait pu être empoisonnée ?

— Elle a été intoxiquée par un bombardement massif de chimiothérapie. On m'a raconté qu'elle s'était effondrée dans la chapelle. Elle était déjà morte quand le médecin est arrivé.

— À part vous, son mari et la bonne, qui avait accès à la chambre avant qu'on vous expulse ?

— Au début, le nouveau jardinier apportait des fleurs à Florence.

— Au début seulement ?

— Oui, ça s'est gâté par la suite quand elle a appris que mon renégat de frère entretenait une relation homosexuelle avec cet homme.

— En avez-vous discuté avec elle ?

— Oui. On en parlait souvent. Florence était très croyante. Pour elle, le mariage était un lien sacré. Apprendre que son mari était homosexuel, qu'il se débauchait sous son toit, a été dévastateur. Pour elle, la nature unit hommes et femmes et pas des hommes entre eux. Puis elle a fini par se dire que c'était Dieu qui mettait cette épreuve-là sur son chemin. Elle s'est tournée encore davantage vers la mystique. Elle s'est donnée entièrement à Dieu, son seul Amour. Pour elle, la souffrance en venait à se fondre dans l'extase ; Florence parlait des bienfaits du cancer qui lui rongeait les entrailles. Elle avait voulu devenir religieuse dans son jeune temps, mais avait fini par renoncer. Voilà qu'elle revivait cette expérience-là.

— Quels étaient ses contacts avec Charles ?

— Elle refusait tout contact charnel avec lui. Elle vivait déjà comme une couventine. Je ne suis pas sûre qu'ils aient eu beaucoup de relations, si vous voyez ce que je veux dire. Mon frère a découvert très tard son homosexualité, mais j'avais l'impression qu'il refoulait ça depuis toujours. Enfant, il aimait porter en secret les robes de maman et se maquiller.

Louis se gratta la tête, embarrassé par cet aveu. Lui aussi avait beaucoup de difficulté à accepter l'homosexualité. Ce genre de détail le confortait dans ses positions. C'était une maladie, une punition divine.

— Il est sorti du placard au début de la cinquantaine. On aurait dit que trente-cinq années de frustration contenue explosaient soudainement. Charles s'est mis à fréquenter des gens peu recommandables, comme s'il voulait rattraper le temps perdu.

— Votre frère ne semble pas vous porter dans son cœur.

— Laissez-moi vous dire que c'est réciproque. Charles est un sans-cœur qui n'a pas versé une larme quand sa femme est décédée. Bien sûr, il lui a payé des funérailles grandioses pour bien paraître et s'attirer la sympathie. Il vous dira qu'il a construit la chapelle, mais qu'est-ce que ça représente pour un homme aussi riche ? Toute perte est déduite de ses impôts. Tout le monde le croit généreux, mais c'est un arriviste cynique. Si mon père était encore vivant, il le renierait. Et s'il avait appris que son fils aîné était homosexuel, ça l'aurait tué.

— C'est lui qui finançait la maison d'édition de sa femme ?

— Oui, mais depuis deux ans, elle avait obtenu le contrat pour les *Prions en Église*. La maison d'édition était rentable, car on y publie aussi du matériel scolaire. Mais ça, il ne le dira pas.

Elle n'avait cessé de s'avancer sur son siège durant sa tirade, au point que son visage se trouvait à un pied de celui du lieutenant Duval. Ses traits tendus de rage exprimaient tout son dégoût fraternel.

— Madame Marquis vous faisait assez confiance pour vous avoir fourni une procuration.

— Oui. Qui aurait pu accomplir ses dernières volontés, sinon moi ?

— Qu'est-ce que madame Marquis vous demandait d'acheter ?

— Des pyjamas, des produits de beauté, des disques, des livres, des revues, une chaîne stéréo pour sa chambre, car elle adorait la musique classique. Elle insistait pour se maquiller chaque matin, s'épiler les jambes.

— C'est tout ?

— Je crois.

— Pourtant, le relevé bancaire que j'ai vu signale des transactions beaucoup plus importantes.

— Écoutez, je crois que ça ne vous regarde pas.

Elle croisa et décroisa nerveusement ses longues jambes.

— Madame Lambert, je suis chargé d'une enquête criminelle. Tout me regarde. Nous avons les mandats afin de procéder à des perquisitions. Votre belle-sœur n'est pas morte de ses traitements médicaux. Elle a été empoisonnée avec de l'arsenic. Vous êtes un témoin important de notre enquête puisque vous avez été la confidente de Florence durant ses dernières semaines, ses derniers jours.

Sa bouche se crispa en un affreux rictus qu'elle cacha de sa main opalescente et veineuse.

— Empoisonnée !

Elle se mit à chigner faiblement, puis convulsivement. Duval la laissa faire quelques secondes, puis il reprit ses questions.

— Pourquoi a-t-elle décidé de doubler le montant qu'elle vous accordait dans le précédent testament ?

— Parce que j'en prenais soin et que je l'aimais, ce qui n'était pas le cas de son mari et de son fils. Je l'ai lavée, habillée, nourrie. Je lui ai tenu compagnie pendant des semaines. Je lui faisais la lecture. Elle a sans doute voulu me remercier. Elle m'a chargée, en tant qu'exécutrice testamentaire, de m'occuper de la succession et elle tenait à ce que je sois payée. J'administre aussi les biens de Richard, mon neveu. Pauvre Florence ! Elle n'aurait pas aimé savoir ce qui se passe présentement.

Duval n'ignorait pas qu'une telle entente était normale. On recommandait de ne pas nommer un proche comme exécuteur testamentaire sans lui en avoir glissé un mot au préalable. Il était même conseillé de le dédommager pour cette tâche, souvent ingrate.

Les doigts crochus par l'arthrite semblaient s'attaquer les uns les autres comme des serres. Elle les pressait sans arrêt de sorte qu'ils devinrent rubescents. Ses bijoux ne faisaient qu'attirer le regard sur cette difformité.

— Connaissez-vous d'autres personnes qui se sont retrouvées au chevet de madame Marquis ?

— Son mari, mon neveu, quelques amis, des oncles et des tantes. Plusieurs membres de congrégations religieuses lui rendaient visite, priaient avec elle dans sa chapelle.

— Vous avez un chalet ?

— Je vois qu'il vous a parlé de ça ! Il fait tout un plat de cette histoire. (Elle était en colère, sa peau rougeoyait.) J'en ai hérité à la mort de mon frère Réginald. Je n'ai rien à cacher !

Sentant venir la crise de rage, Duval préféra passer à l'autre sujet.

— J'ai trouvé dans les papiers de madame Marquis un document gouvernemental sur les nouvelles dispositions concernant les divorces.

Estelle Lambert hocha fébrilement la tête en pinçant les lèvres.

— Charles ne voulait pas qu'elle divorce. Il la tenait en cage. Vous imaginez combien lui aurait coûté une rupture juridique. Pour Florence, ç'a été tout un choc quand elle a appris qu'elle vivait avec un homosexuel. Elle a été bouleversée. Elle ne tenait pas à vivre dans le mensonge.

— Elle voulait divorcer ?

— Oui.

— Vous m'avez dit que ses convictions religieuses l'en empêchaient.

— Il faut nuancer. L'Église catholique annule des mariages dans certaines circonstances, mais cela prend du temps. On étudie attentivement le dossier avant d'arriver à une décision. Florence était plus à l'aise avec cette démarche, car elle se sentait en règle avec sa foi. Divorcer civilement lui faisait honte, mais elle était prête à s'y contraindre. De toute manière, Charles refusait d'envisager cette possibilité.

— Pourquoi ?

— L'argent et la carrière, voyons ! Il a construit seul son empire. C'est un *self-made man.* Florence, elle, était une sainte femme. Aussi incroyable que ça puisse paraître, elle avait aussi pitié de son mari. Si on avait appris que Charles était homosexuel…

Duval repensa au document relatif au divorce sur lequel le jeune policier avait mis la main lors de la perquisition de la veille. Sainte femme ou non, elle avait fait plus que songer au divorce !

Estelle Lambert continuait à tordre ses doigts crochus. Duval épingla son stylo à son carnet, rangea celui-ci dans son sac.

— On aura sans doute l'occasion de se revoir…

Elle avait l'air d'un animal apeuré. Elle ravala sa salive.

Duval se leva ; l'odeur de l'argent et de l'envie lui levait le cœur. Si le Dieu de Louis existait, comment la race humaine pouvait-elle obtenir le rachat à ses yeux ?

Une fois à l'extérieur, Louis se vida le cœur.

— Je trouve qu'elle est pas *clean*, la bonne femme. Ça pue !

— Il faut d'abord consulter les papiers de Charles Marquis. Je tiens à ce qu'on examine tout ce qui concerne cette histoire de divorce.

23

Les Délices du Vietnam était un nouveau restaurant asiatique. Au cours des derniers mois, Louis et ses amis du Club Lions avaient aidé des réfugiés vietnamiens qui débarquaient à Québec. Claudette et lui avaient fait une collecte de meubles et Louis avait sollicité les gros bras de collègues de la SQ pour les déménagements. Duval se rappelait qu'il n'y avait pas si longtemps, le Gros parlait des « hosties d'importés ». Les boat people constituaient le premier arrivage massif d'immigrants des temps modernes à Québec. Des gens marqués par la guerre et ses conséquences.

La porte s'ouvrit au son de petites clochettes. Le propriétaire approcha d'un pas rapide pour accueillir Louis et ses collègues. Chemise blanche immaculée, pantalon noir et lunettes de style soviet, il avait le sourire aussi bridé que ses yeux étincelants.

— Je vous présente Vô, mon ami. Comment ça va ?

— Bin, bin. Gratuit pour amis de Louis ! dit-il en accentuant chaque syllabe.

— Vous voyez la générosité de mon ami.

— Non, Louis, s'opposa Duval d'un ton rabat-joie.

— Laisse-le nous payer la traite, Dan.

— Gratuit pour amis de Louis ! Amis de Louis sont mes amis.

— Pas question, trancha Duval.

— Bon, OK. Tu feras trois factures à mes collègues.

Francis et Bernard ne cachèrent pas leur déception.

La table était trop petite pour accueillir les quatre gaillards. Vô interpella son serveur en vietnamien d'un ton militaire. L'autre accourut, colla deux tables et redisposa les chaises. Les lieux étaient décorés avec peu de moyens. Des tableaux en velours sur fond noir montraient des tigres, des paillotes et des scènes de rizières. Un aquarium rempli de poissons néons occupait le milieu de la salle à manger.

La plupart des boat people s'étaient installés dans le quartier Saint-Sauveur autour de la rue Saint-Vallier. Très vite la chimie s'était produite entre ces fiers travailleurs et la population de Québec. La beauté des Vietnamiennes ajoutait au patrimoine des attractions de la Vieille Capitale.

Vô, qui venait du Nord-Vietnam, s'était joint à des réfugiés du Sud afin de quitter son pays. Il n'avait jamais cru au communisme, pas plus qu'au capitalisme des Américains. Après les Français et le désastre de l'Indochine, Vô ne voulait pas que les Américains asservissent son peuple.

Louis, qui prenait un joyeux plaisir à dire le nom du patron, se mit à lui tapoter l'épaule.

— Vô est vétérinaire. Il a combattu les Américains. Ses connaissances en médecine vétérinaire ont servi à soigner des hommes dans des souterrains où il avait sa propre infirmerie et sa salle d'opération. Il faisait lui-même ses instruments de chirurgie avec des matériaux de fortune. Il ne pourra pas pratiquer au Québec, car il n'a pas son permis. Dans les premiers mois, il a même lavé la vaisselle…

Avec un large sourire, Vô acquiesçait à chaque parole de Louis.

Il invita avec respect les enquêteurs à s'asseoir.

— Essayez les rouleaux impériaux, les gars, lança Louis. Et donne-nous du poulet général Mao, Vô.

— Tao, Louis, Tao ! dit Vô d'une voix gutturale.

— Oui, Tao, Vô ! T'as pas des egg rolls ?

— Egg roll, c'est communiste ! dit Vô en déclenchant le rire des policiers.

Duval était distrait par l'ambiance sonore. C'était la première fois qu'il écoutait de la musique vietnamienne : une voix de femme haut perchée accompagnée d'une flûte et d'une harpe. La langoureuse mélopée sonnait comme une chanson country américaine traduite en vietnamien.

Vô prit la commande et repartit à toute vitesse accueillir d'autres clients. Francis, qui prenait son premier dîner copieux depuis trois jours, avait toujours bonne mine, mais la matinée n'avait pas été la meilleure de sa jeune carrière.

— Le fils de Marquis, c'est pas un cadeau. Le p'tit crisse ! Il a refusé de me rencontrer, il m'a même insulté. Je lui ai dit que je reviendrais avec un mandat.

— Et il t'a sûrement dit de te le fourrer dans le cul, intervint Louis.

— C'est en plein ça.

— Je m'en occupe, ajouta Duval.

— En tout cas, il a l'air de bien vivre : un beau petit bloc dans la rue Murray.

— Le *farniente* semble payant, conclut Louis.

— Es-tu aussi allé à la quincaillerie ? demanda Duval à Francis.

— On a commencé, le vieux et moi, à fouiller dans les bons de commande et les factures des clients. J'y retourne en après-midi.

— Toi, Bernard ?

— J'ai reçu la femme de Savard. On va ajouter plusieurs chefs d'accusation au pedigree de son mari. Il lui a foutu un coup de poing dans le ventre alors qu'elle terminait son septième mois de grossesse. Elle a accouché d'un bébé mort-né. Ce Savard-là est un délinquant dangereux et je crois qu'on en a assez pour l'envoyer en dedans jusqu'à ce que les Américains mettent le pied sur Mars.

— Et dans l'affaire Marquis ? ajouta Daniel.

— J'ai épluché les transactions bancaires du compte de Florence Marquis durant les deux derniers mois de sa vie. Elle y a fait, par l'entremise d'Estelle Lambert, de nombreux achats : chaîne stéréo, plantes, disques, livres, vêtements, humidificateur d'air, etc. Mais chaque semaine, elle a retiré de gros montants en plus. À première vue, on dirait que la Lambert a fait un usage intéressé de la procuration.

— La fiducie ?

— Je devrais avoir accès bientôt au montant mis en fiducie pour son fils.

— Estelle Lambert m'a dit que la gestion lui avait été confiée par Florence Marquis parce que son fils était incapable de se prendre en main. Elle se donne le salaire que madame Marquis l'a autorisée à prendre afin de gérer cet argent.

— Elle voulait une mère de remplacement pour son ti-gars, argua Louis. Les femmes devraient arrêter de dorloter leurs petits gars. Elles en font des moumounes.

Duval fit la synthèse de ses rencontres avec Dansereau, Linteau, Marquis et Lambert. L'enjeu du divorce semblait le mobile le plus prometteur.

L'estomac dans les talons, Louis n'écoutait pas. Il se pourlécha en voyant les assiettes de rouleaux impériaux que le serveur apportait enfin.

— Un aspect qui me chicote énormément, c'est de savoir qu'Estelle Lambert met ses mains dans tout ce qui touche l'héritage, reprit Duval.

Chacun examinait son assiette fumante. Bernard tenait ses baguettes, désemparé, tout comme Francis et Daniel.

— Comment tu manges ça, Louis ? demanda Francis.

— En te servant de ta bouche, Bernie !

Francis essayait maladroitement de saisir ses baguettes et se mit à faire le bouffon.

— On embroche les rouleaux avec la baguette ?

— Fais-moi pas honte ici ! protesta Louis.

Il le regarda comme un père indigné.

— Vous l'avez pas, l'affaire, conclut Louis en commandant des fourchettes.

Alors que les collègues causaient de la nouvelle saison de baseball, Duval les interrompit, incapable de penser à autre chose que le boulot.

— Bernie, pourrais-tu aller chez maître Champagne ? Son bureau est dans Grande Allée. Son nom figure sur une circulaire retrouvée dans la chambre de Florence Marquis. Si elle avait obtenu son divorce, la volée de vautours aurait fait de grosses affaires. Plusieurs millions de dollars !

— OK. Au fait, Daniel, quels sont les mobiles de chacun ? demanda Bernard.

— Estelle Lambert paraît à première vue être la grande gagnante, mais il faut savoir que Marquis fait lui aussi un gain important en évitant le divorce. Et le fils s'en tire très bien avec sa rente. Un autre aspect intéressant : il paraît que Florence rédigeait ce qu'elle appelle un journal spirituel qui doit paraître prochainement. Il semble que Marquis n'aimait pas cette idée. Je compte bien y mettre mon nez.

Des mains affamées se tendirent pour s'emparer des fourchettes, y compris Louis.

Duval trempa son rouleau dans la sauce.

— Je veux en savoir davantage sur la relation de Marquis avec son homme d'entretien. Je tiens absolument à visiter le cottage et à rencontrer le type.

Louis enfourna la moitié de son rouleau et se brûla le palais. Il aspira de l'air comme un gros chien pour atténuer la douleur. Il ouvrit *Le Journal de Québec* à la page du « Rayon de soleil matinal »: la blonde coiffée d'un casque de pompier, la bouche pulpeuse, vêtue d'un imperméable grand ouvert sur sa poitrine, tenait un tuyau d'arrosage dans ses mains.

— Ça donne des envies de pyromane!

— Coudon, Louis, j'ai un chum pompier à Québec, je peux t'avoir un équipement complet pour Claudette, lança Francis.

Louis arbora une moue contrariée.

— Toi, ta p'tite Française, à pompe-tu?

— Plus que ça. Elle allume et elle éteint le feu! dit Francis en déclenchant des rires graveleux.

Duval regarda l'heure. La conversation prenait toujours cette tangente avec Loulou. Le lieutenant avait hâte de se remettre à la tâche. S'il dissipait un peu de la brume qui flottait autour de chaque suspect, le crime révélerait peut-être son acteur principal.

24

Devant le cottage, un corps d'Adonis se prélassait au soleil sur une chaise longue. La peau mordorée, glabre et enduite de crème solaire, brillait comme un cuir lisse au soleil. Sur le bras gauche de l'homme, un caméléon avait été tatoué par une main habile. Il s'entraînait sûrement, car sans avoir une musculature à la « monsieur Univers », il affichait des pectoraux et des abdominaux bien définis. Une odeur de noix de coco pénétra les narines du lieutenant. Le jardinier portait des lunettes fumées de style aviateur munies d'un cache-nez transparent. Son slip rouge était plutôt avare de tissu et découpait parfaitement son appareil génital. Du cottage s'échappait la chanson *Magic*.

— Plaisant, la maintenance à deux heures de l'après-midi, ironisa Loulou à quelques mètres du témoin.

En entendant venir les enquêteurs, l'homme se redressa. Il faisait à peine vingt-cinq ans. Il portait un fil de moustache et des favoris extrêmement fins. Ses cheveux blonds partaient dans toutes les directions.

Il se leva sans se presser de sa chaise.

— Qu'est-ce que je peux faire pour vous ?

— Vous habitez cette maison ?

— Oui. Je suis Serge Dolbec, l'homme de maintenance.

— On enquête sur l'homicide de Florence Marquis.

— Oui, monsieur Marquis m'en a parlé. Il est troublé par cette révélation.

Duval lui montra sa carte d'enquêteur.

— Je suis Daniel Duval, enquêteur de la SQ, et voici mon confrère Louis Harel. Nous aurions des questions à vous poser.

— Vous voulez entrer ?

— Oui, ce serait préférable.

Le jeune homme jeta nonchalamment sa serviette blanche sur son épaule avant de bouger sa longue carcasse.

Le cottage avait tout d'une maison de poupée : salon et salle à manger au rez-de-chaussée et chambres à l'étage. L'endroit avait été récemment repeint dans des couleurs d'agrumes : orange, citron et lime. Le mobilier sentait le neuf. L'odeur musquée des cuirs rouges remplissait les narines. Les planchers de bois franc avaient été revernis et reflétaient les objets. Sur les murs, deux affreux masques en terre cuite étaient accrochés. Un bel escalier à la teinture marron et joliment ouvragé montait à l'étage devant la porte. Dans une cage en rotin, deux inséparables se coltinaient sur leur perchoir.

School, du groupe Supertramp, jouait maintenant à tue-tête. Dolbec se hâta de baisser le volume.

— Vous voulez de la limonade ? demanda-t-il.

Seul Louis accepta.

Alors que l'homme se dirigeait vers la cuisine, Duval marmonna à la blague :

— Fais attention. Elle est peut-être empoisonnée.

Louis gloussa, la main sur la bouche.

Un plateau Ricard à la main, l'éphèbe revint avec son pichet de jus, une bouteille de grenadine et des verres.

— Vous êtes sûr que vous voulez pas de ma limonade maison ? lança l'homme à Duval. C'est la meilleure en ville. Faite avec du vrai citron et de la lime.

Duval se laissa convaincre à la vue du liquide jaune. Dolbec remplit les verres, puis sortit une cigarette extralongue qu'il alluma. Il releva la tête pour expirer la fumée vers le plafond. Il relança le carton d'allumettes sur la table, mais celui-ci glissa sur le plancher. Duval le ramassa et reconnut le logo du Ballon rouge, le bar gai le plus populaire en ville.

Malgré son apparence singulière, Dolbec ne correspondait pas à l'image stéréotypée que certains se faisaient des homosexuels. On était loin de *La Cage aux folles*, qui faisait un malheur sur les écrans. Il ne jouait pas à la femme et n'avait rien de la tapette que l'on croise de temps à autre. Pas de gestes secs, ni de petit cul trémoussant, ni de voix altérée.

— Bon. Qu'est-ce que je peux faire pour vous ?

— Depuis quand travaillez-vous pour monsieur Marquis ?

— Depuis l'an dernier.

— En quoi consiste votre travail ?

— Je fais un peu de tout : maintenance générale, bricolage, peinture, aménagement du terrain. Je tonds le gazon, désherbe.

— Avez-vous postulé cet emploi ?

— Non, j'ai rencontré monsieur Marquis dans un bar et il m'a offert le boulot. Il n'était pas content des services de son homme d'entretien.

Le lieutenant ne fut pas surpris que Dolbec tienne à cacher sa relation intime avec Charles Marquis.

— Êtes-vous menuisier de formation ? reprit le lieutenant.

— Non, mais mon père m'a appris très jeune à travailler avec mes mains.

— Vous viviez donc ici l'automne dernier quand monsieur Marquis a perdu sa femme ?

— Oui. Je suis même devenu d'une certaine manière son confident. Je l'ai aidé à traverser cette épreuve. Il en a été très affecté.

— Vous l'avez réconforté par la parole seulement ? lança Louis avec son manque de tact habituel.

— Qu'est-ce que vous voulez dire ?

— On a su que votre relation allait plus loin que celle de patron à employé, renchérit Loulou.

— Ça ne vous regarde pas. On fait ce qu'on veut avec son cul !

Dolbec dévisageait Louis d'un regard fauve, ses fines lèvres et son fil de moustache pincés. Duval toisa Louis pour qu'il ne pose pas d'autres questions et remit la conversation sur ses rails.

— Si je comprends bien, monsieur Dolbec, vous êtes l'amant de votre employeur ?

— Oui.

— Votre relation avec monsieur Marquis a-t-elle débuté alors que sa femme était déjà atteinte du cancer ?

Dolbec inhala longuement sa cigarette, qui perdit un bon centimètre, puis il expira tout aussi longuement, méditant sa réplique.

— Daniel, c'est ça ?

— Lieutenant Duval, rectifia Louis.

— Lieutenant Duval, si tu fréquentais le milieu gai, tu te rendrais compte qu'il existe plein d'hommes de ton âge et de celui de Charles qui découvrent leur identité sexuelle. C'est un choix pour eux et pour leur entourage. C'est pas un crime, mais je concède que c'est une coïncidence troublante.

— Le crime, Charles a dû vous en parler, c'est celui commis à l'endroit de sa femme, empoisonnée à mort.

Duval fixait le bout en cendres de la cigarette qui s'allongeait en s'arquant. Des froissements d'ailes dans la cage : les inséparables s'excitaient.

— Comment avez-vous rencontré monsieur Marquis ?

— Je te l'ai dit, dans un bar.

— Pourriez-vous vouvoyer mon collègue ? exigea Louis.

Dolbec fit une moue outrée.

— Si vous voulez... J'ai rencontré Charles au Ballon rouge. Il était aimable avec tout le monde. Les rumeurs se sont mises à courir qu'il était multimillionnaire. Mais Charles ne jouait pas les parvenus. Un soir chaud de juin, il y a deux ans, à la fermeture du bar, il m'a invité sur son yacht pour un gros party à la marina de Québec. Le *Lion bleu* est une maison en soi. Beaucoup de jeunes ont fait la fête avec lui, cette nuit-là. Ç'a été un des plus beaux soirs de ma vie. Pour lui aussi. J'ai grandi dans la pauvreté et je me retrouvais avec un amant qui aurait pu être mon père et qui avait beaucoup de classe et d'égards à mon endroit.

Un rictus germa sur le visage de Louis. Duval craignit une autre réaction homophobe de son collègue, mais heureusement Louis sut se contenir. Le lieutenant observait ce visage aux traits délicats, presque androgyne.

— Aviez-vous des contacts avec Florence Marquis ?

Son visage rayonna un instant.

— J'ai appris à apprécier Florence. Au début, elle m'aimait bien. On parlait beaucoup ensemble. Elle aimait discuter d'art. Elle se promenait dans son jardin et elle s'arrêtait pour jaser. Elle m'a offert un superbe livre de jardinage.

Louis se rappela ce que leur avait dit Dansereau.

— Est-ce qu'elle trouvait que le jardin n'était pas entretenu convenablement ?

— Pas du tout ! s'offensa Dolbec sans même regarder Louis.

Il tapota enfin sa cigarette pour en faire tomber l'arc gris dans un cendrier, puis il l'écrasa d'une main fort agitée.

— J'aimerais revenir aux contacts que vous aviez avec madame Marquis, dit Duval. Vous disiez qu'au début elle vous aimait bien, je suppose donc que les choses se sont gâtées.

La mine déconfite de Dolbec ne mentait pas.

— Oui, vous comprendrez qu'en apprenant la nouvelle, elle a ressenti un double choc. Son mari n'était pas l'homme qu'elle croyait. Ç'a été comme la trahison d'une vie. En plus, l'amant de son mari vivait à proximité depuis près de six mois. Sans compter qu'elle ne pouvait concevoir l'idée d'une relation sexuelle entre deux hommes. Elle avait une vraie haine des homosexuels.

— Monsieur Dolbec, trancha Louis, avez-vous…

Louis allait lui demander s'il avait tué Florence Marquis, mais le téléphone sonna : Dolbec se leva. C'était un appel interurbain. Il répondit en espagnol, langue qu'il parlait avec une certaine aisance. Le ton parut sérieux au lieutenant Duval. Il y était souvent question de Lulu ou de Luciano. Duval avait l'impression, même s'il ne comprenait pas un traître mot d'espagnol, que Dolbec tentait de convaincre son interlocuteur. Le ton était peu affectueux.

Dolbec conclut son appel par un « hola » plutôt froid.

— J'ai dû reporter mon voyage au Mexique et j'ai des problèmes pour annuler ma chambre d'hôtel. Les Mexicains et l'efficacité...

— Vous comptez prendre des vacances ?

— Voyage d'affaires.

— Comment vous entendez-vous avec le fils de Charles Marquis ?

— Je n'ai aucune espèce de relation avec lui. C'est un gars très renfermé. Charles n'a jamais été capable d'établir une relation avec lui et c'est réciproque. Tous les deux se détestent. Charles a toujours insisté pour que son fils travaille, gagne sa vie. Il a toujours refusé de lui donner de l'argent à ne rien faire.

Duval se leva, regarda par la fenêtre. À sa droite sur le mur, il aperçut un tableau abstrait. Il semble bien, se dit-il, que cet artiste fait de bonnes affaires dans la famille Marquis.

— Monsieur Dolbec, nous aimerions jeter un coup d'œil dans l'atelier et le garage, demanda Duval.

— Allez-y, je n'ai rien à cacher. Je vais continuer ma lecture pendant ce temps-là.

L'atelier se trouvait à l'arrière, dans ce qui avait servi autrefois de cuisine d'été. L'endroit était spacieux, éclairé mais affreusement poussiéreux. En observant les lieux, on pouvait sentir le changement de garde. Dansereau devait être d'une minutie maniaque : le moindre boulon ou écrou était classé et étiqueté. Mais Dolbec, lui, ne rangeait rien. Il prenait et remettait pêle-mêle les outils, les boîtes de vis, les clous. De nombreux monticules illustraient sa méthode de rangement. C'était une belle métaphore de l'anarchie qui succède à l'ordre. Cet homme, se dit le lieutenant, vaquait à des occupations qui n'étaient pas faites pour lui.

Louis s'arrêta devant une étagère métallique. S'y trouvait une multitude de produits : décapants, peinture, vernis, scellant à plancher, térébenthine, colles, mastic, chlore. Duval monta dans l'escabeau, examina le dessus d'une armoire. Beaucoup de poussière, mais pas de poison. En se tournant, il se heurta à une plaquette Vapona suspendue à laquelle étaient agglutinées des dizaines de mouches. Il redescendit pour jeter un œil sous l'établi. Il ouvrit chacune des quatre petites portes. Pour mieux voir, il décrocha une lampe de poche d'un panneau. Il dirigea le faisceau vers chaque recoin, mais aucun des contenants de plastique et des pots qu'il dénicha ne correspondait à ce qu'il cherchait.

Louis, à quatre pattes, la tête enfouie dans une armoire, en scrutait le fond. En sortant trop vite, il s'érafla la tête sur une bordure de métal.

— Ayoye, câlice ! vociféra-t-il en brandissant sa trouvaille. Dany, regarde ce que j'ai trouvé.

Il tenait dans ses mains un bocal comme ceux que l'on utilise pour faire du ketchup ou des confitures. Le pot contenait une poudre blanche. Louis dévissa l'anneau de métal et retira le couvercle.

— Qu'est-ce que t'en penses ?

Duval sentit le produit.

— C'est inodore. On va faire analyser la poudre au labo.

Louis sortit un sac de papier et une étiquette, mit le produit dedans tout en notant sa provenance, l'heure et l'endroit de la perquisition, et le scella.

Ils inventorièrent ensuite tout ce qui reposait par terre, dans les coins, près de la laveuse et de la sécheuse. Duval se releva, embrassa les lieux du regard une dernière fois. Il sortit pour examiner le dessous de la galerie, mais ne trouva rien.

Il ouvrit la porte du garage double adjacent à la maison. L'endroit sentait l'essence, l'huile et le gazon. Un tracteur John Deere, un modèle récent, occupait la plus grande place. Duval ne put s'empêcher d'aller examiner un mousquet accroché sur un mur. Partout autour s'entassait l'équipement de jardinage et de maintenance. De nombreux engrais et pesticides attirèrent l'œil de Duval. Plusieurs portaient le symbole de la tête de mort : le crâne et les os croisés. Il y en avait tellement qu'il devrait faire venir l'Identité judiciaire pour compléter le travail. Duval regretta de ne pas y avoir pensé avant, mais il ignorait la présence de ce cottage sur le domaine.

— Puis ? demanda Loulou derrière son épaule.

— Il y a trop de produits. Va vérifier dans les armoires de la cuisine. Je vais aller dans la salle de bain.

Dans le salon, Dolbec s'était évaché sur un récamier au tissu victorien. Il lisait un livre sur le Yucatan dont la couverture montrait un temple en ruine.

— Avez-vous trouvé quelque chose, messieurs ?

— Non, mais on cherche.

Duval monta l'escalier en pin qui craquait et pensa à sa vieille maison. « Pensée inutile », se dit-il. Il y avait quatre pièces à l'étage. Tout le haut avait été rénové. Les portes avaient été décapées, les murs lambrissés dans la partie inférieure et séparés du gypse par une belle moulure blanche. La petite salle de bain, rose et jaune, était enjolivée par une baignoire sur pattes qui avait été récemment émaillée pour étinceler ainsi. Ces rénovations, trop onéreuses pour le commun des contribuables, n'avaient sans doute pas fait trop mal à Marquis, se dit Duval. Le lieutenant fouilla la pharmacie : du Bromo Seltzer, du PeptoBismol et des *poppers*, un stimulant sexuel. « Tiens, tiens, c'est illégal, ça ! » Décidément, Dolbec aimait faire la fête. Une prescription contre la blennorragie, maladie vénérienne connue sous le nom de chaude-pisse, lui rappela de mauvais souvenirs.

Duval entra dans la chambre de Dolbec et y contempla le lit capitaine, les belles moulures et une encre de Jean-Paul Riopelle montrant un hibou. Rien de moins. Il y avait des avantages à être l'ami de Charles Marquis, pensa le lieutenant. Le bureau contenait un magnifique *rolltop* en chêne, meuble qui fit l'envie de Duval. Sur la table de travail, il aperçut une lettre en espagnol et une revue d'un agent immobilier mexicain. Dolbec voulait-il convaincre son *sugar daddy* d'acheter une résidence dans le sud ? Duval s'approcha pour admirer un tableau d'Adrien Hébert, une scène du port de Montréal. Il reconnut un paysage de son enfance : la minoterie de la compagnie Five Roses avec sa célèbre affiche lumineuse.

Il fourragea dans les tiroirs du bureau : de la paperasse et encore de la paperasse. Il descendit rejoindre Louis qui l'attendait à l'extérieur.

— Je vais faire venir l'Identité pour qu'ils complètent l'inspection.

— De toute façon, il a eu du temps pour se débarrasser du poison.

— On va retourner voir la domestique et le maître de la maison, dit Duval.

— Avant, qu'est-ce que tu dirais d'aller à la pharmacie pour me chercher des aspirines ? Je me suis pas manqué, sur l'armoire.

— Pas de problème.

Dolbec vint les rejoindre. Alors que Louis se dirigeait déjà vers la voiture, Duval demanda à Dolbec quand il comptait partir pour le Mexique.

— Pas avant trois semaines.

— Je vais vous demander de rester disponible tant que durera l'enquête. On sait quand ça commence, mais jamais quand ça finit.

Le beau visage lisse du garçon se décomposa de quelques années.

— Mais… j'ai rien à me reprocher.

— Raison de plus… Ne quittez pas le pays.

Duval le salua discrètement d'un petit coup de tête et alla rejoindre Louis qui observait un pétrolier passant sur le fleuve.

En remontant l'allée qui menait au manoir, Duval aperçut la Jaguar de Marquis qui entrait dans le stationnement. Après être passé à la pharmacie, il aurait à s'entretenir avec Marquis.

25

Le temps se couvrait rapidement. Les gros appendices nuageux se mouvaient comme des vagues dans le ciel. Un ciel bas dans tous les tons de gris, un ciel sur le bord de la déchirure. Au bout d'un instant, la pluie drue crépita sur la tôle de la Chevrolet. Les essuie-glaces s'essoufflaient à chasser les trombes d'eau qui ruisselaient sur le pare-brise. Les vitres s'embuèrent rapidement. Duval mit la ventilation à plein rendement et la condensation s'estompa tout de suite. Les éclairs zébraient le ciel et le tonnerre roulait sa grosse caisse pour éclater dans un gigantesque cluster. Des nappes d'eau s'étaient formées sur l'asphalte et emplissaient les nids-de-poule pas réparés.

Pendant que Louis roupillait à ses côtés, après avoir avalé trois cachets, Duval ne cessait de penser à la lettre enregistrée qu'il avait reçue, aux implications financières qu'elle entraînait. Douze mille dollars. Ou des frais juridiques. Et tout ça pour rien, tout ça parce qu'une vieille bique ne comprenait pas que la maison qu'elle avait acquise n'était pas une maison neuve. Qu'elle avait un charme fou et qu'elle portait une partie de son histoire. Soudain, une idée totalement folle lui traversa l'esprit : et si, au lieu de dépenser de l'argent pour rien, il réglait l'affaire en rachetant son vieux cottage ? C'était mieux que de se ruiner en frais de cour. Il avait les moyens de cette ambition. À la mort accidentelle de sa femme, il avait reçu une somme importante de la compagnie d'assurances, un montant qu'il n'avait jamais touché. Il se rappelait les premiers temps où il couchait rue des Remparts, chez Laurence, et qu'elle le relançait le lendemain chez lui. Il se rappela à quel point ils avaient été heureux. Elle avait déménagé après quelques mois. Pourquoi n'avait-il pas tenu son bout lorsqu'elle s'était mis en tête d'acheter ce gros bunker ? Il aurait pu lui dire qu'elle aurait à voyager de Cap-Rouge à Québec tous les jours ? Il est vrai qu'elle avait grandi sur le bord du fleuve et que le Saint-Laurent avait pesé lourd dans la décision. Puis il chassa cette idée folle. Comment Laurence accueillerait-elle la nouvelle s'il lui annonçait qu'il voulait racheter la maison ? Elle n'allait jamais accepter. Un autre coup de massue ébranla le ciel. Louis rouvrit les yeux.

— Je crois que je vais racheter mon ancienne maison, dit Duval.

— Hein ? Pourquoi ?

— Demande-moi plutôt comment !

— Tu veux que je t'aide ?

— …

Duval, attentif à la voiture qui ralentissait devant lui, ne répondit pas. Il tourna dans le chemin privé menant à la résidence de Marquis. Duval sortit son parapluie et abrita le gros Louis qui n'avait pas le sien. La Jaguar verte de Marquis était toujours dans le stationnement. Il frappa trois fois le heurtoir.

Madeleine Linteau ouvrit, plumeau à la main.

— Monsieur Marquis est dans son bureau. Il a un rendez-vous important avec un collaborateur.

— Nous allons patienter. En attendant, j'aurais quelques questions à vous poser.

Elle se roidit, cafouilla.

— Bin… euh… allons dans la cuisine.

Une odeur alléchante emplissait la pièce. Elle s'installa derrière le bloc de boucher marqué de lacérations sur lequel attendait un filet de porc. Elle serra nerveusement le coin du meuble. Au-dessus de sa tête couraient toute une série de casseroles en cuivre et d'ustensiles dignes d'un grand restaurant.

— Madame Linteau, vous m'avez dit que l'ex-homme de maintenance aurait des révélations à me faire. Pourquoi passer par lui quand vous auriez pu me donner les mêmes informations ?

— Je ne peux tout simplement pas raconter des choses pareilles. J'ai un certain âge et j'ai été élevée dans la religion catholique.

— Mais la religion catholique, dit Louis, commande aussi de dire la vérité.

— Je sais, je sais, rechigna-t-elle.

Sa mine était atterrée comme celle d'une fillette prise en défaut.

— Auriez-vous peur de perdre votre emploi ? reprit le lieutenant.

— Si vous voulez savoir : oui. Je suis nourrie et logée ici. Qu'est-ce que vous voudriez que je fasse d'autre si je perdais mon emploi ? à mon âge ? J'ai pas de diplôme, pas de métier… C'est toute ma vie, ici.

Duval s'appuya contre le comptoir de céramique. À l'extérieur, le tonnerre tambourinait en sourdine.

— Vous devez collaborer avec la justice. Un meurtre a eu lieu dans cette maison et si vous savez quoi que ce soit, vous devez nous le dire.

La minuterie du poêle se déclencha. Dans un réflexe, Madeleine Linteau se rua vers le fourneau et en sortit des tartes au sucre que Louis mangea du regard même s'il venait d'enfourner un millefeuille quinze minutes auparavant.

— Madame Linteau, est-ce qu'il se peut que monsieur Dolbec couche parfois ici, dans la maison principale ?

Elle hésita, déchirée de devoir répondre.

— Il m'est arrivé de lui servir à déjeuner.

— C'est pas la question que mon collègue vous a posée, intervint Louis d'un ton bougon. Est-ce qu'il couche ici, dans le même lit que monsieur Marquis ?

— … Oui.

— Quand madame Marquis était vivante, est-ce qu'il couchait ici ? reprit Duval.

— Non. Monsieur Marquis a trop de respect pour ça.

— Mais madame Marquis savait qu'il fréquentait des hommes.

Avant de répondre, elle jeta un coup d'œil vers la porte. Elle parlait à voix basse de crainte d'être entendue.

— Oui. Et elle a été grandement blessée de l'apprendre. Elle ne parlait plus à son mari. Elle se sentait trahie. L'engagement de monsieur Dolbec était juste un prétexte de monsieur Marquis pour avoir son… son amant près de lui. Tout s'est mis à mal aller à partir de là.

— Qu'est-ce que vous voulez dire ?

— La santé de madame s'en est ressentie. Madame déprimait. Il régnait une atmosphère épouvantable. C'est comme si la pire des calamités s'était abattue sur la maison. Madame s'est réfugiée encore un peu plus dans la religion. Elle ne parlait plus. C'était un vrai couvent de carmélites.

— Devant la dépression de sa femme, comment se comportait monsieur Marquis ? s'enquit Louis.

— Il avait parfois l'air triste, mais le reste du temps, il paraissait heureux. Il était amoureux. Je n'avais jamais connu monsieur sous… sous cet angle.

Les narines de Louis frétillaient d'une faim à rassasier. Cette odeur de tarte au sucre devenait insoutenable.

— Est-ce que vous mettez de la crème 35 % dans vos tartes ?

Surprise du quiproquo, elle mit un moment à répondre.

— Je mets de la crème anglaise, dit-elle fièrement. En voulez-vous une pointe ?

Duval toisa son collègue. Ce n'était pas la première fois que le Gros quémandait de la nourriture en posant une question apparemment sans importance.

— Si je dis non, je vais le regretter toute ma vie.

— Vous ? demanda-t-elle au lieutenant.

— Non, merci.

Elle prit une soucoupe dans l'armoire et coupa une pointe toute fumante pour Louis.

Pendant que Duval consultait sa montre en soupirant, Louis avalait goulûment une première bouchée en fermant les yeux. Tout en opinant du bonnet, il arbora un large croissant dentaire.

— Cette tarte est l'une des meilleures que j'aie mangées dans ma vie. Crémeuse, pas trop sucrée et le feuilleté de la pâte est d'une légèreté…

Il enfourna rapidement une autre bouchée.

— Vous me donnerez la recette ?

Duval soupira plus fort et accrocha de peine et de misère l'attention de la cuisinière, qui n'en avait plus que pour Louis. De toute façon, le Gros demandait toujours les recettes mais ne cuisinait jamais rien. Duval coupa la pause dessert.

— Avez-vous assisté à des scènes qui vous ont paru suspectes ?

Elle réfléchit, parcourant les replis de sa mémoire.

— J'ai vu un jour monsieur Dolbec entrer dans le cottage avec un autre homme que monsieur Marquis.

— En quoi était-ce anormal ?

— Il était deux heures du matin et monsieur Marquis était en voyage d'affaires. L'homme est ressorti deux heures plus tard.

— Vous pensez que Serge Dolbec trompe monsieur Marquis ?

— Oui.

— Est-ce que vous avez entendu les Marquis se quereller à propos du divorce que madame Marquis souhaitait obtenir ?

Elle parut décontenancée.

— Ils se disputaient à ce sujet. Puis elle a entrepris des démarches, même si c'était contre ses principes. Elle m'a dit, trois mois avant de mourir, et avec le sourire, qu'elle allait se marier avec Dieu.

— Est-ce que la sœur de monsieur Marquis, Estelle Lambert, intervenait dans ce conflit ?

— Oui, elle a un jour traité son frère de sans-cœur.

— Pourquoi ?

— Parce qu'il refusait de discuter et de négocier le partage des biens. Madame Florence y tenait. Elle revenait souvent là-dessus. Elle voulait offrir à des œuvres de charité et à des fondations médicales des millions de dollars. La Fondation des amis de Florence est très courtisée. Puisque la chapelle attire beaucoup de monde et que Florence était très en vue dans les mouvements religieux, les dons se sont mis à affluer, et puis tous les profits de la maison d'édition étaient déposés dans les coffres de la Fondation.

— Qui s'en occupe ?

— Sa belle-sœur, Estelle.

Duval nota cette information. Estelle Lambert ne lui avait pas parlé de cette initiative.

— Comment réagissait monsieur Marquis à la présence de sa sœur ?

— Madame Lambert a été très bonne pour sa belle-sœur, mais monsieur Marquis, dit-elle en baissant le ton, l'appelait, excusez le mauvais langage : la... corneille, la charognarde, la téteuse. Je me rappelle qu'il lui a dit un jour, avant qu'elle ne reparte, de laisser sa femme tranquille.

— C'est arrivé combien de temps avant la mort de madame Marquis ? demanda Louis, la bouche pleine.

— Quelques jours. Ils ont eu une grosse chicane.

— Vous n'avez rien d'autre à me signaler ?

— Non... Oui ! Mais je ne sais pas si ça pourra vous aider.

— Allez-y.

— Puisque je vois passer les comptes du cottage de monsieur Dolbec, j'ai remarqué qu'il faisait des interurbains chaque mois pour plus de cent dollars. Cent soixante-quinze dollars ce mois-ci. Ce n'est pas normal que monsieur Marquis paye ça.

— Lui en avez-vous parlé ?

— Ça ne me regarde pas. Mais j'ai mis chaque fois les comptes sur son bureau en soulignant leur provenance.

— Le Mexique.

— Oui, vous le saviez ?

Louis se mit à cabotiner sur un air de Luis Mariano.

— *Mexico, Mexico, Me... xi... co!* Cette tarte au sucre est formidable.

— Louis, si j'ai besoin d'un accompagnement, je te le ferai savoir.

— Vous avez une belle voix, le complimenta madame Linteau.

— Au moins, vous, vous l'appréciez.

— Pour en revenir aux factures, reprit Duval, pourriez-vous me les procurer ?

— Mais monsieur va le savoir !

— Non, il ne saura pas que ça vient de vous.

— Je vais aller les chercher.

— Pouvez-vous dire en même temps à monsieur Marquis qu'on voudrait lui parler ?

Elle sortit et revint une minute plus tard.

— Monsieur Marquis en a encore pour dix minutes. En attendant, je vais vous écrire ma recette.

— C'est bien aimable, s'empressa de répondre le Gros.

26

Derrière son bureau, Marquis souriait. Son collaborateur l'avait laissé de belle humeur. Il était vêtu de noir de pied en cap : col roulé, veston, pantalon de coupe italienne et souliers au cuir fin. Les journaux du jour s'étalaient devant lui. Sa conférence avait été bien couverte. Il faisait sa revue de presse, soulignait au marqueur jaune les passages flatteurs. L'éditorialiste du *Soleil* considérait sa décision de briguer la chefferie du Parti des citoyens comme un vent frais dans la monotonie des affaires municipales. *Le Journal de Québec* voyait en lui un « winner ». *Le Devoir* écrivait que Marquis, parti de rien, poursuivait son ascension sur les marches de la réussite. Repu de compliments et d'encouragements, il invita les deux hommes à s'asseoir.

Les murs racontaient de long en large la carrière du « petit gars d'Asbestos » : prix, articles de journaux laminés, plusieurs photos le montraient en compagnie de premiers ministres, de sénateurs, d'un vice-président américain, de ministres, de joueurs de hockey… Il y avait, bien en évidence, une photo de la toute première maison qu'il avait construite, un de ces bungalows qui allaient se multiplier à l'infini et engendrer les banlieues.

Louis observa une à une les maquettes des bâtiments que la firme de Marquis avait construits dans la ville. Il s'arrêta devant l'une d'elles.

— C'est vous qui avez bâti le radiateur ? expédia-t-il sans réfléchir.

Le long immeuble de la Grande Allée, avec ses fentes minces, à la verticale, multipliées d'un coin de rue à l'autre, ressemblait à un système de chauffage. La bonne humeur de Marquis se mua en rictus. C'était l'appellation très péjorative que donnaient les gens de Québec à ce gros édifice gouvernemental.

— Après Duplessis, c'était le prix à payer pour se doter d'un État moderne qui se donnerait les moyens de prendre son avenir en main. Je n'ai fait qu'élever ce qu'un architecte avait élaboré sur papier. Les villes modernes doivent se permettre des audaces en architecture. Quand Eiffel a construit sa fameuse tour, on a considéré cet étrange monolithe comme la chose la plus laide de Paris. Aujourd'hui, elle fait la fortune et l'orgueil des Parisiens. Le complexe architectural de la Grande Allée est photographié dans de nombreux livres d'architecture.

« Comme exemple à ne pas suivre », eut envie de répliquer le lieutenant.

Duval détestait le béton des villes. On lui avait vanté la splendide beauté de la Grande Allée et du boulevard Saint-Cyrille avant que le pic des démolisseurs détruise de magnifiques résidences victoriennes. Mais la spéculation n'a pas de conscience patrimoniale. La spéculation a une masse à la place du cœur. Elle rase tout.

Duval fixa l'homme d'affaires droit dans les yeux.

— Monsieur Marquis, votre femme voulait-elle obtenir le divorce ?

— Elle a fait des démarches. Elle tenait à ce que l'Église annule notre mariage, mais la lenteur des procédures l'a contrainte à vouloir obtenir un divorce civil.

— Lui avez-vous mis des bâtons dans les roues ?

— Oui, et je ne le regrette pas. Ma femme était sous l'effet des médicaments, elle n'avait pas toute sa tête, et ma sœur en profitait pour la monter contre moi, pour la manipuler. Et, de toute façon, Florence avait déjà beaucoup d'actifs.

Le téléphone sonna. Marquis répondit avec empressement. L'appel sembla le réjouir, car son visage s'illumina.

— Le comité éditorial du *Soleil* ! C'est parfait. Quand ? Cette semaine… Aucun problème. Je serai là. Cette date me convient très bien. Merci.

Tout sourire, il inscrivit la date à son agenda.

— Messieurs, je dois vous quitter. J'ai un souper d'affaires ce soir.

Duval se leva, posa les deux mains sur le bureau, planta ses yeux dans ceux de Marquis.

— Avant que nous partions, j'aimerais savoir si vous entretenez une relation amoureuse avec votre homme de maintenance.

— Oui, répondit tout bonnement Marquis. Mais vous comprenez que l'homosexualité est considérée par la majorité des gens comme une tare.

— Est-ce que vous allez garder la chose secrète ?

— On n'est pas à San Francisco, ici. Avec tous les préjugés et le mépris qu'entretiennent monsieur et madame Tout-le-monde, ce serait un suicide politique de le révéler au grand jour. Vous seriez surpris de découvrir que plusieurs politiciens importants dans notre province sont gais.

— Est-ce que votre sœur, Estelle, a cherché à vous faire chanter après qu'elle l'a appris ?

L'entrepreneur étouffa un rire pour lui-même.

— Indirectement, car elle a mis dans la tête de ma femme qu'elle détenait la clé de son divorce, qu'aucun juge ne le lui refuserait, que ça allait me coûter un bras.

— Votre sœur était donc impliquée dans la procédure de divorce de votre femme ?

— Jusqu'à l'os.

— Elles avaient des preuves de vos relations homosexuelles ?

— Aucune idée.

— Votre femme en avait contre l'homosexualité ?

— Pour utiliser un euphémisme, disons qu'elle ne voyait pas ça d'un bon œil, ironisa Marquis.

— Pourquoi avoir interdit votre maison à votre sœur, quelques jours avant que la mort n'emporte votre femme ?

— Je vois qu'elle vous a parlé de ça aussi… Je crois que je viens de vous donner la réponse.

— Il est question d'une Fondation des amis de Florence ?

Marquis gloussa, dut mettre sa main devant sa bouche.

— Excusez-moi de rire, mais cette idée est celle de ma sœur… Tout vous paraîtra légal au point de vue juridique, mais qui dit fondation dit frais de gestion… et voilà une façon habile de s'enrichir sur le dos des croyants.

— Vous ne pensez pas beaucoup de bien de votre sœur.

— À vrai dire, rien de bien.

— Saviez-vous que votre femme s'était représentée dans les vitraux de la chapelle ?

Marquis regarda Duval d'un air surpris.

— Vous êtes très observateur, lieutenant Duval.

— Elle s'est elle-même représentée dans différents tableaux comme Élisabeth, la mère de saint Jean-Baptiste, la grande amie de la Vierge.

— Elle vouait un culte à la Vierge.

— Saviez-vous qu'elle vous avait aussi représenté ?

— Oui. Je le savais. Ses proches ont servi de modèles.

— Vous figurez un centurion romain dans la scène de la crucifixion.

Marquis ne put retenir un rire sardonique.

— Je ne m'attendais pas à ce qu'elle me donne le rôle d'apôtre ou de Jésus… Elle a même immortalisé ma sœur Estelle en Marie-Madeleine, au pied de la croix. On dirait qu'elle se demande ce que Dieu lui laissera en héritage.

La sonnette d'entrée retentit. La domestique se pointa quelques secondes à peine plus tard.

— Monsieur Duval, il y a quelqu'un pour vous, votre collègue Tremblay.

— Je n'ai pas d'autres questions, dit le lieutenant en saluant Marquis.

Duval et Harel suivirent la domestique. Près de la balustrade, Madeleine Linteau se retourna et remit discrètement une enveloppe à Duval.

— Voici les comptes de téléphone.

— Merci.

Les cheveux blonds détrempés de Francis étaient tout lissés sur sa tête. Il essuyait ses lunettes rondes embuées, parsemées de gouttelettes, et paraissait tout excité.

— J'ai du neuf ! Vous êtes mieux de vous asseoir.

— Dans ce cas, on se rend au petit resto à l'entrée de l'île, dit Louis.

27

Devant la baie ouverte, le fleuve agitait ses eaux moutonneuses. Mai apportait ses grandes marées printanières. La herse d'une volée d'oies se mouvait dans les gris du ciel. La pluie avait cessé et l'humidité montait de plus en plus.

Trois cafés fumaient sur la table. Francis sortit son calepin bleu à spirale qu'il déposa sur le formica. Il nettoya les verres de ses lunettes rondes avec le pan de sa chemise. Avec une lenteur exaspérante, il replaça sa chemise, remit la monture d'écaille sur le bout de son nez. Il révisa ses notes pendant quelques secondes, un grand sourire marquant son visage. Duval soupira.

— Arrête de nous faire niaiser, Francis. Aurais-tu clos l'enquête ?

— Pas du tout ! J'ai rencontré maître Champagne. Quand je me suis présenté à son bureau de la Grande Allée, j'ai lu sur la plaque d'affaires : Bérard, Lambert et associés. Tout de suite, une première idée m'est venue à l'esprit. En entrant dans son bureau, je lui ai immédiatement demandé si son patron, Lambert, avait un lien de parenté avec la sœur de Marquis, Estelle Lambert.

Francis avala une gorgée de café, pressé de déballer le reste mais soucieux d'étirer le suspense.

— Puis ? s'enquirent en duo Duval et Harel.

— Accouche ! ajouta Louis.

Francis hésita longuement avant de répondre, puis se fendit d'un large sourire.

— Jean Lambert est en fait le mari d'Estelle.

Duval pointa le doigt vers son collègue.

— Elle avait omis de dire qu'elle était impliquée dans les démarches juridiques de divorce. Pire que ça, elle a prétendu qu'elle n'en savait rien.

— Quand ça commence à puer comme ça, c'est bon signe pour nous, lança Louis.

Francis, d'un air espiègle, regarda tour à tour ses collègues dans les yeux.

— Les démarches de divorce entreprises par Florence Marquis auraient rapporté gros à Estelle Lambert, puisque son mari aurait retiré un montant équivalent à 15 % des avoirs de Charles Marquis, le tarif habituel au dire de Champagne. La Lambert faisait une méchante passe. Même sans avoir obtenu le divorce, la Fondation a dû payer neuf mille neuf cent quatre-vingts dollars et trente-quatre sous en frais juridiques à l'étude Bérard, Lambert et associés. Une belle facture ! conclut Francis en ramenant ses cheveux trempés vers l'arrière, ce qui accentuait le contraste entre les mèches blondes et châtaines de l'enquêteur.

— C'est un conflit d'intérêts. Elle s'est investie à fond, argua Duval. Marquis avait autant intérêt à voir disparaître sa femme rapidement, dans ce cas.

Francis l'interrompit.

— Mais ce n'est pas tout : puisque c'est Estelle Lambert qui a la responsabilité financière du fils de Florence Marquis, elle se paye, en moyenne, un salaire de quatre cents dollars par semaine depuis la mort de la belle-sœur. C'est louche…

— Son mari vient de nous dire qu'elle gérerait aussi la Fondation des amis de Florence, ajouta Duval.

— L'avocat m'en a parlé. Même chose pour les éditions de la Vierge noire, dont les profits reviennent à la Fondation.

— Il faudra vérifier si tous les papiers sont en règle, nota Duval.

Francis sortit de son attaché-case une enveloppe.

— Bernard a reçu le carnet de banque d'Estelle Lambert. Même si elle était autorisée à le faire, elle semble s'être servie comme dans un magasin de bonbons. Chaque jour, elle n'a jamais sorti moins de cent dollars. Le plus gros montant est de sept cent cinquante dollars. Un autre jour, elle a retiré cinq cent vingt dollars. J'aimerais bien savoir à quoi pouvaient servir ces montants. Qu'est-ce qu'elle a pu acheter? En deux mois, les retraits totalisent – attendez que je retrouve les chiffres de Bernie dans mon calepin – treize mille huit cent quatre-vingt-deux dollars et soixante-cinq sous. Ajoutez les presque dix mille dollars de frais juridiques, l'arnaque atteint plus de vingt mille piastres! Des gros bidous, et ce n'est pas fini.

Louis écrabouilla entre ses doigts le contenant de crème vide au-dessus de la soucoupe. Une grosse gouttelette blanche roula sur son pouce.

— Ce qui est louche, c'est que Lambert met son nom partout où il y a de l'argent à faire. Et de l'argent, elle en a fait avant la mort de sa belle-sœur et elle continue à en faire. Elle suce à tous les râteliers.

Duval se leva, laissa un dollar sur la table pour payer son café.

— Il va falloir rendre une autre visite à Estelle Lambert.

— Elle est mieux d'avoir des mouchoirs en masse, ironisa Louis.

Francis éclata de rire.

Louis se glissa hors de la banquette.

— J'ai un rendez-vous avec le gérant d'une autre quincaillerie, à la pointe de l'île, dit Francis.

— Nous, on va aller mettre un peu de pression sur le fils, conclut Duval.

Ils marchèrent vers leur voiture respective en contournant les flaques d'eau. Un dégagement s'annonçait, à voir les trous de lumière dans le ciel. Une puanteur de purin fraîchement répandu déferlait du nord-est vers le sud-ouest de l'île.

— C'est ce que je disais : ça commence à sentir mauvais, dit Louis en touchant le bout de son nez.

Duval poussa un grand rire. Son copain avait bien raison : cette affaire commençait effectivement à dégager de mauvaises odeurs.

28

L'immeuble de la rue Moncton s'élevait sur trois étages en belles briques orangées. Des linteaux en pierre surmontaient les fenêtres coulissantes. Au balcon du premier étage, deux pieds s'agitaient sur la rampe. L'homme d'une vingtaine d'années lisait une bande dessinée en buvant une bière. Une tête ronde se découpa derrière le livre qui s'abaissa légèrement. Richard Marquis sembla se demander un instant si cette visite était pour lui. De la porte grande ouverte s'échappait une musique tonitruante à s'en décoller les tympans. La voix aiguë du chanteur lacérait les murs.

— Rentier à son âge ! C'est une honte… Ti-crisse de pas bon… Pis casse-tympan à part de ça… pesta Louis.

— Y a des parents qui font tout pour ça.

— Grand fainéant, je te mettrais ça aux travaux communautaires.

— Comme dit Félix, la meilleure façon de tuer un homme, c'est de le payer à ne rien faire.

Sur la boîte postale numéro 2 était inscrit le nom de Richard Marquis, avec la mention « concierge ». Mais pas une seule circulaire semblait n'avoir été ramassée depuis un mois et le plancher en linoléum était jonché de saletés, de sable et de calcium, souvenirs d'hiver.

Alors qu'ils montaient, une porte s'ouvrit violemment au deuxième étage. Une voisine descendit en gesticulant : « Ah ! je suis pus capable ! Sa crisse de musique, y va-tu la baisser de temps en temps ? Je travaille de nuit, moi, câlice ! » La femme en peignoir rose, la tête garnie de bigoudis, martela les marches. Mais en constatant, par-dessus la rampe, que deux individus en veston et cravate allaient chez Marquis, elle s'arrêta et eut le réflexe de remonter, puis se ravisa. En voyant que les deux hommes s'étaient immobilisés devant la porte de Marquis, elle se plaignit.

— Vous lui ferez le message de baisser sa musique, s'il vous plaît !

Elle tourna les talons, remonta comme une furie sous le regard amusé de Louis et celui, plutôt indifférent, de Duval.

Harel sonna plusieurs fois, mais Marquis ne venait pas ouvrir. Louis frappa de toutes ses forces sur la porte presque au point de la défoncer jusqu'à ce qu'une voix haut perchée perce à travers les murs.

— Oui, un instant !

La porte s'ouvrit sur une face ronde et pâlichonne, un polichinelle sorti d'une boîte à ressort. Il fixait les enquêteurs avec de grands yeux médusés, coiffés de demi-lunes sombres. Le corps famélique, mou, ne semblait pas avoir fait d'exercice depuis des lustres.

Il portait les cheveux longs, attachés à l'arrière, mais rongés sur le haut du crâne par une calvitie naissante. À son nez bulbeux et rougeaud, on mesurait son penchant pour l'alcool.

— Vous êtes Richard Marquis ?

— Oui.

— On travaille pour la SQ. On voudrait vous voir au sujet de la mort de votre mère.

— Ah… encore !

Il referma la porte, mais Louis se servit de sa canne comme d'un bélier mécanique et le maigrichon se retrouva pris en sandwich entre le mur et la porte. Duval demanda à Louis de relâcher sa prise. Marquis fils allait éclater sous la pression.

— As-tu compris qu'on ne fait pas obstruction au travail des policiers ? maugréa Louis.

— OK, c'est correct ! Laissez-moi sortir.

Duval colla le mandat à deux pouces du nez lustré de Marquis, alors qu'il s'extirpait du coin, prêt à collaborer.

Le jeune homme marcha jusqu'au meuble de la chaîne stéréo et leva la tête de lecture du disque. L'appartement était décoré avec des meubles Ikea. Estelle Lambert avait mis sa pingrerie au service de son neveu. La Fondation n'en serait que plus prospère, conjectura le lieutenant. L'appartement sentait les murs fraîchement peints. Le long corridor s'ouvrait de chaque côté sur plusieurs pièces. Duval en compta six. La décoration de la chambre contrastait avec le reste : une murale représentait, à l'avant-plan, une base spatiale, des vaisseaux, des êtres bizarroïdes. Au-dessus de cette planète imaginaire, le grand noir sidéral multipliait les étoiles et s'y découpaient nettement la Voie lactée et d'autres astres plus étonnants. On sentait que les goûts de sa tante n'avaient pu s'imposer dans cette pièce.

Le garçon invita les enquêteurs à prendre place autour de la table de cuisine. Une belle terrasse donnait sur les arrière-cours de la rue du Parc. Marquis portait des vêtements granolas: poncho, pantalon en coton blanc, souliers de toile et un pendentif en bois autour du cou.

Le plafond en stuc de la cuisine était encadré par d'imposantes moulures blanches. Le haut des murs avait été peint en gris et la partie du bas lambrissée en bleu foncé. Le plancher était couvert d'un prélart en damier noir et blanc. Ici aussi, tout semblait neuf: électroménagers, comptoirs. Les armoires blanches, sans doute d'origine avec ces anciennes poignées bombées, étaient toutes ouvertes. Devant lui, Duval aperçut sur la table en pin des dizaines de lettres, surtout des comptes, plusieurs en souffrance, jamais décachetées. La tante Estelle allait certainement y voir, se dit-il pour lui-même.

Richard replaça quelques mèches derrière ses oreilles.

— Vous pouvez vous asseoir. Voulez-vous du café?

— Non merci, répondirent en chœur Harel et Duval.

— Moi, j'en prends.

Marquis vida le marc du café dans l'évier. Il versa des grains dans le moulin, qu'il actionna. Il remplit de café le percolateur tout en cuivre. On eût dit qu'il était seul dans la pièce, il fredonnait l'air qui jouait avant l'interruption de la police, regardait le plafond.

— C'est un bel appartement, dit Louis, qui ne put résister à la tentation. Ça doit coûter la peau des fesses de vivre ici.

— C'est pas trop cher, répondit Marquis avec un filet de voix.

— Vous n'habitiez pas ici quand votre mère est morte? demanda Duval.

— Non. J'étais dans le quartier latin.

— Vous êtes le concierge ? renchérit Louis avec un doute feint dans la voix.

— Et le propriétaire… Là, c'est pas très propre, mais je vais faire mon ménage bientôt.

Le lieutenant réorienta la conversation dans le sens de l'efficacité.

— Quelles étaient vos relations avec votre mère ?

Marquis éclata de rire, ce qui étonna Duval. Le jeune homme parlait sans regarder les enquêteurs.

— Pas très bonnes, dit-il, nonchalant. Ma mère n'avait pas confiance en moi. Elle me croyait incapable de faire quoi que ce soit. Elle planifiait tout. Je ne serais pas surpris qu'elle ait même décidé qui va m'embaumer et m'enterrer.

En parlant ainsi, Richard Marquis arrivait à peine à dissimuler son rictus.

— Vous voulez dire qu'elle était achalante ? dit Louis.

— Disons accaparante.

Sur le comptoir, le percolateur fit juter un épais sirop noir dans une petite tasse. Richard Marquis la prit et vint s'asseoir dans la position du lotus.

— Est-ce vrai qu'elle a demandé à votre tante Estelle de vous prendre en main, d'être en quelque sorte votre tutrice et l'administratrice de vos biens ? s'enquit Duval.

— Elle voulait en effet que ma tante joue ce rôle-là.

— Et elle le fait ?

— Oui.

— Ça vous embête ?

— Bof ! Tant que le chèque entre le premier du mois…

Il affichait une attitude qui déplut à Duval. Cette complaisance alliée à la suffisance était indécente. Dire qu'une nouvelle école anti-fessée voyait le jour en Amérique, pensa Duval en se rappelant un article qu'il avait lu peu de temps avant.

— Vous entendez-vous bien avec votre tante ?

— Tant qu'elle ne colle pas trop et qu'elle ne me demande pas de comptes, ça peut aller.

— Quel genre de comptes ?

— As-tu fait ci, as-tu fait ça… Elle a promis à ma mère qu'elle me ferait finir mon DEC et que je ferais mon bac.

— En quoi ?

Il éclata de rire, un rire méchant.

— En médecine…

— Mais avez-vous des dispositions pour cette profession ?

— Non.

— Vous avez fait des études en sciences pures ?

— Un an.

— Vous avez arrêté ?

— Oui.

— Volontairement ?

— Non.

— Vous avez été mis dehors ?

Il sirota son café fumant, hocha la tête en souriant comme s'il en était fier.

— Oui.

— Pourquoi ?

— J'ai triché lors d'un examen.

— Lequel ?

— Chimie… Pourtant, j'avais toujours eu de bonnes notes en chimie, dit-il en éclatant d'un rire détonnant. C'est juste que j'avais oublié une formule.

— Pourquoi alors ?

— Je crois que je cherchais un moyen de me faire mettre dehors.

Louis se leva et demanda où étaient les toilettes. Duval et lui avaient convenu que c'était Louis qui irait fouiller en douce dans la pharmacie.

— Tout droit, au bout du corridor.

— Vous aimez ça, ici ? reprit Duval.

— J'ai pas choisi d'habiter ici. J'haïs ça. C'est un appartement en enfilade. Il n'y a pas beaucoup de soleil. Ma chambre donne sur un mur de briques. C'est ma tante qui a acheté l'immeuble pour moi et c'est elle qui le gère.

— Avez-vous de bonnes relations avec votre père ?

— Mon père a toujours été un être absent. Il ne m'appréciait pas. J'étais trop son contraire.

— Est-ce que vous savez que votre père est homosexuel ?

— Je peux comprendre ça.

— Connaissez-vous son ami ?

— Je l'ai entrevu.

Louis revint. D'un signe de tête, il signala à Duval qu'il n'avait rien trouvé.

— Votre mère a été choquée en découvrant l'orientation sexuelle de votre père ?

— Poser la question, c'est y répondre. Si votre femme vous annonçait qu'elle est lesbienne ?

Le visage de Louis s'empourpra. « Ti-crisse de fendant », lut Duval sur les lèvres de Louis.

— Vous avez vu votre mère dans les heures ou les jours qui ont précédé sa mort ?

— Oui. Deux jours avant.

— Comment était-elle ?

— Très mal, même si elle cachait sa souffrance. Elle refusait de prendre sa morphine, parce que ça la soulageait.

Duval inscrivit cette information qu'on lui communiquait pour la première fois.

— Pourquoi tenait-elle à souffrir ?

— Ma mère vivait une grande quête religieuse. Elle sentait que Dieu était là, près d'elle, la Madone aussi, qu'ils la touchaient de leurs grâces. Elle avait toujours été engagée dans la religion, toute sa vie elle a vécu avec le dilemme d'avoir quitté les carmélites. Elle aurait don' dû y rester.

Il cessa de parler et Duval sentit une certaine émotion étreindre le garçon qui revoyait sans doute sa mère en image.

— Pendant les derniers mois de sa vie, elle passait une partie de la journée dans la chapelle. Elle avait même demandé qu'on installe un grabat pour qu'elle puisse se reposer entre deux prières. Elle aimait cet endroit. Les arbres, le chant des oiseaux et les vitraux la réconfortaient. La présence de Dieu. Elle vivait quelque chose d'extraordinaire en dépit de son supplice. Plusieurs de ses amis, de son cercle de prière, allaient jusqu'à dire qu'elle était directement en contact avec Dieu et la Vierge noire. Il se passait, d'après eux, des choses exceptionnelles dans cette chapelle. De ma mère semblait émaner une grande bonté et la présence de Dieu.

Louis, qui avait affiché un air de chien avec le garçon depuis le début, eut un peu de tendresse dans le regard.

— C'est beau ce que tu dis là, mon gars.

— Est-ce que nous pourrions voir l'atelier de l'immeuble ? demanda Duval.

— OK. Je vais chercher ma clé.

Il s'éloigna nonchalamment. Duval n'en revenait pas à quel point il avait l'air perdu, comme s'il était sept heures du matin à tout instant de sa vie. Trois minutes passèrent. Duval regarda sa montre.

— Ça sera pas long, je cherche ma clé, lança Marquis. (Sa tête de Pierrot lunaire apparut au bout du couloir.) J'ai dû la laisser dans ma commode.

Louis passa un doigt sur un meuble poussiéreux.

— Le ménage est pas fait souvent.

Marquis rappliqua en agitant son trousseau.

— Je l'ai trouvée !

Ils descendirent jusqu'à la cave. Devant la porte, Marquis essaya toutes les clés avant de découvrir la bonne.

— Tu devrais les marquer, tu serais moins perdu, suggéra Louis.

L'atelier occupait une pièce étroite qui abritait aussi une fournaise empestant l'huile. Marquis tira sur une corde pour allumer l'ampoule au plafond. Le soupirail couvert de fils d'araignée n'avait pas été entrouvert depuis des lustres. Duval passa le lieu en revue. Sous l'établi, à droite, s'empilaient des dizaines de produits de quincaillerie.

Après avoir enfilé des gants de latex, les deux enquêteurs se penchèrent pour examiner la tablette, sortant un à un les contenants et les bouteilles. C'est Louis qui sortit le pot métallique avec la mention Rodenticide/Ratox. Un chat noir sur l'étiquette symbolisait le tueur de rats.

— Ça ressemble à la poudre que nous a fournie Rivard, se réjouit le Gros.

— *Rodenticide*, c'est le terme anglais pour raticide, précisa Duval.

Marquis, qui était resté en retrait, s'approcha pendant que Louis ensachait le produit. Le jeune homme ne semblait pas s'en faire.

— Plusieurs affaires sont ici depuis longtemps. Le propriétaire, qui était âgé, a tout laissé en vrac. Ma tante Estelle a aussi apporté plein de produits dont je pourrais avoir besoin pour l'entretien de l'immeuble.

— Lesquels ?

— Je ne sais pas. Pensez-vous que j'ai du temps à perdre avec des futilités pareilles ? C'est la première fois que j'entre dans cette pièce depuis que je suis ici.

— Nous, on va devoir vérifier tout ça, tempêta Louis. L'Identité judiciaire va venir faire son tour. On va apposer des scellés sur la porte et sur le soupirail. Vous ne devez plus entrer dans cette pièce.

Le Gros lui remit le reçu du produit qu'il venait de saisir.

— J'ai besoin du nom et du numéro de téléphone de l'ex-propriétaire, lança Duval.

— Il s'appelle monsieur Raymond. Ma tante a sûrement son numéro de téléphone.

— Jusqu'à nouvel ordre, vous devez rester disponible pour répondre à nos questions.

Une fois assis dans la voiture, Louis s'exclama :

— Ce gars-là vit sur une autre planète.

— Qu'est-ce que tu penses de cette histoire de mystique ?

— Dieu choisit ceux qu'Il veut toucher de sa Grâce.

Le lieutenant appuya sur l'accélérateur et se dirigea vers le boulevard Saint-Cyrille. Tout en suivant le trafic, Duval se rendait compte que l'enquête le laissait de plus en plus perplexe. Est-ce que Marquis sentait sa carrière de politicien et sa relation avec Serge Dolbec menacées par sa femme ? Aurait-il voulu l'achever pour éviter que le scandale ne s'ébruite ? Aurait-elle pu lui nuire pendant sa campagne ou lors de la vente de ses compagnies ? Serge Dolbec souhaitait-il une relation exclusive avec Charles, ce qui les obligeait à se débarrasser de Florence ? Richard, le fils parasite, aurait-il eu le projet de faire disparaître sa mère pour rentabiliser plus vite son héritage ?

Le feu tourna au vert, mais le lieutenant restait collé à ses pensées. Il fallut un concert de klaxons pour l'extirper de sa réflexion.

— À quoi tu penses ? demanda Louis alors que Duval embrayait enfin.

— Peux-tu mener une petite enquête dans ton cercle religieux pour voir quelle perception on avait de cette femme ? questionna plutôt le lieutenant.

— Je peux bien faire ça.

Un gros autobus vert de la Société des transports le coupa et Duval dut freiner pour ne pas emboutir l'arrière. Le chauffeur semblait s'amuser à rouler dans les flaques d'eau et à les faire gicler à grands jets.

— Crétin de chauffeur, jura Louis. Il ne signale même pas. Et il s'imagine que la route est une pataugeuse. À croire que ça prend un certificat de Saint-Michel-Archange pour conduire un autobus de la ville.

Duval le dépassa dans la voie de gauche et Louis lui expédia un doigt d'honneur.

À l'arrêt suivant, Duval explora un autre mobile : d'une part, Estelle Lambert aurait pu vouloir liquider son amie pour profiter plus rapidement des avantages de la gestion du C.A. des Amis de Florence. D'autre part, elle avait montré de quelle longueur étaient ses crocs bien affûtés dans cette affaire.

Le chauffeur de l'autobus le dépassa en klaxonnant et les coupa à nouveau. Louis sortit de ses gonds.

— Le tabarnak ! Je vais lui coller la contravention du siècle, juste pour l'emmerder. Dix, douze chefs d'accusation, dont ceux de mettre en danger la vie de ses passagers et d'utiliser un véhicule lourd comme une arme. Hé, Dan ! Sors la cerise !

— Non, oublie ça.

— Sors la cerise, actionne la sirène. Je vais lui en faire gicler une.

Duval ne broncha pas.

— Tu vas emmerder tout le monde, Loulou. Les gens vont devoir attendre un autre bus. Ça va prendre des témoins pour corroborer. Du taponnage.

— Envoye !

— Non. Pas question.

— Tu me fais chier des fois…

— J'ai pas le temps, en plus.

Louis décocha un regard enragé à son ami. Un regard de chien en colère. Il bouda jusqu'à la centrale. Même la chanson *Disco Duck* ne put le ramener à de meilleurs sentiments.

29

Le lieutenant rédigea son rapport de la journée. Il l'extirpa d'un geste impatient de la machine à écrire, le signa et le fit acheminer au commandant Dallaire. Il allait sortir quand le téléphone sonna. Il se demanda s'il devait répondre ou non. Il regarda l'heure. Il fit marche arrière et décrocha le récepteur. Il afficha un grand sourire en entendant la voix radieuse de Mimi.

— Devine pourquoi je t'appelle ?

Il réfléchit. Depuis qu'elle était toute jeune, Mimi l'appelait au bureau pour lui annoncer les bonnes ou les mauvaises nouvelles. Il avait toujours aimé ces appels-surprises. Ils lui permettaient de changer le cap de ses pensées, des pensées le plus souvent dirigées vers ce que la vie avait de plus immonde.

— Je ne sais pas.

— Tu devines pas ?

— Tu as été engagée par l'Orchestre des jeunes du Canada ?

— Bin non, tu l'as pas, l'entrevue est dans deux semaines.

— Je donne ma langue au chat.

— J'ai eu l'emploi de disquaire. Yeah ! Yeah ! Yeah !

— Félicitations, fille !

Tout en l'écoutant, il regardait la photo de Mimi qu'il gardait sur son bureau.

— Je vais enfin pouvoir ramasser de l'argent pour partir en France.

— En tout cas, je suis pas inquiet pour toi. Ta mère serait fière de toi.

Il n'abusait jamais de ce compliment, car il savait qu'il portait droit au cœur. Un long silence s'installa. La voix étranglée par l'émotion, Mimi finit par lâcher:

— Je te donne… un… gros bec.

— Moi aussi.

Il raccrocha avec le sourire d'un père comblé par son enfant. Mimi réussissait toujours à le réjouir par ses réalisations.

Il prit son casque sur son classeur et décrocha son blouson de cuir. Il descendit à pas rapides les escaliers. Il avait hâte d'aller s'éventer. Au bas des marches, il aperçut Mireille qui attendait dans le hall d'entrée. Elle portait ses documents dans un sac à dos.

— Bonjour, Mireille !

— Salut, lieutenant Daniel. Ça va bien ?

Duval savait qu'elle lui faisait les yeux doux depuis son entrée dans la SQ. Elle avait fréquenté un stagiaire du docteur Villemure, Fabien Maher, mais cette relation n'avait pas duré longtemps.

— Oui.

— Toujours en moto ?

— Qu'est-ce que tu fais ici ?

— J'attends un taxi pour rentrer chez moi. Je suis venue présenter une analyse de taches de sang à deux collègues qui sont sur une affaire d'homicide.

— Je te raccompagne ?

— En moto ?

— Oui ! Je vais demander un casque au magasinier et je reviens.

— Mais ce sera difficile de faire de la moto avec mon sac.

— Pas du tout ! Tu le porteras en bandoulière, dit le lieutenant sur un ton sans réplique.

Duval se tourna vers le répartiteur.

— Peux-tu appeler pour annuler le taxi en direction de la centrale ?

Deux minutes plus tard, il était de retour avec un casque, qu'il aida Mireille à ajuster. Il enfourcha sa monture et d'un coup de tête fit signe à Mireille de monter derrière. Elle était menue comme une souris. Duval la regarda dans le miroir. Elle entoura sa taille. Il apprécia ce contact. Il sentait ses cuisses contre les siennes. Rien de tel que la moto pour tisser des liens, pensa-t-il.

— Quand je tourne à droite ou à gauche, tu te penches en même temps que moi.

— OK.

— Alors, où est-ce que je te dépose ?

— J'habite sur le chemin Sainte-Foy, près du cégep Garneau.

— On va faire un petit détour, dans ce cas.

— Ne va pas trop vite, Daniel. Je suis jamais allée en moto.

Duval appuya sur le démarreur électrique et les « lions-vapeur », comme il aimait les appeler, rugirent à l'unisson. Il observa Mireille dans le rétroviseur. Elle sourit, ferma les yeux en feignant la peur.

Duval embraya et descendit le boulevard Saint-Cyrille en direction de la colline parlementaire. La Ducati tourna à gauche et se vaporisa dans l'entonnoir des échangeurs de l'autoroute Dufferin : une belle balade au bord du fleuve avec retour par le boulevard de la Capitale. Duval adorait cette longue ligne droite, la sortie direction Montréal. Au bout, la parabole qui menait à l'autoroute 40 était un manège à sensations fortes pour adultes. Duval sentit que sa passagère l'étreignait un peu plus fort. Elle n'oubliait pas de se pencher en même temps que lui dans les courbes. La longue montée catapultait le cœur comme un trampoline. À l'ouest, après les orages de l'après-midi, le soleil empourprait le ciel laurentien, mêlant les touches de rose au vert. Sur le boulevard de la Capitale, appelé à raison « le boulevard de la mort », Duval dévia dans la voie rapide. Il sortit au boulevard Henri IV et rallia le chemin Sainte-Foy jusqu'à l'immeuble de Mireille.

Duval la détailla dans le rétroviseur, éteignit le moteur. Elle poussa un cri d'excitation.

— Je ne croyais pas que tu aimais la vitesse à ce point ! Je n'ai pas eu autant de sensations fortes depuis longtemps. C'est incroyable, cet engin-là.

— Tu n'as pas eu trop peur ?

— Juste assez pour que ce soit excitant, dit-elle avec ce brin de sensualité qui lui était si naturel.

— Et je n'ai pas poussé trop fort ?

— J'imagine ce que ça doit être lorsque tu pousses vraiment… dit-elle en laissant planer un soupçon d'ambiguïté qui ne déplut pas au lieutenant.

Duval retint la réplique qui lui piquait la langue. Il ne faisait pas dans l'humour grivois.

Il l'aida à détacher son casque et se délecta des effluves de son parfum vanillé. Il attacha le casque de la SQ sur le banc arrière. Mireille le regardait intensément.

— Merci. C'était vraiment génial !

Il replaça une de ses mèches blondes à l'arrière de son oreille.

— Quand tu viendras à la centrale et que tu souhaiteras rentrer chez vous le visage au vent, fais-moi signe.

Elle hésita, s'approcha de Daniel et posa un baiser timide à la commissure de ses lèvres. En tournant les talons, elle continua de le regarder, le visage invitant. Dans l'énervement, Duval replia difficilement la béquille de la moto et vint pour démarrer. Croyant être en première vitesse, il accéléra sur la position neutre, ce qui généra un vacarme épouvantable. Il s'examina dans le rétroviseur. Heureusement, elle ne met pas de rouge à lèvres, pensa Duval. Mais qu'est-ce que tu viens de faire là ? martela-t-il plusieurs fois dans sa tête.

Il regagna son aquarium pour millionnaire. Il ressentait une euphorie ambiguë qui dura jusqu'à sa résidence. Devant la maison, il nota que Laurence avait décroché la pancarte des partisans du Oui. Celle-ci reposait dans la poubelle. Les idéaux ont un dur destin. Duval souhaitait que les Non des voisins subissent bientôt le même sort. Les gagnants avaient le triomphe arrogant.

TROISIÈME PARTIE

LA NUIT DES LILAS

30

Dans un halo brumeux, le lieutenant émergea de la salle de bain adjacente à la chambre. Sur le lit, Laurence, dans son peignoir, lisait un roman d'une auteure féministe. Elle griffonnait de temps à autre des notes dans la marge. Il hésita entre lui parler de la lettre enregistrée, ce qu'il aurait dû faire depuis longtemps, et son désir de s'envoyer en l'air. Le premier sujet lui parut « casse-couilles », pour reprendre l'expression qui lui venait en tête. Il se glissa à côté d'elle comme un serpent et l'embrassa dans le cou. Il essaya de délier le cordon du peignoir, mais elle s'esquiva avec un sourire qui décupla son envie.

— Plus tard, plus tard, sinon on va être en retard pour la pièce.

Il aurait bien aimé s'épargner le théâtre. Mais en ce vendredi soir, il fallait bien se changer les idées. Il avait dit oui uniquement pour plaire à Laurence. Cette sortie lui éviterait de parler bébé et de passer une soirée dans le bunker. Le théâtre du Bois de Coulonges inaugurait sa saison d'été avec *Même jour, même heure*. Duval dormait toujours au théâtre : il se voyait déjà roupillant sous le chapiteau qui abritait la troupe.

Devant le miroir, il replaça d'un coup de peigne vers le haut son toupet mouillé qui descendait jusqu'au bout de son nez.

— Il paraît que c'est un bon drame, dit Laurence.

Voilà une appellation, « bon drame », qui l'avait toujours laissé perplexe, lui qui était plongé depuis vingt ans dans ceux des autres, ces drames aux allures de cauchemars.

— Tous les drames ne sont-ils pas mauvais ?

— Tu deviens philosophe ?

— Non, je suis un policier qui vit du drame des autres.

— Tu devrais aimer la pièce. Que je te voie pas dormir encore !

La seule pièce qu'il avait aimée était une œuvre de Shakespeare, une représentation obligatoire à laquelle Mimi avait dû assister quand elle étudiait chez les Ursulines. Cette pièce avait fait écho à son travail. Il avait été fasciné par la perversion criminelle et les désirs homicides de Lady Macbeth. Il n'avait cessé d'acquiescer aux propos des personnages.

Puis il se mit à penser à sa randonnée à moto avec Mireille et fut pris d'un soupçon de remords. Il ne fallait pas que Laurence l'apprenne. Elle se leva pour se planter devant le miroir. Elle étira l'élastique de sa petite culotte, jeta un regard inquiet à sa taille et détendit l'élastique en affichant une moue contrariée.

— Je deviens grosse.

— Tu exagères un peu ! Moi, je t'aime bien comme ça, dit Duval en l'enlaçant par la taille.

Elle se retourna pour l'embrasser langoureusement. Il pouvait bien manquer le premier acte, quant à lui. Sa grande brune était irrésistible dans cette tenue, d'autant plus que la rencontre avec Mireille n'avait pas été sans aiguillonner son désir.

Le téléphone sonna.

— Merde ! dit le lieutenant.

Laurence s'étira pour prendre le récepteur.

— Mimi ! Qu'est-ce qu'il y a ? Quoi ? Tu as été volée ? C'est arrivé quand ?

Daniel se leva, saisit l'appareil.

— Dis-moi ce qui s'est passé.

Mimi pleurait au bout du fil. Un cambrioleur avait forcé sa porte et s'était emparé de tous ses objets de valeur : sa flûte traversière, ses disques, son walkman, sa chaîne stéréo… Elle n'était plus capable de fermer la porte et le propriétaire ne donnait aucun signe de vie.

— J'ai mon audition pour l'orchestre dans quelques jours. Je ne suis pas assurée… dit-elle en sanglotant. Rachel, ma colocataire, est partie à Montréal et elle s'est fait voler tous ses disques.

Mimi n'arrivait plus à réprimer ses sanglots.

— Écoute, Mimi, ne bouge pas. J'arrive.

Il se tourna vers Laurence et roula des yeux vers le plafond.

— Tu m'excuseras, mais je vais devoir te laisser aller seule au théâtre.

Laurence maugréa mais n'en fit pas un drame. Elle savait bien qu'il aurait tout sacrifié pour sa fille, surtout le théâtre.

Duval sentit monter sa rage comme une poussée de fièvre. Ce n'était pas le citoyen ordinaire qui était victime d'un crime, c'était sa chair, son enfant. Il descendit dans la cave chercher son coffre à outils. Au diable les résolutions en ce vendredi soir. Il s'arrêta à penser à tout ce dont il aurait besoin. Il regarda l'heure. Il en prit plus que moins. Heureusement, les quincailleries étaient ouvertes jusqu'à vingt et une heures. Il remonta le coffre en bois.

— Veux-tu que je t'accompagne ?

— Non, va voir ta pièce. Ça risque d'être long et pénible. Je vais prendre ma voiture. Je te remercie.

Elle le gratifia de deux bises. Elle sentait bon les parfums frais d'après la douche. Il avait hâte de revenir et de lui faire l'amour.

31

Avant que son pied ne touche le palier de l'appartement, Mimi apparut dans la porte entrebâillée. Elle se jeta dans ses bras en sanglotant et en se lamentant qu'elle avait perdu sa grande amie, sa flûte traversière. Elle semblait anéantie, ses yeux étaient rougis par les pleurs. Duval eut envie de lui dire que son malheur ne serait pas arrivé si elle était restée à la maison, mais il ne voulut pas tourner le fer dans la plaie avec cette vieille discussion. Il posa son bras autour de son épaule et l'entraîna vers la causeuse.

— Viens t'asseoir.

Après s'être assis, il tendit un mouchoir à sa fille.

— À quelle heure as-tu quitté la maison ?

— À quinze heures trente. Madame Marino avait décidé de faire un petit goûter pour son dernier cours.

— Tu es revenue à quelle heure ?

— À dix-huit heures trente.

— Peux-tu me faire un inventaire sur papier de ce qui a été volé ?

Mimi alla d'un pas vif dans sa chambre, arracha une feuille dans un cahier et s'installa derrière son bureau afin de dresser la liste des pertes.

Le lieutenant se leva pour examiner les dommages. La porte d'entrée était dans un piètre état. Il ne voulait pas la replacer dans ses gonds sans installer une nouvelle serrure de sécurité. De toute façon, l'ancienne était vétuste, la poignée se détachait tout le temps, au dire de Mimi. Le voleur avait tellement creusé dans la mortaise pour décrocher le pêne qu'il avait endommagé tout le mécanisme. Il faudrait fixer la gâche dans une nouvelle mortaise. Le lieutenant détermina ce qu'il fallait faire pour réparer la porte. Il avait l'impression de revenir vingt ans en arrière alors qu'il n'était qu'un simple patrouilleur aux prises avec les scènes de ménage, les vols, les suicides et les accidents d'auto.

— Je reviens dans dix minutes, dit-il avant de sortir. Pendant ce temps, fais ta liste.

Heureusement, la quincaillerie se trouvait au bout de la rue, au coin de Sutherland et d'Aiguillon. Il aimait ces commerces d'une autre époque intégrés dans les quartiers populaires. L'odeur forte, prenante des quincailleries le saisit. Le vendeur s'approcha en débitant la formule universelle: « Je peux vous aider, monsieur ? »

Il demanda au vendeur de lui fournir une serrure d'excellente qualité, un foret à trois pointes, une scie à trous et du *plastic wood*.

Le vendeur, un petit mafflu sympathique, lui intima de le suivre dans les allées. Il lui remit une serrure. Duval l'observa sous son emballage de plastique.

— Avez-vous mieux ?

— Oui, mais ça va vous coûter quarante dollars.

— Allez me la chercher.

Délesté de cinquante et un dollars, il retourna en vitesse chez Mimi, content de ne pas être au théâtre. Mais ses pensées le ramenaient constamment à sa chaude virée en moto et il s'inquiéta des suites possibles.

À son retour, Mimi avait terminé sa liste des objets dérobés.

— Assure-toi que tout y est, conseilla le paternel.

Mimi expira longuement. Qu'il est téteux, se disait-elle. Mais on ne le changerait pas.

Le passage était mal éclairé et Daniel approcha une lampe sur pied de la porte.

— Tu vas maintenant appeler la police de Québec et porter plainte. Ils vont venir prendre ta déposition.

Duval s'agenouilla. Il sortit le linge sur lequel il déposait ses outils, un geste qui faisait rire Laurence car elle trouvait ça « tataouineux à mort ». « On dirait que tu vas faire une chirurgie », avait-elle ironisé, la fois où il avait réparé l'évier. « Un peu plus et tu vas sortir le tablier d'opération. » Alibi, le chat de Mimi, vint se frotter contre lui. Duval l'avait recueilli dans la maison d'un jeune pendu l'année précédente. Il l'avait eu sur les talons de la scène du crime jusqu'au trottoir alors qu'il quittait les lieux.

Il sortit chaque outil dont il aurait besoin et dévissa l'ancienne serrure.

Il commença à lire les instructions, écrites dans un français lamentable : « D'abord colle la gabarit sur porte du serrure. » Il vérifia l'origine de l'objet : « Made in Ontario ». « Comme d'habitude », se dit-il. Il choisit aussitôt la version anglaise, plus claire. Il prit le papier et le colla au-dessus de l'ancienne serrure. Il fixa la scie à trous sur sa perceuse et visa droit dans le trou du barillet dessiné sur le gabarit. La pièce ronde tomba par terre et roula jusqu'en bas de l'escalier. Alibi sortit en trombe à sa poursuite. Duval installa ensuite le foret à trois pointes et perça le trou du pêne sur les lignes étoilées. La pièce de bois tomba à l'extérieur. Il entra le pêne métallique dans l'ouverture. Il prit le loquet et la poignée intérieure. Les vis du barillet entraient dans celles du pêne et rejoignaient l'autre barillet. Il suffisait ensuite de visser les deux pièces ensemble. Il appuya sur le loquet. Le pêne entrait et sortait sans problème. Le tout fonctionnait très bien. L'autre étape consistait à délimiter les contours de la mortaise. Il prit la gâche et s'en servit pour faire le pourtour.

Mimi s'approcha, lui cacha la lumière.

— La police est débordée. Il faudrait que je passe au commissariat pour ma déposition.

— Ta liste est prête ? Assure-toi qu'il ne manque rien. Tasse-toi, fille, tu me fais de l'ombre.

Mimi alla s'asseoir sur le banc du piano et pianota la *Petite Musique de nuit*.

Son ciseau à bois était mal aiguisé et Daniel ne trouvait pas sa queue-de-rat. Il entailla l'intérieur du pourtour de la mortaise d'une série de stries. Marteau en main, il frappa sur la tête du ciseau pour retirer un quart de pouce de bois afin de loger la gâche. Il fixa les deux vis dans la mortaise. Pendant qu'il entaillait le bois, il repensait à Mireille. Il la trouvait très attirante depuis toujours. Comment réagir, pensa-t-il, au moment de leur prochaine rencontre ?

— Qu'est-ce que tu vas faire avec l'ancien trou de la serrure ? dit Mimi en le tirant de sa méditation.

— Bonne question. Comme dans tous les métiers, la meilleure solution est souvent la plus simple.

Duval alla chercher la rondelle de bois qui était tombée sur le palier du bas et avec laquelle s'amusait Alibi.

Il ramassa son ciseau à bois et la coupa en deux. Il l'inséra à l'intérieur.

— Comment tu vas faire tenir ça ?

Duval ouvrit le pot de résine de plastique et combla le vide, faisant de même avec le trou de la mortaise.

— Ça t'en bouche un coin, ça, fille ?

— Qui t'a montré à bricoler ?

— Ton grand-père était très manuel. Il avait un superbe atelier sur sa terre.

Il sortit les clés du fond de la boîte et les essaya. Toutes les deux fonctionnaient.

— T'as déjà fini ?

— Oui. T'as un balai ?

Duval ramassa les éclisses de bois et le bran de scie.

— Tu donneras la vieille poignée à ton propriétaire et la facture aussi, dit le paternel en la remettant à Mimi.

Il vida le ramasse-poussière dans le sac d'épicerie en plastique sous l'évier de la cuisine.

À quelques mètres de là, les cloches de l'église Saint-Jean-Baptiste carillonnèrent et il sursauta. Il regarda une affiche de groupe rock qu'on avait accrochée sur un mur : une bande de blondinets appelée The Police.

— J'ai mon voyage ! Pas un groupe qui s'appelle La Police !

— C'est le groupe préféré de ma coloc. C'est eux qui chantent *Roxanne*, qu'on entend partout.

Duval reprit son travail.

— P'pa ?

— Quoi ?

— Ma caméra trente-cinq millimètres a aussi été volée. Tabarnak que ça m'écœure ! C'était la caméra de maman…

— Inscris-la sur la liste. Est-ce que toi et Rachel avez invité des gens louches ?

— Voyons, papa ! Pourquoi j'inviterais des bizz ici ? Je ne me tiens pas avec des voleurs.

— On va vérifier une dernière fois dans toutes les pièces.

Ils firent le tour de l'appartement. Duval souffrit en voyant le gros piano droit que Francis et lui avaient déménagé. Une partition de Gershwin, *Summertime*, reposait sur le lutrin. Les murs bleus et les moulures blanches peintes à l'huile leur avaient donné beaucoup de travail, car les plafonds étaient très hauts. Il se rappelait les croûtes de peinture séchée qu'il avait enlevées, le plâtre qu'il avait dû étendre pour rendre le tout présentable. Ces appartements mal entretenus accumulaient année après année des couches et des couches de peinture ou de tapisserie qui devenaient la mémoire des lieux.

La musique, qui occupait une grande place dans la vie de Mimi, s'imposait partout : une affiche de Bach sur un mur, un buste de Beethoven sur le piano et la photo encadrée de Marie-Claude, sa mère, au-dessus du foyer décoratif. Une affiche du film *Koyaanisqatsi* – Mimi adorait la musique de Philip Glass – avec ses effets allongés de voitures photographiées à vitesse lente, décorait le mur devant le piano. Certaines parties du décor lui étaient familières. La table, les fauteuils et le sofa provenaient du sous-sol de sa précédente maison. Le banc de quêteux aussi, un rappel de sa première vie de couple avec Marie-Claude.

Il jeta un coup d'œil dans la bibliothèque. Elle était remplie de livres sur la musique et de romans.

— Ils n'ont pas pris de livres ni de partitions, constata Daniel.

— Trop incultes…

La petite chambre de Mimi, donnant sur l'arrière-cour, était peinte d'un bleu doux, presque blanc. Duval ressentait un coup de cafard à voir l'état des lieux : les lézardes au plafond, les lattes de bois noircies par l'eau, l'absence de plafonnier, les planchers bombés. Ce décor lui rappelait son enfance dans des logements miteux de l'est de Montréal. Aux yeux de Mimi, ces défauts faisaient le charme de l'appartement. Derrière la grande fenêtre à carreaux s'étiraient les cordes à linge dans tous les sens. Peut-être, pensa-t-il avec regret, que Mimi habiterait encore au cottage du boulevard de l'Entente s'il n'avait pas pris la décision de déménager dans le mausolée géant.

Des objets familiers, imprégnés d'odeurs et de souvenirs, décoraient la chambre.

Duval marcha jusqu'à l'étroite cuisine et ouvrit le robinet de l'évier carré d'un autre temps. Il remplit un verre qu'il cala tout aussi vite. Sur le comptoir en formica s'alignaient des bocaux : variétés de farines, de céréales et de pâtes. Mimi, végétarienne, s'approvisionnait à l'épicerie d'aliments naturels. Il regarda dans le réfrigérateur, dont la poignée tenait avec du ruban gommé. Il n'y vit que du yogourt, des légumes et quelques fruits. Il s'attarda longuement devant le vide.

— Qu'est-ce que tu veux ? J'ai pas de bière.

Il continua à examiner l'intérieur du frigo.

— Qu'est-ce que tu regardes au juste ? s'impatienta Mimi.

— C'est pas mal vide ! Qu'est-ce que tu manges ?

Mimi soupira à en soulever sa frange. Elle n'aimait pas que son père lui fasse la morale à propos de la nourriture alors qu'elle s'alimentait mieux que lui.

— Changeons de sujet.

— Maintenant, mets ton manteau et suis-moi.

— Qu'est-ce qu'on fait ?

— Je vais te donner un aperçu de mes débuts dans la police.

Duval connaissait bien les lieux où les receleurs tenteraient d'écouler leurs marchandises.

— Est-ce qu'il y a un magasin de musique dans le coin ?

— Oui, Champlain Musique, rue Saint-Jean.

— De disques ?

— La librairie du Faubourg, qui vend aussi des disques usagés. Vinyles ne vend que des disques usagés, rue Saint-Jean aussi.

— Un magasin d'appareils photo ?

— Photo-Contact, au coin de la rue Saint-Jean et de l'avenue Dufferin.

Mimi enfila son poncho bleu, glissa sur son épaule son sac de toile kaki. Quand on sortait de l'immeuble, le regard butait sur le béton de la tour Saint-Jean qui faisait froid dans le dos : le monstre urbain s'élevait sur vingt étages ; en contrebas, il avait une bouche qui avalait les voitures jusque dans ses entrailles. La rue d'Aiguillon semblait tranquille. Les poteaux croches au-dessus desquels les fils anarchiques couraient en se croisant donnaient une idée de l'instabilité du sol. À gauche, au coin de la rue, l'enseigne de la taverne Malette clignotait. Devant, un mâle sollicitait les automobilistes. Duval marcha jusqu'à sa voiture et déposa sa boîte à outils dans le coffre.

La rue Saint-Jean, maquillée de ses néons de nuit, était achalandée : voitures pare-chocs à pare-chocs, trottoirs bondés. Le masque de la fête était sur bien des visages. Le lieutenant ressentit un choc en apercevant Victor Déziel, venant vers lui, accompagné d'une jeune fille. Ce professeur de philo l'avait dégoûté dans la triste affaire Nantel. N'empêche qu'il aurait aimé connaître les dernières paroles qu'avait prononcées Maranda à l'oreille de Déziel avant de rendre l'âme. Toujours aussi cynique, Déziel détailla Mimi et, en le croisant, exprima à Duval son appréciation par un petit sourire. Le lieutenant aurait eu envie de se retourner et de le bastonner, mais heureusement Mimi le tira vers la porte de la librairie du Faubourg.

De belles bibliothèques en bois couraient sur tous les murs. Une échelle sur roulettes permettait d'atteindre les livres en hauteur. Le libraire ressemblait à un apôtre avec sa barbe et ses cheveux longs. À la question posée, il répondit qu'un jeune était venu vendre des disques vers dix-huit heures.

— Je ne les ai pas pris parce qu'ils se trouvaient dans un étui de guitare avec d'autres objets. J'ai tout de suite pensé que c'était du matériel volé.

— À quoi il ressemblait ?

— Barbu, dans la vingtaine, genre *freak*, cheveux longs avec un bandeau. Je me rappelle qu'il y avait un *peace and love* sur son *case* de guitare.

Mimi entraîna son père à l'écart.

— Papa, le gars qui habite en haut de chez moi a les cheveux longs, il porte une barbe et il sort souvent avec un vieil étui de guitare avec un *peace and love* dessus.

— Ça commence à être intéressant.

Le magasin Vinyles ressemblait à un long corridor. En ouvrant la porte, le client devenait sujet à la surdité. La musique punk qui jouait à fond empêchait toute conversation. Duval demanda au disquaire de baisser le volume. Il expliqua une autre fois la situation. Le disquaire au visage blafard, tout vêtu de noir, hocha la tête. Il avait refusé à un barbu de prendre ses disques, car il ne vendait pas de classique. Sa description du receleur était identique à celle faite par l'autre vendeur. Il remonta le volume tout aussi fort.

Mimi était impressionnée de voir son père en action. Duval aussi paraissait agréablement surpris : les commerçants de la rue Saint-Jean étaient de meilleurs citoyens qu'il ne l'aurait cru.

— Dans mes premières années, je faisais souvent ce genre d'enquêtes. Cartier Musique, maintenant ?

— Champlain Musique, corrigea Mimi.

Le commerce logeait dans un superbe édifice, mais dégageait une odeur rance de sous-sol mal drainé. Au centre du magasin, une partie du plancher était faite de blocs de verre illuminés de l'intérieur, ce qui créait un bel effet. Les moulures au plafond lui donnaient un air de gâteau à la meringue. Des guitares par dizaines étaient suspendues sur le mur de côté. Autour, des montagnes d'amplificateurs de toutes tailles et de batteries aux cymbales brillantes causaient l'envie des clients. Un guitariste sans talent faisait pleurer une Fender à grands coups d'effets de distorsion et de tête chevelue. Le gérant, un moustachu au crâne rond et aux doigts couronnés de diamants, ne se rappelait pas avoir vu un gars qui cherchait à vendre une flûte traversière.

— Y rentre juste ça, icitte, des gars avec des instruments de musique. Moi, je viens juste d'arriver. Demande à mon employé derrière le comptoir.

Duval s'approcha du vendeur qui accordait une basse. Le petit brun au toupet carré, les joues picotées par l'acné, parlait du nez et portait un t-shirt Johnny Winter.

— Y a effectivement un gars qui est venu me vendre une flûte.

— Quelle marque ? demanda Mimi.

— Une Hohner.

— C'est la mienne.

Mimi piaffait déjà d'impatience de recouvrer sa flûte.

— Je lui ai dit que ça m'intéressait, mais que je devais la prendre en consigne. La police nous oblige maintenant à vérifier si c'est de la marchandise volée avant de la mettre en vente. Il avait toutes sortes d'affaires dans son *case*. J'ai pas pris de risque. Il m'a aussi proposé un Nikon trente-cinq millimètres, mais j'ai aussi dit non. Pour le Nikon, je lui ai dit d'aller voir le magasin de biais à ici.

— Vous le reconnaîtriez ? demanda Duval.

— Oui. On le voit souvent dans le coin. C'est un gars du quartier, c'est sûr.

Duval inscrivit le nom du vendeur dans son carnet.

Le commis de Photo-Contact ne se rappelait pas avoir vu le receleur. Duval demanda à Mimi de jeter un coup d'œil dans les comptoirs vitrés. Elle ne reconnut pas son appareil.

À la lueur de ces nouvelles informations, Duval appela la police de Québec et déclina son identité, expliquant la situation ainsi que les commerçants visités. Grâce à ses contacts, on lui envoyait deux policiers pour inscrire la plainte.

Il remontait la rue Saint-Jean lorsqu'il aperçut, en passant devant le Kresge, le petit copain de Charles

Marquis, Serge Dolbec, qui déambulait de l'autre côté en compagnie d'un homme robuste en blouson de suède. Ils s'arrêtèrent devant le Ballon rouge et se mirent à discuter sous l'enseigne lumineuse en forme de montgolfière. Le costaud faisait de grands moulinets avec ses mains. Ce visage était familier à Duval, mais le lieutenant ne parvenait pas à se rappeler où et quand il l'avait croisé. Dolbec chaussait des souliers rouges qui contrastaient avec le jean et le t-shirt blanc très serré qu'il portait, le paquet de cigarettes coincé entre le biceps gauche et la manche. Ils firent la bise à deux copains très efféminés qui entraient au Ballon. Des passants se tournèrent, choqués par la scène. L'homme au veston de suède entra dans le bar et Dolbec continua son chemin en direction du quartier latin.

— Qu'est-ce que tu regardes là ? demanda Mimi.

— Un type sur qui on enquête.

— Lequel ? reprit-elle avec excitation.

— Tu ne le sauras pas.

— Allez !

— Non.

Il ne parlait jamais d'aucune enquête à Mimi, même si elle suivait les affaires dans les journaux.

Duval la raccompagna jusqu'à son appartement.

— Qu'est-ce que tu vas faire pour ton audition ?

— Je vais emprunter la flûte d'une amie. Mais ce sera pas comme jouer avec la mienne.

— On a de bonnes chances de la récupérer. La police de Québec ne devrait pas tarder à arriver. Dis-leur tout ce qu'on sait. Le gars va sans doute essayer d'écouler le stock ailleurs dès demain. D'ici là, tu ne lui parles pas si tu le croises. Tu fais comme si de rien n'était.

— La police ne peut pas entrer chez mon voisin ?

— Ils n'ont pas assez de preuves.

— Bin oui, on en a, des preuves.

— Pas assez pour obtenir un mandat. Mais aussitôt que tu l'entends sortir, tu vérifies s'il a son étui à guitare. Il va chercher à refiler ta flûte de nouveau, peut-être même à des passants. Les policiers vont te donner un numéro d'enquête et tu les contacteras à ce moment-là. Si tu es le moindrement chanceuse, tu devrais avoir ta flûte pour ton audition et retrouver tes autres biens.

Mimi enlaça son père d'une forte étreinte.

— Merci, papa. Tu es le meilleur !

— Fais attention à toi et n'oublie pas de faire des doubles de tes clés.

— Promis !

Il lui ouvrit la porte et la regarda quelques instants monter avant de tourner les talons.

32

Au lieu de regagner son véhicule, Duval retourna sur la *Main* par la côte Sainte-Geneviève. La présence de Dolbec et du type au visage déjà vu le turlupinait. Il faisait noir maintenant. Les commerçants mettaient la clé dans la porte. Un gérant portant la recette du jour dans un sac cadenassé marchait à pas rapides vers la banque, où il le jeta dans le guichet de nuit.

Duval passa devant le Ballon rouge, hésita, puis entra. Le gros portier qui fumait le cigare le dévisagea, pas certain de son orientation sexuelle. Duval monta un escalier qui lui parut insurmontable. Jamais il n'avait pensé remettre un jour les pieds dans un bar gai. Au début de sa carrière à Montréal, il avait fait avec d'autres patrouilleurs des descentes dans les bars gais de Montréal. Il se rappela celle du Baby Face, un bar de lesbiennes situé boulevard Dorchester. C'était l'année de l'Expo 67. Le maire Drapeau voulait que sa ville soit propre dans tous les sens du mot. Ils avaient aligné les filles contre le mur, mitraillette à la main. Les bars gais étaient alors proscrits et l'homosexualité était considérée comme une déviance criminelle. Il se souvenait des visages terrorisés, et de ceux, amusés, de ses collègues. La fouille des suspectes avait été longue et humiliante. Dire qu'il avait rigolé à l'époque.

Devant le vestiaire, un client lui envoya un sourire invitant. Duval se dirigea immédiatement vers le bar, à droite de l'escalier. Il était tôt et quelques danseurs s'ébattaient sur *In the Navy*. La pulsation assourdissante forait les tympans.

Duval s'approcha du comptoir en laiton, se glissa sur un siège, commanda une bière. Un grand blond peroxydé, efféminé, s'assit aussitôt de biais à lui tout en commandant un malibu. Il portait un short blanc qui aurait été sexy sur une femme : l'homme lui télégraphia un sourire engageant, qu'il conserva après avoir détourné le regard. Duval avait fini par repérer le type au manteau de suède qu'il avait vu quelques instants plus tôt avec Dolbec. Bleach Boy, le nom qu'il donna à son admirateur, fixait le lieutenant en minaudant, lui lançant des petits clins d'œil. La carrure et les muscles du détective faisaient leur effet. À ses côtés, un vieux coq excité se dandinait en commandant son martini. Il s'alluma une Craven A, qu'il manipulait avec des gestes secs du poignet. Il souffla sa fumée sur le côté, ce qui ennuagea le visage de Duval. Celui-ci avait envie de lui dire : « Dégage, tapette », mais il valait mieux jouer la couverture à fond. Il répondit à ses avances par un regard indifférent.

Duval alla aux toilettes. Il s'installa devant l'urinoir et, au bout de trente secondes, se retourna pour se rendre compte qu'un vieux tout décati se masturbait dans l'autre urinoir en le regardant. Duval l'engueula, mais Bleach Boy, qui entrait dans les toilettes, le présenta comme un client indésirable qui ternissait l'image du bar. Le lieutenant aurait bien aimé le traduire en justice pour grossière indécence. Bleach Boy s'en chargea: «Décrisse, vieux cochon!» ordonna-t-il. Le pervers remonta sa fermeture éclair et déguerpit avec un regard apeuré. «C'est des estis de même qui nous font une mauvaise réputation.» Duval remercia son partenaire d'urinoir. BB, qui minaudait à plein, le gratifia d'un large sourire. En sortant, Duval repéra un téléphone près des toilettes. Dans le corridor étroit, des clients en profitaient pour le frôler. «T'es dans un bar gai, endure», s'ordonna-t-il. Il téléphona à la maison afin de laisser un message sur le répondeur. Il voulait avertir Laurence qu'il rentrerait un peu plus tard que prévu, mais sans donner d'autres explications. Il n'allait pas lui avouer qu'il se trouvait dans un bar gai un vendredi soir!

Il retourna au bar et s'installa pour avoir à l'œil l'ami de Serge Dolbec. L'homme discutait avec un type à tête noire frisée, vêtu d'une camisole rouge et d'un bandeau noir au milieu du front. Ils échangeaient autour d'un document qui ressemblait à un plan d'architecte ou d'ingénieur. La démarche semblait sérieuse.

De l'index, Duval demanda au barman de s'approcher.

— Pouvez-vous me dire qui est le gros basané avec la chemise en denim, assis là, de biais à moi?

— Pourquoi vous voulez savoir ça?

— Parce que j'aime connaître le nom de ma proie avant de la chasser.

Le barman ricana. Duval vit tout de suite que sa simulation d'homosexuel sonnait faux. C'était ridicule. La posture d'homo du barman, elle, était sans équivoque. L'homme à la chemise blanche, qui portait des favoris pointus et des cheveux clairsemés, essuya un verre tout en conservant le sourire. Ses yeux pétillaient de bonheur.

Duval glissa cinq dollars sur le comptoir. Le barman s'approcha du visage du lieutenant.

— C'est Martin… Martin Giroux.

« Giroux, Martin Giroux… » répéta Duval dans sa tête. L'affaire lui revint peu à peu. Il marcha vers le corridor pour appeler le docteur François Villemure, qui saurait l'éclairer.

Ce dernier s'ennuyait à mourir : sa femme écoutait *Dallas*. Duval lui expliqua pourquoi il téléphonait. Villemure lui demanda où ils pouvaient se retrouver.

— Je suis au Ballon rouge.

— Quoi ? Tu blagues ?

— Rassure-toi, c'est pour le boulot.

— Ouain… J'arrive.

Duval retourna à son tabouret. Le grand peroxydé s'était rapproché à un banc de lui. Il tournait nerveusement son paquet de cigarettes sur le comptoir. Les minutes d'attente parurent intolérables au lieutenant. Il n'avait pas envie de causer. Il gardait ses distances, tournait la tête du côté opposé, feuilletait une circulaire annonçant des soirées de transformisme. La chanson *Born to Be Alive* déclencha presque une émeute vers la piste de danse. Le blondinet se leva et s'approcha du lieutenant.

— Viens-tu danser ? demanda-t-il avec gentillesse.

— Non, merci, j'attends quelqu'un, répondit-il avec politesse.

— C'est dommage…

En voyant apparaître Villemure, dix minutes plus tard, Duval se réjouit comme un gars impatient de voir son amant. Leur face-à-face fut suivi par de nombreux clients. Un autre vieux avec un jeune.

Pour une rare fois, Villemure portait une tenue décontractée : jean, chandail noir. Ses lunettes noires de style italien et sa montre Cartier lui conféraient des airs de caïd. Duval le voyait toujours en sarrau et avec ses lunettes à foyer progressif.

Villemure commanda un cognac, regarda d'un air amusé les alentours. Au son de *I Will Survive*, deux *drag queens* blondes excitées entraient comme à la cour en ajustant leurs boas autour du cou.

Duval signala d'un coup de tête où se trouvait Martin Giroux. Villemure hocha la tête, arbora un sourire.

— C'est bien lui, assura Villemure. Je me rappelle avoir été appelé par la police de Québec, ça doit faire cinq ans : un meurtre avait été commis dans une baignoire d'un appartement du quartier latin. Un décor sinistre. Les murs étaient tapissés de rouge, un miroir était fixé au plafond. Dans la baignoire sur pieds se trouvait un cadavre avec des marques d'abrasion autour du cou. Il était mort par strangulation. Le lien, une courroie en cuir, était toujours dans l'eau. Il y avait du sperme sur le pénis et sur l'abdomen de la victime. On a retrouvé par terre un costume de *chap*, les petites culottes en cuir avec les fesses qui dépassent… puis tout l'équipement d'une relation S-M.

— Qu'est-ce que c'est ?

— Relation sado-maso. On a retrouvé une cagoule de bourreau en cuir, des bottes à talons aiguilles, un fouet, des colliers et des bracelets avec des pics. Mais, surtout, on était devant des adeptes de la cordophilie – c'est le terme qu'avait utilisé le psychiatre lors du procès.

Duval grimaçait à chaque détail de l'affaire, qu'il n'avait suivie que vaguement à l'époque. Il avait bien assez de ses propres dossiers.

— La personne, probablement celle qui avait dominé l'autre, s'était changée très rapidement et s'était enfuie. La corde avait deux nœuds coulants : un pour serrer le cou, l'autre pour serrer les testicules.

Duval ressemblait à un enfant qui entend pour la première fois le conte du petit Chaperon rouge, la version *hard core*, bien entendu.

— Giroux a été accusé de meurtre ?

— Ce n'était pas un meurtre ni un suicide, mais bel et bien une mort accidentelle à la suite d'une asphyxie sexuelle, une pratique peu répandue mais qui est entrée dans les annales de la médecine légale depuis longtemps.

La boule de miroir au-dessus de la piste de danse réfléchissait les effets lumineux sur le visage du médecin légiste.

— Tu veux dire que des gens se font souffrir pour avoir du plaisir ?

— C'est une manière de voir les choses, Daniel. La diminution d'oxygène au cerveau amplifierait les effets de l'orgasme – remarque, je ne l'ai pas testé, dit Villemure avec un sourire sardonique. C'est cependant un mythe tenace et… plutôt mortel.

Duval expira longuement en passant une main dans ses cheveux. Décidément, la nature humaine ne cessait de le surprendre.

— Mais c'est une forme d'homicide ! Il doit y avoir une responsabilité criminelle.

— Selon l'avocat de Giroux, l'intention n'était pas de tuer mais de procurer du plaisir sexuel à son partenaire. Ils se connaissaient de longue date, n'avaient pas d'inimitié, ni d'intérêt pour aucun des deux à faire disparaître l'autre. Giroux aussi portait des marques d'abrasion au cou. D'anciens partenaires sont venus affirmer qu'ils avaient déjà expérimenté la cordophilie avec la victime et le suspect.

— Ça devient un moyen facile pour camoufler un crime.

— Moi, je n'ai fait que témoigner. Des psychiatres de l'Institut Pinel sont venus expliquer que cette conduite était marginale et qu'elle touchait surtout la population mâle. On avait aussi prouvé que la victime et Giroux avaient déjà pratiqué ce genre d'activité. Ce qui ne l'aidait pas, c'est qu'il avait un casier judiciaire assez lourd : prostitution et vente de narcotiques.

Villemure but une lampée de son cognac qui brillait comme de l'ambre au fond du verre.

— On est dans une période de totale décadence… ne put s'empêcher de dire Duval.

— Rassure-toi, le psychiatre a rappelé qu'on trouve dans l'œuvre de Sade – c'était dans *Justine*, je crois – une pendaison sexuelle. Dès le XVIIIe siècle, des cas sont répertoriés en Europe.

Duval aperçut Dolbec qui passait près de lui. Le lieutenant se détourna pour ne pas être vu. Heureusement, le copain de Marquis ne le reconnut pas. Il s'était coiffé d'une casquette en tweed à motif tartan. Son entrée fit une forte impression, à voir les têtes se retourner. On aurait dit une biche dans un congrès de hyènes.

— Peux-tu imaginer le futur maire de Québec en train de subir une asphyxie sexuelle ? lança soudain Duval.

Villemure avala une lampée de cognac.

— J'ai tout vu, Dany, alors ça ou autre chose… Mais pourquoi fais-tu ce lien ?

— Parce que le copain de Giroux, celui que tu vois là, tout en blanc, est le petit ami de Charles Marquis. Qui l'héberge tout en lui fournissant du boulot.

— La Société médicale de Québec me demande justement de présenter une conférence à l'automne, ce serait un beau sujet : *La pendaison sexuelle*. Juste avant le banquet d'huîtres, j'aurais un succès monstre… Pendant que ma femme écoute ses maudits téléromans, je vais m'instruire.

Aux premières pulsations d'une chanson de Blondie, la faune colorée migra de nouveau sur la piste de danse.

— J'ai l'impression que Marquis a de la concurrence.

— Je vais aller aux toilettes.

— Fais attention…

— Si je ne suis pas revenu dans deux minutes, viens me chercher, répliqua Villemure, pince-sans-rire.

La mimique avenante, un homme invita Duval sur la piste de danse, mais celui-ci refusa l'offre. Le lieutenant serra les dents de dépit. Il avait hâte de sortir du guêpier. Il était choqué par tout ce qu'il voyait. Mais à part le vieux décati, finit-il par s'avouer, personne ne l'avait harcelé. Bleach Boy avait agi exactement comme un hétéro l'aurait fait dans un bar.

Puis il aperçut dans un coin Dolbec qui remettait une enveloppe à un homme en échange d'argent.

Le médecin revint mais ne se rassit pas. Duval comprit qu'il était sur son départ.

— Un détail m'est revenu au sujet de Giroux. Je me rappelle qu'il avait écopé d'une légère peine de prison pour possession de drogue. Je crois qu'on avait trouvé de la mescaline sur lui ou du LSD.

— J'en prends note. Je viens de voir justement son ami refiler une enveloppe contre de l'argent.

Duval cala sa bière.

— Je prends l'addition.

— Non, c'est moi qui t'invite, insista Villemure. Quinze minutes de plus et *Dallas* allait me conduire au suicide. Tu as évité à Maher la pénible tâche d'autopsier son patron…

Le docteur sortit son portefeuille, paya et laissa un généreux pourboire. Juste avant de quitter les lieux, Duval jeta un dernier coup d'œil à l'endroit, mais il ne remarqua pas le regard attristé que lui lançait Bleach Boy.

◆

Duval avait fait quelques pas avec Villemure dans la rue Saint-Jean. Alors qu'il saluait le directeur du laboratoire médicolégal et le remerciait une dernière fois, il aperçut Dolbec et Giroux qui sortaient à leur tour du Ballon rouge. Sans se poser de question, Duval poursuivit son chemin droit devant. Ou, plutôt, droit derrière les deux hommes, qu'il était décidé à suivre. Quel bel exemple : un vendredi soir au boulot !

Ils traversèrent Dufferin, puis passèrent devant l'imposant édifice en pierre rose de la Banque de Montréal. Plus loin, le cinéma Capitole annonçait un festival de films d'horreur de minuit à six heures du matin. Une grande affiche de Christopher Lee en Dracula, les yeux vitreux, les canines en action, brillait sous les néons. Sous la porte Saint-Jean, Dolbec et Giroux croisèrent deux autres gais efféminés.

— Tiens, les poudrés d'Hollywood, lança Dolbec à ses amis.

— Salut, Dolly chéri ! répliqua le petit au chandail breton bariolé et au béret français.

Ils se firent la bise sous les yeux estomaqués des passants.

— Tu fais la *Main* à soir !

— Est bin *cute* !

— Charlot est pas avec toi ?

— Non, i' travaille.

— Je te vois au *show* ?

— Compte sur moé, ma pitoune.

Duval remarqua qu'ils avaient échangé quelque chose dans un mouvement de mains rapide.

Ils reprirent aussitôt leur marche, tournant ensuite dans la rue d'Auteuil. Duval aimait bien cette rue sinueuse, très étroite, qui longe le parc de l'Artillerie. Ils obliquèrent dans la rue MacMahon, s'arrêtant aussitôt à l'Hippocampe, un sauna qui avait bien mauvaise réputation. Un hippocampe bleu incandescent coiffait la marquise. Giroux entra, laissant Dolbec à la porte. Duval resta à l'écart, assis sur un banc de l'autre côté, près de la poudrière. Il faisait trop noir pour que Serge Dolbec puisse le reconnaître.

Dolbec repartit en sens inverse d'un pas rapide. Duval le suivit dans l'ascension de la rue d'Auteuil. Le lieutenant adorait ce genre de filature. Il ressentait de l'excitation, comme à la chasse ou quand il était gamin lors de jeux dangereux. La chanson *Get it on* de T-Rex s'échappait de la terrasse du Croque-Mitaine. Dépassé la porte Saint-Louis, le lieutenant se retourna avec l'impression d'être filé. Mais il n'y avait pas l'ombre d'un chien sur ses talons : que les murs des fortifications, les lumières de la Basse-Ville au loin et les fêtards du vendredi. Une calèche passa peu de temps après, la lucarne arrière faiblement éclairée. Les explications en anglais du cocher étaient cadencées par les fers du percheron. À la hauteur de l'Office du tourisme, Dolbec croisa une connaissance qu'il appela « Ma poule ! ». L'autre surnomma Dolbec D'Aiguillon, ce qui intrigua le lieutenant. Heureusement, Québec était une ville pleine de touristes, parfaite pour la filature. Duval put s'asseoir sur un banc et observer la scène à distance. Il crut qu'une autre transaction était effectuée, car une fois de plus l'échange fut très bref.

Dolbec reprit sa randonnée urbaine. Parvenu à la rue Saint-Denis, il déballa son paquet de cigarettes, jeta l'enveloppe de plastique qui s'envola dans le vent. Il s'alluma et grimpa le talus devant le Conservatoire d'art dramatique. À cette heure, quelques personnes circulaient le long de la Citadelle. Duval se hissa sur le mur des fortifications et longea le fossé qui entoure la Citadelle. De cette hauteur, les passants dominaient littéralement la ville. Seuls les pignons verts du Château Frontenac et de l'édifice Price, avec ses angles art déco, imposaient leur suprématie du ciel. De cette hauteur, il aperçut devant sa guérite le garde du 22e régiment, coiffé de son ridicule bonnet de poils, immobile comme une statue de cire. Le long des sentiers s'élevaient des talles de buissons très denses. À gauche, le parlement apparut dans son champ de vision. Dolbec traversa la passerelle de tôle suspendue au-dessus du chemin menant à la forteresse. Puis il bifurqua vers la droite et s'alluma une autre cigarette. Duval franchit à son tour la passerelle. Il n'avait pas vu Dolbec se débarrasser de sa première. Arrivé au bout, un bruit de tonnerre de tôle le fit sursauter. Des éclats de rire mauvais résonnèrent derrière lui. Le lieutenant se retourna. Deux gars avaient sauté en même temps sur le tablier du *catwalk* pour le surprendre. À leurs cheveux en brosse, Duval pensa qu'il s'agissait de deux militaires en cavale. À voir leur démarche chaloupée, il conclut qu'ils avaient bu. Il ne leur prêta pas attention. Il poursuivit sa descente vers le boisé. Un homme sortit d'un petit sentier au moment où Dolbec s'y enfonçait. Les lilas étaient en fleurs et leurs parfums étaient entêtants, mais le lieutenant humait un autre arôme. Celui du musc. Duval entra à son tour dans le sentier.

Ce qu'il y décela lui parut surréaliste. Sous les ramages en fleurs, plusieurs foyers de cigarettes rougeoyaient. Il comprit rapidement qu'ils annonçaient le jardin des délices. À travers le sentier pentu, Dolbec marcha lentement, zieuta tout autour. Il y avait des gars seuls et d'autres déjà occupés. C'était le camp de baise en plein air, la forêt des chaperons roses. « J'aurai tout vu ! » se dit Duval à voix basse. À travers le bruissement des lilas se mêlaient les halètements et les chuchotements. Les corps entrelacés prolongeaient les branches parfumées, les membres bien tendus.

Duval n'osait pas trop avancer. Un type passa devant et se retourna pour le regarder. Sous une branche, dans l'ombre mauve des fleurs, un gars tout en blanc, à la posture langoureuse, lui expédia son sourire marchand, quelques œillades, suivis d'un coup de tête discret vers ce qu'il avait à offrir.

— Salut, mon beau noir, t'as l'air de goûter bon à soir…

Duval ne répondit pas. Il en avait vu assez pour faire demi-tour, et pourtant il continuait d'avancer.

Dolbec, qui se trouvait déjà loin en contrebas, s'était trouvé un partenaire. Le lieutenant descendit encore quelques mètres. Il était clair que ce n'était pas Charles Marquis. Savait-il que Dolbec le trompait ? Non loin de là, un homme doté d'un engin long comme un gourdin se faisait tailler une pipe. Le détective n'en croyait ni ses yeux ni ses oreilles. « Décrisse d'ici ! » ne cessait-il de se répéter. Il rebroussa soudain chemin en se blindant contre les invitations lascives qu'on lui lançait. « Hé ! attention, tu vas v'nir sur moi, ma cochonne », ânonna soudain une voix perdue. Décidément, pensa Duval, les amis du distingué Charles Marquis faisaient de la chanson *À Québec au clair de lune* un air dépassé.

Il s'extirpa enfin du boisé. Sur les plaines, le trot tranquille d'un cheval de calèche le réconforta. Le lieutenant venait de découvrir le *Quebec by night* interdit. Il était sous le choc. En repassant devant le bureau de tourisme, il aperçut le gars à qui Dolbec avait vendu une substance illicite. On aurait dit qu'il redistribuait de la drogue à son tour.

En redescendant la rue d'Auteuil, Duval se demanda si tout ce qui lui était dévoilé ce soir était à mettre en relation avec l'assassinat de Florence Marquis. Dolbec était-il le mobile qui aurait poussé Charles Marquis à empoisonner sa femme ? La drogue y était-elle pour quelque chose ? Pourquoi l'un des gars avait-il appelé Dolbec « Dolly », puis un autre « D'Aiguillon » ? Mais peut-être faisait-il fausse route et que tout était encore plus simple.

Duval jeta un coup d'œil à sa montre : bientôt minuit. Laurence devait dormir et lui serait crevé demain. Il ne tenait pas du tout ses nouvelles résolutions. Vendredi de nuit au boulot et pas payé. « Ta vie est-elle si plate que tu en sois rendu là ? » s'interrogea-t-il. Mais toutes ces informations lui seraient peut-être utiles dans son enquête. À part les blagues anti-gais qui circulaient au bureau, il ne connaissait rien de la société homosexuelle. Derrière lui, à la hauteur de la porte Saint-Louis, éclatèrent des voix de saoulons. Il se retourna. Les deux soldats aperçus plus tôt – il les reconnut à leurs bottes de l'armée et à leur vareuse militaire – couinaient comme des cochons. Peu à peu, la rumeur de la rue Saint-Jean s'amplifia, fondu sonore de voix, de moteurs et de klaxons.

Au coin de Saint-Jean, Duval tourna le regard vers l'autre côté de la rue. Le lieutenant repéra une nouvelle fois les deux gars de l'armée, remplis comme des barils de bière. Sur l'autre trottoir, Dolbec marchait à vive allure. La partie de pompier dans les buissons avait été brève et le feu vite circonscrit, ironisa-t-il pour lui-même. Du coup, il n'était plus question de rentrer alors que le jeu étrange se poursuivait.

Dolbec s'arrêta au coin du Chantauteuil ; des fenêtres s'échappait la chanson *School,* de Supertramp. Puis il traversa à la course la rue Saint-Jean en défiant la circulation. Comme il se dirigeait de nouveau vers la rue MacMahon, il allait sans doute rejoindre Giroux, supposa Duval, qui continua son chemin pour voir Dolbec entrer à l'Hippocampe. S'en allait-il faire une autre livraison ou prendre une douche ? Baiser encore ? Si oui, l'homme de maintenance aurait de la difficulté à visser une ampoule au lendemain de sa folle soirée, se dit le lieutenant. Il attendit qu'une autre personne pénètre à l'intérieur, un homme dans la soixantaine, avant de s'y risquer à son tour. Dans le vestibule éclairé par une ampoule rouge, une caméra filmait les clients. Il passa l'autre porte. Un préposé au guichet remit au vieil homme une clé, une serviette et un savon en échange de huit dollars. Duval pensa que Dolbec voulait regagner le domaine de Marquis en effaçant les traces de la baise.

Le lieutenant s'avança à son tour et déposa dix dollars sur le comptoir. Le commis le dévisagea d'un drôle d'air. Duval avait tout du nouveau. Il ne connaissait pas les habitudes de la maison.

— Signez le registre.

Duval inscrivit un faux nom : Bruno Langlois.

Il monta un escalier. Le vieux qui était entré avant lui ouvrit son casier puis retira ses vêtements. Un couloir en linoléum rouge, éclairé par une succession de lumières rouges, s'étirait devant. D'un côté comme de l'autre s'alignaient des cagibis d'environ un mètre sur deux aux parois très minces. Tout juste assez pour y loger un petit matelas, comme il le constata. Sur plusieurs portes il y avait un trou, appelé *glory hole*, par lequel il suffisait de passer son pénis pour obtenir une fellation ou une masturbation. Duval ouvrit une porte et un homme nu, lascif, lui envoya un baiser télégraphié. Le lieutenant referma précipitamment la porte. Il prit la direction du sauna. Un homme à poil, luisant de sueur, le croisa en lui faisant de beaux yeux. Trois gars se détendaient dans un bain romain. Certains semblaient étonnés de le voir conserver ses vêtements. Dans l'embrasure de la porte, il aperçut un vieux accroupi qui suçait un jeunot haletant. « Veux-tu te faire sucer ? » lui demanda un gars qui sortait du sauna. Il répondit par la négative. « Tabarnak ! » se dit le lieutenant. « C'est quoi cette galère-là ? » Il tourna à gauche pour monter à l'étage suivant. Il se demanda où étaient Dolbec et Giroux. Il s'enfonça dans un corridor où l'on ne distinguait presque rien. Une petite ampoule rouge dans le bas du mur. Il ne voyait rien du tout. Il attendit que ses yeux s'habituent à la pénombre. Dans le corridor, il sentit qu'on l'effleurait. « T'es pas nu, toi », murmura une voix. Puis le couloir tourna à quatre-vingt-dix degrés. Même petite ampoule au bout. Un visage s'approcha du sien et Duval comprit qu'il se trouvait dans un lieu de débauche. Il voyait de mieux en mieux. L'un enfilait l'autre par-derrière qui, lui, sodomisait le suivant. D'aucuns se faisaient sucer tout en se faisant enculer. On aurait dit un petit train de chair qui n'attendait qu'un wagon de plus. Une main s'aventura vers son pantalon. Il esquiva. Le corridor faisait un autre coude, un vrai labyrinthe. Duval reçut un coup de coude dans les côtes. À ses côtés, un grand moustachu avec des favoris, nu comme un ver à l'exception d'une casquette de cuir piquée d'un swastika, lui pétrit une fesse.

— Tu viens faire du gang-bang avec moi, choubedoubedou ?

— Je suis juste l'électricien, répondit Duval.

— J'ai un cul de foudre pour toi ! lança le gars en continuant de lui tâter les fesses.

Duval s'en détacha et tourna les talons. « Un vrai bordel de masse », pesta-t-il pour lui-même. Comment les autorités pouvaient-elles tolérer pareils écarts ? Il voulait comprendre. Puis il se dit que les bordels pour hétéros offraient les mêmes services, mais qu'il fallait payer en plus.

Il repassait devant la salle du bain romain quand il entendit ce qui lui sembla la voix grave de Charles Marquis. Au milieu d'une grande pièce trônait une baignoire à remous en céramique. Il les aperçut de dos. Le jeune et le vieux se coltinaient.

Duval entra dans un cagibi vide. L'eau et l'écho naturel de la pièce renvoyaient très bien le son des voix.

— Je trouve ça pas mal bandant de te retrouver ici, Charlou, disait Dolbec.

— Ce sera la seule fois. Je vais devoir me faire très discret à partir de maintenant.

— T'es *cute* ! T'es *cute* à mort ! Pour un gars de cinquante ans, t'es bandant. Dans quelques années, tu vas me laisser pour un autre plus jeune. Vous êtes tous de même, les vieux qui sortent du placard.

— Moi, j'aimerais ça t'avoir plus souvent chez moi, dans mon lit ou dans mon bateau. Je te trouve pas mal queue de veau…

Le jeu de mots déclencha une saccade de rires fous chez Dolbec.

— Je sais que t'as besoin de plusieurs partenaires, continuait Marquis, et je ne veux pas t'en priver. Je ne m'en priverai pas, moi non plus, mais j'aimerais ça qu'on puisse faire plus souvent des folies comme ce soir. Tu découches de plus en plus. J'aimerais te surprendre la nuit dans le lit de la maison de poupée. Maintenant qu'elle est morte, on peut tout faire.

— Je sais bien. Mais je n'aime pas du tout savoir que la police est dans les parages.

— Ne pense pas à ça. Moi, je dois te dire que je n'aime pas te savoir trop près de Martin. Vous avez été amants. Je ne lui fais pas confiance. Il a passé une partie de ces dix dernières années en prison. Je n'aime pas son rire, je n'aime pas ce qu'il dégage. C'est vrai qu'il est gentil avec moi, mais… Y a beau être un bon navigateur et me rendre des services en tenant la barre du bateau, je suis mal à l'aise en sa compagnie.

— Les ventes ont été bonnes, ce soir.

— Change pas de sujet, mon pit.

Duval sentit sa pulsation s'accélérer dans son tympan. Parlaient-ils de drogue ? En quoi avait-il réalisé une bonne affaire ? Marquis était riche ; de quoi avait-il besoin de plus ? De la came ?

— En tout cas, continuait-il, je ne veux plus que tu l'amènes à la maison. Il ne dégage pas de bonnes ondes, ce gars-là, je ne sais pas ce que tu fais avec lui.

— Écoute, Charles, Martin a toujours été un grand chum. C'est le gars qui m'a sauvé. À quinze ans, quand je faisais de la prostitution dans les toilettes de Place Laurier, c'est lui qui m'a pris en charge, qui m'a aidé à redonner un sens à ma vie.

— En tout cas, pas question pour moi d'investir dans un projet où il sera actionnaire. Oublie ça.

— C'est un projet extraordinaire, Charlou. Tous les hommes en voyage vont arrêter dans notre hôtel. On va avoir la salle sado-maso la plus capotée du monde. La Tour de Londres, ce sera rien à côté de nos appareils de torture.

Le lieutenant eut envie de se pincer pour être certain qu'il ne rêvait pas.

— Qu'est-ce que tu fais avec ton argent ? Je t'en donne tout le temps. Tu me coûtes cher, mon p'tit fifi !

Dolbec éclata de rire. Des soupirs et des râles suivirent.

Duval sortit du cagibi le plus discrètement possible. Il ne fallait pas qu'ils le voient ici. Alors qu'il filait vers la sortie, quelqu'un le croisa et lui dit quelque chose, mais le lieutenant détourna le regard. Il déposa sa serviette et son savon sur un banc et sortit rapidement.

Le calme et l'air frais de la rue MacMahon l'apaisèrent. Il avait vu assez de monde pour ce soir. Il avait fait le plein et repartait avec plus de questions que de réponses. Peu de passants à cette heure dans ce coin de la vieille ville. À gauche se prolongeait le rempart percé par l'entrée du parc de l'Artillerie. La lune pâle s'était fixée au sommet d'un hôtel. Quel genre de transaction Marquis avait-il pu opérer avec Giroux ? C'est à ce moment que deux corps se jetèrent sur lui. Un coup de masse de quatre cents livres qui le projeta par terre.

— Mon hostie de fif, tu vas t'en rappeler ! Tu vas baiser la terre, ma maudite tapette.

Étourdi par le choc, Duval comprit, en reconnaissant la voix, que c'étaient les militaires qu'il avait eus sur les talons quelques minutes plus tôt qui l'agressaient. Tout en le frappant, ils l'entraînaient de force vers la redoute Dauphine, ces anciens logis d'officiers. Le site historique en contrebas, caché par un petit rempart, était déserté. Le terrain vague était le lieu tout désigné pour un tabassage d'homosexuel. Duval déboula lourdement sur le derrière les trois marches en béton. Sa lèvre saignait. Il se dégagea un bras, réussit à décocher un coup de poing au visage du premier, mais l'autre lui plaça un coup de botte dans le plexus qui l'envoya de nouveau face contre terre.

— Est forte, la fille !

En contre-plongée, Duval vit deux faces de bouledogue stupides avec des nez de cochon et des joues mafflues. Il sut alors qu'il avait affaire à des *skins*. Les fortifications et les pignons des tourelles encadraient leurs faces malveillantes. L'un d'eux avait les lettres HAINE tatouées grossièrement sur chaque doigt. Duval avait affreusement mal à l'abdomen. Il se sentit hors de lui. Il n'avait pas emporté son arme de service. Pas question de laisser sa peau ici. Alors qu'un des *skins* s'approchait pour le relever, Duval se redressa pour lui asséner un coup de tête qui, au son, cassa net l'arête du nez de l'agresseur.

— Mon câlice de fif ! M'en vas te tuer, hurla-t-il en reculant, la face déjà ensanglantée.

Duval s'empara d'une pierre. Les deux *skins* se regardèrent, interloqués, peu habitués à ce que leurs victimes se défendent autant.

C'est à ce moment que trois armoires à glace sortirent de derrière la redoute. Duval crut que son heure était venue.

— Les *skins* ! hurla l'une d'elles, un Noir bâti comme un corsaire.

L'un des *skins* essaya de s'enfuir, mais Duval le fit trébucher. L'autre courut en direction de la rue d'Auteuil, mais fut ramené rapidement par un type athlétique avec une couette blonde qui portait une camisole noire. Il rabattit le *skin* au sol et l'un de ses copains l'aida à ramener l'agresseur de Duval.

— On les a pognés, mentionna le troisième mousquetaire à Duval.

— Vous êtes de la police ? demanda le lieutenant en portant sa main à sa lèvre qui n'avait pas cessé de saigner.

Le colosse qu'il avait devant lui s'esclaffa.

— Non, pas vraiment. On a formé une brigade pour protéger les gais. Il y a eu beaucoup d'agressions dans les dernières semaines contre des gens de notre communauté et on nous a demandé de faire une surveillance. Ces deux *skins* correspondent au portrait tracé par les victimes.

— Vous n'avez pas appelé la police ? s'enquit Duval, surpris.

— Pourquoi pensez-vous qu'on s'est organisés en gang ? dit Couette blonde.

— Y veulent pas nous défendre ! ajouta le Noir.

Les trois bienfaiteurs du lieutenant avaient toujours bien en main les deux chiens fous.

Duval se trouvait dans une situation embarrassante. S'il portait plainte, il lui faudrait expliquer aux enquêteurs ce qu'il faisait dans un sauna gai après être passé par le boisé aux lilas. Il pourrait toujours prétexter qu'il enquêtait sur une histoire de meurtre dans laquelle des gais, dont Charles Marquis, étaient des suspects. Mais cette histoire mettrait en péril sa propre enquête et pourrait causer un préjudice énorme à Marquis s'il n'était pas coupable de l'empoisonnement de sa femme. La situation lui parut aussitôt insoutenable. Par contre, s'il repartait sans rien faire, les deux zoufs à bretelles s'en tireraient trop bien.

— Qu'est-ce que vous allez faire ? Vous arranger pour qu'ils s'en rappellent ?

— Vous ne les avez pas manqués. Voulez-vous vous faire plaisir ?

— Écoutez, je n'ai pas l'habitude de me salir avec de la charogne. On devrait porter plainte, proposa Duval.

— Voyons, la police de Québec nous rit en pleine face. Non, non, allons-y, proposa le Noir, cassons du nazi. Fais-toi plaisir. Tape assez fort pour qu'ils ne reviennent pas avant un petit bout.

C'est alors que Couette blonde y alla d'un coup au visage du Porcinet à croix gammée, qui tomba par terre. Le coup suggérait une pratique assidue des arts martiaux. Le deuxième voulut se protéger, mais déjà il recevait à son tour un coup terrible qui le faucha.

Duval ne pouvait laisser faire cela. Il demanda au gros blond d'arrêter.

Le lieutenant fourragea dans les poches de Porcinet. Il sortit un sachet rempli de caps d'acide et de mescaline, et le portefeuille du gars. Il s'appelait Rémi Charrette. Il était caporal dans le 22e régiment.

— Toi, demanda Duval à l'autre, es-tu militaire aussi ?

— Oui, répondit la face de concombre chauve.

Duval se releva et s'adressa aux trois anges roses, comme il les avait baptisés :

— Écoutez, j'ai une solution. On va contacter la police militaire. Sinon, comme l'agression s'est déroulée sur un site fédéral, on peut toujours appeler la GRC. Dans un cas comme dans l'autre, c'est clair qu'ils vont subir un mauvais quart d'heure. Je suis prêt à témoigner.

Les trois gars se consultèrent. D'un signe de tête, l'un après l'autre acquiescèrent.

Le lieutenant regarda sa montre. Il savait qu'il lui faudrait faire une déposition. Un des trois anges roses se rendit au sauna pour appeler au bureau de la GRC qui était situé dans le périmètre de la vieille ville.

Dix minutes plus tard, deux policiers rappliquaient pour prendre la déposition de Duval et des autres acteurs de l'agression. Il fallut une heure pour tout raconter dans la voiture. Les deux néo-nazis furent menottés et embarqués pour une nuit en prison. Quelqu'un allait-il se porter garant de pareilles ordures ? se demanda Duval.

Il fut remercié par les trois anges roses. Il les remercia à son tour. Il savait qu'il leur devait quelques hématomes en moins et il se dit que bien des préjugés reposaient sur une connaissance réduite d'un phénomène. Par contre, Marquis, Dolbec et Giroux demeuraient dans son collimateur.

Ses anges l'invitèrent à prendre un verre au Ballon, mais il refusa, prétextant des blessures à panser et une nuit longtemps attendue.

Il emprunta la rue des Glacis, passa devant la chapelle néo-gothique du Sacré-Cœur, coincée entre deux tours à bureaux et dont on avait ainsi éteint à tout jamais les magnifiques vitraux. Il traversa le boulevard Dufferin et fut happé par le corridor de vent créé par les édifices en hauteur. Il piqua directement par la rue d'Aiguillon en jouant à lancer ses clés et à les rattraper.

Avant de monter dans sa voiture, il jeta un coup d'œil à l'appartement de Mimi. Les lumières étaient fermées. Elle devait dormir. Tout semblait calme. La nuit pouvait recouvrir le monde et panser toutes les plaies de la Terre.

Une fois à la maison, il se confectionna une compresse de glace avec un linge à vaisselle. Il regarda son visage dans le miroir. Il n'était pas beau à voir. Ses muscles lombaires lui faisaient un mal de chien. La maison était calme, Laurence dormait à l'étage. Il marcha péniblement jusqu'au salon et se coucha sur le sofa. Puis il entendit la porte de la chambre s'ouvrir en haut. Laurence descendit lentement. Elle tourna le gradateur de la lumière et sa mine se rembrunit à la vue du visage tuméfié de Daniel.

— Qu'est-ce qui t'est arrivé ?

La tentation de mentir fut très forte, mais il se résolut à dire la vérité.

— Laisse-moi t'expliquer…

— Dans quel pétrin tu t'es encore mis ?

— Tout ça, c'est ma faute.

La femme médecin s'approcha pour évaluer la gravité des blessures. La fin de semaine serait longue et douloureuse.

Quatrième partie

Marcher sur la ligne d'ombre

33

Lundi, 26 mai

Dans son casier postal du quartier général l'attendait une lettre enregistrée de madame Léger, la propriétaire de son ancienne maison. Duval la décacheta avec fébrilité. Elle refusait toute négociation. Pas question de vendre. Elle ne spécifiait pas non plus si les problèmes de structure avaient été causés par des travaux. Cette omission lui parut suspecte. Elle renchérissait dans ses doléances, affirmant qu'elle avait découvert de nouveaux vices cachés autour et dans la maison. Le lieutenant fourra la lettre dans sa poche et se rendit à la salle de conférences. Comme d'habitude, il était le premier de service.

Louis entra deux minutes plus tard, vêtu de son complet noir rayé de blanc, un *Hustler* dans la poche de son veston et sa tasse des Nordiques à la main. Le Gros écarquilla les yeux en voyant l'hématome bleu sous l'œil de son collègue.

— Mais qu'est-ce qui t'est arrivé ?

— J'ai eu de mauvaises fréquentations en fin de semaine. J'ai été tabassé par deux *skins* qui croyaient que j'étais gai.

Louis poussa un rire dément qui ne voulait plus cesser.

— Toi ? Fif ? Mais comment ?

— J'ai fait du zèle vendredi soir. J'ai suivi Dolbec et j'en ai payé le prix.

Harel retrouva son sérieux.

— Comment ça ?

Duval raconta sa virée du vendredi sans s'attarder à tous les détails. Puis il fit ce qu'il faisait rarement, aborder un problème d'ordre personnel.

— Pour ajouter à ça, j'ai reçu une autre lettre enregistrée de la vieille maudite... Elle refuse de me dire si la fissure a été causée par ses rénovations.

— Tu veux que je me fasse passer pour un inspecteur de la ville ?

— Toi, commence par te faire passer pour un officier de la SQ et je serai content.

— T'es dur, Dany !

— ...

— Je sens que tu brûles de retrouver ta vieille maison croche. Je peux lui en faire, un vice caché, moi, dit le Gros en s'esclaffant.

Prince et Dallaire entrèrent en dévisageant leur collègue. L'hématome faisait jaser. Harel voulut narrer les événements, mais Duval refréna son désir de se payer sa gueule. Le lieutenant préféra attendre l'arrivée de Francis pour conter sa déveine du vendredi. Il n'aurait pas à la répéter une autre fois et à subir derechef les sarcasmes.

Duval ramassa les documents dont il aurait besoin pour sa réunion. Il tira du porte-crayon deux stylos, un rouge et un bleu. Le débriefing du lundi allait commencer. Louis et Bernard commentaient la page centrale du *Hustler*. Devant le tableau noir, Duval inscrivit en grosses lettres rondes les nouveaux éléments liés à sa filature. Pendant qu'il écrivait, Dallaire l'entretenait avec dépit de la victoire des Islanders en finale de la coupe Stanley.

1. Martin Giroux – ami de Dolbec (accusé d'homicide involontaire puis disculpé / pratique sexuelle déviante, meurtrière)
2. Marquis dans un sauna
3. Dolbec veut le voir investir dans un projet d'hôtel pour gais au Mexique.

Duval déposa la craie et s'essuya les mains l'une contre l'autre. Il fouilla dans ses papiers tout en désordre.

Francis entra en coup de vent avec un sourire de conquérant. Il tenait la dernière édition de la revue *L'Actualité* qu'il agitait en tous sens.

— Ils ont passé mon commentaire dans la page des lecteurs.

— Sur quoi ?

— Sur Seagram's. (Francis était si excité qu'il ne faisait aucun cas de la blessure de son chef d'équipe.) J'ai fait une photocopie pour tout le monde. Quelques jours avant le référendum, Charles Bronfman s'était payé un publireportage d'une trentaine de pages dans *L'Actualité* pour convaincre les Québécois de rester dans le Canada. La propagande Bronfman ! On est une dizaine de lecteurs à avoir répondu.

Prince l'interrompit.

— C'est bien beau, mais maintenant il est trop tard, Frank ; tu vis encore dans le Canada. Bronfman, comme dit l'éditeur, avait le droit de se payer de la publicité comme n'importe qui.

Francis afficha un visage indigné devant ce commentaire rabat-joie.

— Écoute, Bernie, sais-tu que les Bronfman ont fait de l'argent avec le crime, au temps de la prohibition ? Si tu avais été dans la police à cette époque-là, tu aurais eu à mettre sous arrêt ces bandits-là. Et aujourd'hui, l'argent du crime sert encore à acheter les Québécois.

— Frank, j'ai acheté la semaine dernière un quarante onces de scotch de la compagnie Seagram's. À ce que je sache, je gagne honnêtement ma vie.

— Tu ne vas pas recommencer. Ils n'ont même pas respecté la loi électorale.

Duval annonça le début de la réunion. Il dut mettre le poing sur la table.

— Francis, félicitations. Je vais accrocher ton article sur le tableau d'affichage, je suis bien content pour toi. Mais il n'est pas question ici de débattre de questions politiques.

Francis remarqua enfin la blessure de Duval.

— Mais qu'est-ce qui t'est arrivé, Daniel ?

Louis voulut répondre, mais Duval l'interrompit. Il résuma les nouveaux développements de la fin de semaine : sa visite au Ballon rouge, au sauna l'Hippocampe, ce qui se passait dans les buissons surplombant la rue Saint-Denis et l'agression subie à la redoute Dauphine. Le visage moqueur de Louis annonçait le déferlement de sarcasmes qui allait suivre.

— Cou' donc, est-ce que tu t'ennuies tant que ça avec Laurence ? Ou c'est le démon du midi ? Je peux t'amener voir Nancy au Motel Carole !

Son éclat de rire gras contamina les autres collègues. Duval montra un bouton de chemise de Louis qui était attaché de travers.

— Commence par attacher ta chemise comme du monde.

— Tu nous as pas dit non plus comment s'est terminée ta randonnée en moto avec le pétard du labo. Tout le monde en parle.

— Ça s'est terminé comme ça devait… Elle est rentrée chez elle et moi chez moi. Je la raccompagnais, c'est tout.

La réponse du lieutenant laissa des visages perplexes autour de lui.

— Il ne s'est rien passé du tout et n'allez pas faire circuler de fausses rumeurs, renchérit-il.

— J'en ai une bonne, annonça Louis au grand découragement de son chef. Savez-vous qui est le joueur des Canadiens que préfèrent les fifis ?

— …

— Pierre Mondou ! gloussa Louis, accompagné par les rires machos de ses collègues. Et il couche avec qui ?

— …

— Avec Bob Gai… ney ! s'égosilla Louis.

Duval toisa Louis, le priant de se taire. Il reprit ses explications quant aux nouvelles pistes à explorer.

— Bernard, je veux que tu me sortes le dossier de Martin Giroux. Vérifie si Serge Dolbec a un casier judiciaire. Avec Francis, tu vas me faire la lecture de tout ce qui entoure cette histoire d'asphyxie sexuelle qui impliquait Giroux. Je veux savoir qui était la victime et quelles étaient les relations qu'il entretenait avec elle. Francis et Bernard, je veux que vous remontiez à la source de ces appels que fait Dolbec au Mexique.

Bernard prit en note toutes les instructions. Louis, à ses côtés, grappillait sur la table les graines de sa galette d'avoine.

— Est-ce que c'est pour nous punir d'avoir parlé de politique ? demanda Francis.

— Louis et moi, on retourne voir la Lambert.

Alors que sa chaise roulait vers l'arrière, Louis relança ses collègues.

— Si ça vous tente de venir danser, j'ai engagé la meilleure disco mobile en ville. En passant, Daniel, Mireille m'a confirmé qu'elle viendrait à ma soirée. Tu pourras danser *Un incendie à Rio* avec elle.

Les rires complices fusèrent de toutes parts. Duval conserva son flegme mais de justesse. Il regarda

Louis, qui hochait sa grosse tête rouge comme un piment. « Gros niaiseux… », marmonna-t-il pour lui-même. Décidément, Harel était incorrigible.

34

Estelle Lambert faisait courir son chien dans le champ de trèfle devant sa maison. Elle lança le bâton mais le chien, plus intéressé par les limiers, poursuivit sa course au-delà du bâton, fonçant à grandes foulées vers eux.

— Qu'est-ce qu'on fait ? s'inquiéta Louis.

Lambert cria au chien de revenir vers elle et le mastiff s'exécuta. Elle s'avança vers eux dans son cardigan vert, coiffée d'un châle noir. Duval remarqua qu'elle paraissait plus fatiguée que la fois précédente. Des cernes noirs sous ses yeux marquaient les temps durs dont les policiers avaient probablement été les messagers.

— Bonjour, messieurs de la Sûreté. Qu'est-ce qui vous amène ?

— On a d'autres questions à vous poser.

— Ah bon ! dit-elle, l'air hautain. Allons à la maison, si vous voulez.

Elle s'attarda à observer la blessure de Duval.

— Une vilaine blessure, ça. Qu'est-ce qui vous est arrivé ?

— Je faisais du sport…

— Ah bon !

Harel étouffa son rire.

Le chien ne voulait pas cesser de jouer et tirait sur le bâton que tenait sa maîtresse. Elle lui ordonna d'aller dans sa niche et le molosse obtempéra, le museau dans l'herbe.

— Est-ce que votre mari est ici aujourd'hui ?

— Non, il est en voyage d'affaires. Pourquoi ?

— On voudrait lui parler.

— Ah bon ! Il revient dans une semaine.

Elle invita les détectives à prendre place sur la terrasse derrière la maison. Une coulée feuillue de clématites s'accrochait à un treillis. Dans la plate-bande encadrant la terrasse, des talles de tulipes agencées par couleurs fleurissaient, ainsi que des dizaines de jacinthes roses et mauves.

— Vous avez été responsable du déménagement de votre neveu ?

— Oui, c'est exact. Il fait tellement pitié à végéter de même.

— Puisqu'il allait être le concierge, l'avez-vous approvisionné en matériel ?

— Je suis allée à la quincaillerie et j'ai acheté toutes sortes de produits de nettoyage.

— Lui avez-vous fourni des produits qui provenaient de votre maison ?

— Quand je suis allée faire le ménage avec des membres de la famille, nous avons emporté des brosses, du savon, des récurants, du nettoyeur à vitres.

— Et du poison à vermine ? lâcha Louis comme un pavé dans la boue.

Elle écarquilla les yeux, la bouche en cul de poule, outrée. La haine lui sortait par les narines.

— Ah bon ! C'est ça, monsieur ! Si vous pensez ! Vous êtes un grossier personnage.

— Je suis gros mais pas grossier, madame ! répliqua Louis, narquois.

Elle le dévisagea de ses yeux de serpent. Il ne manquait que le frétillement de sa langue de vipère et la clochette au bout de la queue.

— Si vous continuez de me traiter comme un assassin…

— Madame, je n'ai rien dit de tel. Descendez de vos gros sabots !

Duval s'avança au bout de son siège pour pacifier la conversation.

— Avez-vous le numéro de téléphone de l'ex-propriétaire ? J'en aurais besoin.

— Oui, je l'ai.

— Vendredi, quand je vous ai parlé, vous avez omis de m'informer que l'avocat qui s'était occupé des papiers de divorce de madame Marquis, maître Champagne, travaillait en fait pour le bureau de votre mari.

Le lieutenant crut qu'elle allait se dissoudre.

— Il travaille bel et bien pour la firme Lambert, Bédard et associés ? demanda-t-il de nouveau.

Le masque blanc de la femme tournait au cramoisi.

— Vous le connaissez ? ajouta-t-il d'un ton plus sec, montrant que sa patience avait des limites.

— En effet.

— Maître Lambert, c'est votre mari ?

— Oui.

— Maître Champagne est un stagiaire ?

— Oui.

— Pourquoi m'avoir caché cette information ?

— Écoutez, je ne sais pas quoi vous dire. C'est une omission. Je suis tellement bouleversée par ce qui arrive…

Son visage se figea comme une gélatine aux fraises. Elle déversa subitement un tsunami de larmes. Louis sortit un mouchoir qu'elle refusa avec dédain.

— Ce que je trouve troublant, lança Louis en guise de riposte, c'est que vous êtes impliquée à toutes les étapes qui mènent jusqu'au crime. Vous mettez votre grand nez partout. Et voilà que madame Marquis faisait affaire avec un avocat travaillant pour votre mari. Vous êtes la seule qui profitez de la manne. Le divorce aurait été payant pour Lambert et associés, qui a déjà empoché dix mille dollars. La mort de madame Marquis vous est profitable sur tous les fronts.

— Ne dites pas ça, finit-elle par lâcher en chignant de plus belle.

Du regard, elle semblait implorer Duval d'intervenir. Il resta froid. Pour une fois que Louis menait un interrogatoire, il lui laissait la voie libre. Elle sanglota un peu plus, s'excusa, eut un geste de dépit pour elle-même. Elle se leva, entra par la porte-fenêtre. Un de ses talons hauts s'accrocha sur le seuil et elle faillit trébucher, son long corps efflanqué en posture ridicule. Elle se pencha pour ramasser son soulier blanc. Elle était pitoyable.

Mouchoir de papier à la main, elle revint après un moment, chancelante. Son fond de teint et son mascara détrempés laissaient voir des sillons. Son mouchoir se colora rapidement. À nouveau, le torrent déferla sur ses pommettes. Elle remit à Duval un bout de papier avec un numéro de téléphone et le nom de l'ancien propriétaire, Paul Raymond, qui en faisait aussi la maintenance avant de s'en départir.

Duval sortit d'un dossier la liste des dépenses encourues grâce à la procuration.

— J'aimerais maintenant que vous me confirmiez ce que vous avez acheté durant la maladie de madame Lambert.

— Les montants sont élevés, souvent dans les quatre chiffres, ajouta Louis pour mettre de la pression.

Duval énuméra les dépenses pour chaque mois et y alla du coup de grâce :

— Vous dites qu'on vous a interdit de voir madame Marquis trois jours avant sa mort. Comment se fait-il que vous avez continué de dépenser pendant ces trois jours-là ?

Elle ne bronchait pas. On aurait dit une de ces bestioles qui feignent la mort pour dérouter la menace.

— Écoutez, je sais que tout est en règle. Regardez les papiers légaux. Florence m'a nommée liquidatrice de ses biens, tutrice de son fils et présidente du C.A. de la fondation qui porte son nom.

— Il faudra nous fournir les états financiers de la fondation.

— …

— À combien se chiffre le capital ?

— Nous avons cent soixante mille dollars. Nous voulons accumuler un million et faire en sorte que les intérêts soient distribués à des œuvres de charité.

— À qui ? Aux Amis de Florence ? ironisa Louis.

Elle se dressa comme un cobra prêt à mordre.

— Vous, vous dites des imbécillités. Quand vous ouvrez la bouche, ce n'est que pour proférer des insanités. Je vous déteste. Pour le reste, je n'en dirai pas plus… larmoya-t-elle en se redressant comme une tragédienne de théâtre à trente sous.

Elle se leva, prit ses distances pour indiquer que l'entretien était terminé.

— Madame Lambert, si vous savez quelque chose concernant la mort de votre belle-sœur…

Duval lui laissa sa carte. Elle détourna la tête avec un sens calculé du geste.

— Si vous avez quelque chose à voir avec cet homicide, veuillez nous le dire, martela Louis.

Lambert se tourna dramatiquement vers Duval.

— Je ne dirai plus rien.

— Ce que je constate, c'est que vous nous cachez des choses, renchérit Duval en rangeant son dossier dans son sac.

— Cessez de me harceler. Je n'ai rien à voir avec tout ça.

Duval allait oublier un élément important.

— Madame Lambert, il me faudrait voir le manuscrit des *Carnets spirituels* de madame Marquis. L'avez-vous ?

— Non, je vous ai dit vendredi que tout est entre les mains du correcteur de Florence.

— Je veux son adresse.

— J'ai son numéro de téléphone, un instant.

Elle revint avec un bout de papier sur lequel était inscrit le nom de David Gagnon et le numéro pour le joindre.

Duval et Louis partirent sans attendre qu'elle les raccompagne. Le mastiff s'élança de sa niche en aboyant. Ils accélérèrent le pas jusqu'à la voiture. Pendant que celle-ci roulait, le chien courait en jappant près de la portière de Louis. Le Gros feignit de l'abattre en appuyant son index sur une détente imaginaire.

La voiture rejoignit enfin le chemin Royal et le Japifoufou, comme l'appelait Louis, repartit. La radio grésilla sa friture habituelle avec la voix nasillarde du répartiteur.

— Daniel, Charles Marquis voudrait te rencontrer sur son bateau dans le Vieux-Port.

— Doit-on porter une veste de sécurité ou une ceinture de chasteté ? dit Louis en gloussant.

— Crisse que t'es nono, toi ! s'esclaffa Daniel.

35

La Chevrolet s'engagea sur le pont-levis qui menait au club nautique. Devant eux, les silos à grain régurgitaient les champs de l'Ouest dans un céréalier. Au-dessus de la cale, un voile de poussière blonde s'élevait sur fond de ciel bleu. Le lieutenant se stationna près du Yacht Club.

L'eau réfléchissait les coques que dardait le soleil. Les propriétaires astiquaient leurs voiliers ou se prélassaient sur leurs terrasses flottantes.

— On ne vit pas tous les mêmes lundis ! philosopha Louis en admirant les navires des richards.

Marcher sur le quai flottant donnait un peu la nausée.

— Hostie, ça bouge ! râla Louis en resserrant sa main sur sa canne.

— Arrange-toi pour ne pas tomber à l'eau.

— En passant, Dany, est-ce que c'est sérieux, avec Mireille ?

— Dis pas de niaiseries comme ça, pesta Duval.

Le *Lion bleu* se démarquait : on aurait dit un mini-paquebot. Le yacht de Charles Marquis en devenait gênant, les autres embarcations faisant piètre figure à ses côtés. Un tel étalage de richesse sous-utilisée, à peine trois ou quatre mois par année, laissait pantois ceux qui ne pouvaient pas même s'offrir un canot.

En arrivant à la hauteur de la passerelle, Duval vit Martin Giroux qui nettoyait les vitres du *Lion bleu*. D'un coup de coude, il indiqua sa présence à Louis. Au sommet de la passerelle, il aperçut en plongée Charles Marquis qui se prélassait sur sa chaise longue, un cocktail vert lime posé sur une table en bois de teck à ses côtés. Vêtu d'un short noir, son corps luisait d'huile solaire. Malgré la cinquantaine, Marquis était en parfaite condition physique. Il avait un corps de trentenaire, sans une once de graisse ; seuls les poils blancs sur son torse marquaient son âge.

Comment Marquis avait-il pu changer d'idée sur Giroux en si peu de temps ? S'était-il entendu pour faire d'autres affaires avec le copain de Dolbec ? Était-il déjà trop impliqué ?

Giroux portait un short blanc moulant. Son corps bronzé, aux muscles bien définis, représentait une distraction agréable pour Marquis. De la timonerie s'échappait *So danco samba* de Carlos Jobim, qui répandait son parfum brésilien.

— On dirait qu'il est en bobette ! commenta Louis.

De là où les enquêteurs se trouvaient, la ville de Québec piquait le ciel de ses mille pignons, clochers, tourelles et luminaires. Derrière eux, les cheminées de l'incinérateur, de la papeterie, et les montagnes de copeaux de bois découvraient l'arrière-scène industrielle de la Vieille Capitale. Marquis redressa la tête, releva ses verres fumés et se leva pour accueillir ses visiteurs.

— Bonjour, messieurs !

Un bateau de filles en bikini passa près de Louis, tout émoustillé par les cris des jeunes femmes. Il salua les plaisancières, qui agitèrent les mains en poussant des couinements.

— Vous aimez la navigation ou ses à-côtés ? dit Louis pour lancer la conversation.

— Je vous laisse les poupounes qui collent aux marins comme des mouches.

— Moi, je vous laisse les bateaux. J'ai même pas assez d'argent pour me payer un pédalo !

Duval toisa Loulou du regard : il ne fallait pas gaffer.

— J'ai longtemps fait de la voile, reprit Marquis. Je compte plusieurs traversées de l'Atlantique, dont deux en solitaire. Mais je suis devenu paresseux. C'est pour ça que j'ai opté pour un yacht.

Duval remarqua que Giroux regardait très souvent dans leur direction.

— D'ici quatre ans, continuait Marquis, vous verrez sur notre beau fleuve les cathédrales de la mer, les plus grands voiliers du monde, qui viendront nous rendre visite. Il faut bien célébrer l'arrivée de Jacques Cartier, découvreur du Canada.

Duval soupira intérieurement: en ce qui le concernait, le cours d'histoire pouvait s'arrêter là. Il n'était pas venu pour perdre son temps. Mais il était agacé parce que Giroux suivait leur conversation.

— Vous vouliez nous rencontrer, monsieur Marquis?

Le richissime marin les invita à prendre un siège.

— Oui, pour deux choses.

— On vous écoute.

— J'ai reçu un appel de Richard, mon fils. Il m'a dit que vous étiez allés le voir.

— C'est exact.

— Pourquoi?

— Ça fait partie de notre enquête.

— Laissez-le tranquille. C'est un pauvre diable. Il a toujours vécu dans l'orbite de sa mère. Il n'a rien à voir avec sa mort. Remarquez: il a peut-être contribué à son cancer parce qu'elle avait mis tellement d'espoir en lui. Vous ne pouvez pas savoir le mauvais sang qu'elle s'est fait pour ce garçon. Elle avait des ambitions folles pour Richard, qu'elle devait diluer d'année en année dans l'amertume. Mais les désirs de Florence étranglaient son fils comme un boa qui serre trop sa proie. Elle l'a castré. Elle aurait bien aimé l'embrigader dans la religion, mais il était athée. Quelle déception pour Florence…

Louis siffla d'étonnement pendant que Duval lisait toute l'amertume dans la voix de Marquis. Sur la passerelle, Giroux, bouteille de nettoyeur à vitres à la main, semblait écouter d'une oreille distraite.

— Mais aurait-il pu chercher à se venger de ça ? demanda Louis.

— Il serait incapable de faire mal à une mouche. C'est un inadapté social.

— On a trouvé du poison à vermine chez lui.

Marquis hocha la tête de droite à gauche.

— Ça ne prouve rien. Richard n'est capable d'aucune initiative. Il n'a aucune malice. Je ne le vois même pas faire l'effort de penser à tuer sa mère.

Marquis cala une grande gorgée de son cocktail. Une douce brise chatouillait le visage et un petit roulis agitait le *Lion bleu*. Duval masquait à peine sa déception. Il s'attendait à la grande révélation. Marquis regarda sa montre, puis le ciel. Un Cessna avec une banderole publicitaire survolait le Château Frontenac.

— Est-ce que je vous sers un kamikaze ? dit Marquis en revenant à lui.

— Non, déclinèrent les détectives.

— Une limonade, alors ?

— Excellente idée, dit Louis pendant que Duval opinait du chef.

Il se tourna vers le serveur qui finissait de hisser des denrées à bord.

— René, apporte-nous deux limonades, s'il te plaît.

Le serveur, obèse et hors d'haleine, acquiesça avec le sourire tout en montant sa boîte de homards des îles de la Madeleine dans la cuisine.

— Votre fils nous a dit que votre sœur Estelle a apporté chez lui des produits de quincaillerie.

— C'est fort possible, et c'est aussi d'elle que je veux vous parler.

Un petit yacht passa. Du hard rock jouait à plein volume.

— Je déteste les gens qui polluent le silence, confessa Marquis.

— Qu'est-ce que vous vouliez nous dire à propos d'Estelle Lambert ?

Le serveur au souffle court, plateau à la main, s'approcha. Il déposa sur une table deux grands verres de limonade marbrée de grenadine. Duval retira le quart de lime sur le col du verre et la cerise sur glace.

Louis cala la moitié de son verre et marqua son appréciation.

— J'avais jamais bu de limonade rose !

Duval craignit le pire, mais personne n'interpréta les propos de Louis. Il fit en sorte que le Gros ne s'étende pas sur le secret de la limonade et enchaîna aussitôt.

— Donc, vous vouliez nous parler de votre sœur ?

— Quelques semaines avant que Florence n'apprenne qu'elle souffrait d'un cancer, ma sœur a essuyé des pertes financières importantes. Elle avait essayé un an auparavant d'ouvrir un commerce à Place de la Cité et elle a fait faillite.

— Quel genre de commerce ? demanda Duval.

— Une boutique de produits de beauté. Vous savez, ces petits paniers parfumés avec des savons, des bulles, des lotions et des sels de bain. Ma sœur a toujours rêvé d'être riche. Elle a toujours eu un complexe par rapport aux millionnaires. Nos parents avaient aussi le culte du million. J'ai, pour ainsi dire, assouvi leur fantasme, dit Marquis sans pour autant afficher de l'ostentation. J'aurais pu devenir le pire salaud de la planète que je serais resté à leurs yeux un parfait modèle de réussite. J'ai toujours fait envie à ma sœur. Pire, c'est une jalouse compulsive.

Marquis but la dernière gorgée de son cocktail et roula la glace dans sa bouche. Il jeta à nouveau un coup d'œil à sa Rolex. Il salua des badauds qui admiraient son navire.

— Lorsqu'elle disait qu'elle offrait des cadeaux à ma femme, permettez-moi de rire : elle ne faisait qu'apporter des produits à base de pomme qu'elle ne parvenait pas à vendre, et ma femme prenait ça pour un excès de générosité ! Je crois même qu'elle achetait de son propre fonds de commerce des produits pour ma femme, à l'aide de la procuration. Sinon, Estelle est assez scélérate pour avoir inscrit ces cadeaux-là dans la colonne des pertes… Si je vous montrais tous ces petits paniers ridicules : pathétique. Elle ne l'a jamais eue, l'affaire, elle a toujours voulu faire de l'argent, mais ça ne marchait pas.

— Monsieur Marquis, avouez qu'il y a malgré tout des éléments troublants : vous faisiez des démarches pour éviter le divorce et votre sœur en faisait autant pour que votre femme l'obtienne.

— Je vous l'ai déjà dit et je le répète : je n'allais pas me laisser plumer par ma femme parce qu'elle était manipulée par ma sœur, qui rêvait de mettre le grappin sur mon argent.

— Une partie de cet argent serait allée à des œuvres de charité.

— Lieutenant Duval, je donne au moins quarante-cinq mille dollars par année aux bonnes œuvres. C'est deux fois le salaire d'un policier. Personne ne va me donner de remords avec ça.

Gilberto enchaînait les accords lascifs de *Corcovado* sur la chaîne stéréo. Sur le pont supérieur, Giroux se déhanchait en buvant une boisson de couleur verte. Il enleva son t-shirt et découvrit une galerie de tatouages. Une volée de goélands criaillaient en passant au-dessus du radar de la marina.

— Vous deviez savoir, reprit Duval, qu'en prétextant l'homosexualité et l'adultère, votre épouse obtiendrait le divorce.

— Je sais. Mais, en même temps, le juge aurait considéré que nous sommes à une époque où d'autres homosexuels font comme moi et font leur *coming out*. Ce qui était impensable pour moi il n'y a pas si longtemps est maintenant possible. Bien sûr, nous sommes encore loin du compte. Puis mon avocat aurait vu que ma sœur est une experte dans l'art d'extorquer et que ma femme, aux prises avec la maladie, était manipulée. On aurait joué cette carte. Il ne faut pas penser que le fait d'être gai fait de moi un coupable par association. Les gens ont toutes sortes de préjugés contre nous, lança Marquis sur un ton amer.

Cette affirmation rappela à Duval sa folle sortie du vendredi soir. Marquis avait raison quant aux préjugés. Duval le premier avait souvent ri des gais – pas méchamment, mais il l'avait fait.

— Florence avait sur la question une position qui relève de l'Église catholique. Pour elle, j'étais en état de péché. Pour elle, c'était un crime grave.

Puisque Marquis semblait disposé à parler de son homosexualité, Duval en profita pour creuser le sujet.

— Quand vous vous êtes marié, vous saviez que vous étiez gai ?

— J'étais plus attiré par les hommes que par les femmes, c'était déjà évident. Mais j'ai grandi à la campagne et il aurait été suicidaire que je me déclare gai. Quelque chose d'impensable. J'ai cru que ça allait passer, que c'était une forme de maladie dont on guérit. Puis j'ai rencontré ma femme. J'ai vraiment aimé Florence, nous avons été de grands amis, mais je n'ai jamais véritablement eu de désir pour elle. Il fallait réellement que je me force, pour tout vous dire. À la fin de mon cours classique à Joliette, chez les clercs de Saint-Viateur, j'ai eu le coup de foudre en philo II pour un gars de Montréal. Ses parents valaient une fortune et l'année suivante, il partait étudier l'architecture à Chicago. C'était aussi mon rêve à l'époque de devenir architecte, mais je n'ai pas été plus loin que le collège classique. Il est revenu au Québec et nous nous voyons de temps en temps. Marcel a pu vivre dès vingt ans son homosexualité dans une ville où il était possible de le faire sans être persécuté, tandis que moi, j'ai dû me refermer pendant toutes ces années. Prenez le cas de Michel Girouard : je n'aime pas son côté tapette, ses petites manières, mais les gais ne sont pas tous efféminés. Quand Girouard a présenté sa revue musicale *Viva Viva*, il y a presque eu une émeute à Montréal. On est maintenant en 1980, monsieur Duval, mais ce n'est toujours pas facile d'être gai au Québec : pour bien des gens, c'est un crime contre-nature, et pour eux je suis un dépravé. Mais il faut assumer ce qu'on est. Je ne voudrais cependant pas qu'on fasse de moi un bouc émissaire du fait que je suis gai. Je tiens à vous le dire, conclut Marquis en regardant de nouveau sa montre.

Louis avait écouté la dissertation de Marquis comme si on lui annonçait qu'une comète allait dévaster la Terre. Il se préparait à répliquer. Duval sentait bien que la bourde était à la porte de ses lèvres.

— Mais je ne peux pas croire que vous ne sauteriez pas Dolly Parton si on vous en donnait l'occasion. À poil comme ça, les jambes écartées, prête à vous recevoir.

Incrédule, Marquis regarda Louis par-dessus ses verres fumés comme s'il s'agissait d'un taré. Gêné, Duval observa le large pendant un instant.

— Monsieur Harel… ma femme était jolie. Ça n'a rien à voir. Vous n'avez rien compris à ce que je viens de dire. Dommage…

Duval sourcilla en opinant du bonnet. Louis, croyait-il, avait l'intelligence du cœur, mais aucune psychologie et un QI qu'il ne souhaitait pas estimer. Le lieutenant leva la tête en direction de Giroux, qui faisait reluire le cuivre dans la cabine de pilotage. Il avait un hippocampe bleu tatoué sur les reins. Trapèzes, grands dorsaux et triceps se gonflaient au moindre effort. Puis Duval décida de prendre Marquis de court.

— Depuis quand connaissez-vous Martin Giroux ?

— Serge me l'a présenté dans les semaines qui ont suivi notre rencontre. C'est son meilleur ami.

— Connaissez-vous son passé ?

— Je sais que Martin a eu des problèmes avec la justice dans le passé. Il est aujourd'hui totalement réhabilité.

— Vous avez entendu parler de cet homicide par asphyxie sexuelle pour lequel il a été inculpé ?

— Oui, et Martin a été innocenté. Je n'ai rien à lui reprocher.

— Je voulais juste m'assurer que tout était clair en ce sens-là. L'avez-vous engagé ?

— Il sait naviguer. Je lui ai demandé de prendre la barre pour notre sortie d'aujourd'hui.

Des pas sur la passerelle : Duval se retourna. La raison des fréquents regards de Marquis à sa montre, s'expliqua-t-il. Dolbec, alias Dolly, alias D'Aiguillon, montait à bord, vêtu d'une camisole blanche, d'un short rouge et coiffé d'une casquette bretonne. Il était passé chez le coiffeur, à voir sa frange et ses mèches, et à la Société des alcools, car il portait deux sacs pleins de bouteilles qui s'entrechoquaient.

— Tiens, nos amis de la police !

L'attitude méfiante de Dolbec était manifeste, jugea le lieutenant qui observa le jeune éphèbe fouler le pont.

Dolbec s'approcha de Marquis, se pencha pour lui coller une grosse bise sur chaque joue. Marquis en profita pour lui passer une main sur les fesses. Louis afficha une gueule scandalisée de bonne sœur.

— T'en as mis du temps ! lui reprocha Marquis.

— Y a des travaux sur le boulevard Charest.

— Ce ne sera pas long, je suis à toi dans un instant. Dis à René d'appeler les garde-côtes pour connaître les conditions de navigation. On va aller virer jusqu'à Tadoussac.

— J'y vais, dit Dolbec en se retirant.

La tôle de la passerelle résonna de nouveau sous des pas. Un à un, les invités de Marquis arrivaient, tous des hommes, pour la plupart âgés, certains courbés. Ils portaient tous un sac de voyage. Duval reconnut un comédien de Québec et un criminaliste qu'il croisait souvent au Palais de justice. À l'exception d'un jeune très efféminé qui portait un short blanc, des bas roses et une camisole avec la mention *Les Mardis fifis*, personne n'avait l'air tapette. Marquis les salua de la main.

— Demandez à Martin de vous servir à boire. Je serai à vous dans quelques instants.

D'une main légère, Marquis envoya un bisou à distance à un ami.

— Le monsieur au pantalon blanc est l'un des meilleurs oncologues du Québec, glissa-t-il à Louis. Un jour, il vous sauvera peut-être la vie.

— Est-ce lui qui a soigné votre femme ? expédia Louis avec sa courtoisie habituelle.

— Monsieur, vous devriez avoir honte ! Non, ce n'est pas lui !

Duval fit signe à Louis qu'il était temps de lever le camp. Son collègue avait peu parlé mais, comme d'habitude, il en avait déjà trop dit. Le Gros déplia sa carcasse en croquant son dernier glaçon.

— En tout cas, lieutenant, vous devriez laisser mon fils en dehors de cette histoire. C'est un pauvre type qui ne ferait de mal à personne.

Les détectives-enquêteurs se retirèrent sur ces paroles. En longeant le quai flottant, Duval songea à la possibilité que l'ami oncologue ait eu quelque chose à voir avec la mort de Florence Marquis. Louis n'avait peut-être pas tout à fait tort sur le contenu. Quant à la forme, il fallait toujours repasser avec lui.

Dans la Chevrolet, il leur fallut attendre cinq minutes avant que le pont-levis ne se rabaisse. Le *Lion bleu* voguait avec grâce sous le regard admiratif des curieux.

Giroux et Dolbec tenaient la barre tandis que les têtes grises se prélassaient sur le pont.

— La cage aux folles prend la mer ! maugréa Louis. J'ai toujours pensé que Dieu avait puni la descendance de Sodome et Gomorrhe. Après tout, il a détruit Sodome, ne sauvant que le pauvre Loth, sa femme et ses deux filles. Si Dieu jugeait que c'était anormal, dégradant…

— T'es pas sérieux quand tu dis ça ?

— Bin quin ! Ça t'a pas dégoûté, dans les buissons l'autre jour, ce que t'as vu ? Puis à l'Hippocampe ? Et là sous nos yeux ? M'as-tu vu c'te bande d'enculeurs !

— Le physiothérapeute qui t'a soigné et redonné l'usage de tes jambes, c'était un homo, oui ou non ?

— Puis ? Les fifis, je ne comprends pas, ça me dépasse.

— Les trois gars qui m'ont évité la volée des *skins* étaient des homos.

— Ils t'ont tiré de là parce qu'ils pensaient que tu étais fif.

Duval frappa le volant de la main droite.

— À t'écouter parler, j'ai l'impression que l'âge de pierre, c'était avant-hier soir. Ce qui me dégoûte, moi, c'est le père qui secoue à mort son enfant tordu de douleur par les coliques. Mais un jour, comme Marquis vient de le dire, cet oncologue soignera peut-être ta fille ou la mienne. T'as reconnu le comédien qu'on voit dans un téléroman et au théâtre ? À défaut de saisir, je veux qu'on m'éclaire sur la question.

— Moi, je ne vous comprends pas, vous autres, les sociaux-démocrates, vous êtes pour l'avortement mais contre la peine de mort.

— Moi, je ne vous comprends pas, les conservateurs, vous êtes contre l'avortement mais vous êtes pour la peine de mort.

— Bon, on va s'arrêter là, si tu veux, pesta Louis en haussant le ton.

Duval fixa les vieux rafiots qui attendaient de finir à la ferraille. Le pont-levis s'éleva et les pneus chuintèrent sur le tablier de fer gaufré.

À la radio, on commentait la victoire des Expos. Louis en profita pour rétablir la communication.

— As-tu vu la claque de Carter, hier ? Parrish, trois coups sûrs, trois points produits.

— Les Islanders champions de la coupe Stanley, ça me fait mal encore, répliqua plutôt Duval.

Les Islanders avaient défait les Flyers, la veille, lors du sixième match de la série. Duval, un inconditionnel du Canadien, n'en revenait pas de voir ce jeune club de l'expansion gagner la coupe. Décidément, ce printemps était une plaie béante pour la Belle Province.

◆

Dans l'ascenseur de la centrale, Duval écoutait d'une oreille la conversation de deux policiers. Ils parlaient de la descente qui s'était déroulée durant une soirée de « gilet mouillé » au bar le Vendredi 13. Ils enviaient la police de Québec qui avait procédé aux arrestations.

Duval passa le seuil de la section des crimes contre la personne. Il consulta le tableau sur lequel Dallaire inscrivait les affaires judiciaires avec le nom des différents enquêteurs. En voyant son nom à côté de l'affaire Marquis, il se demanda comment il en viendrait à bout. Il alla au bureau de Bernard, le dernier au fond avec une fenêtre en prime. Les années d'ancienneté avaient leurs avantages.

Bernard avait quitté son bureau pour la journée. Le lieutenant retourna au sien. Bernard lui avait laissé un message : appeler le substitut du procureur. Il se rendit compte que sa plante verte s'asséchait, signe que son monde allait de travers depuis quelque temps. Il remplit un verre d'eau à la fontaine et arrosa le lierre. C'est Marie-Claude qui avait planté ces boutures. On frappa trois coups contre la paroi vitrée.

C'était Dallaire, la tête dans l'embrasure, bien arrosé de soleil. Duval abaissa les lamelles du store.

— Comment ça va, l'affaire Marquis ?

— Des pistes de chacal un peu partout !

— Par chance, les charognards laissent des traces. Bonne soirée.

Le commandant continua son chemin. Duval aimait ce patron qui savait entretenir des liens avec ses hommes. Avec ses grands yeux de chien doux, sa gueule de terre-neuve, il avait su se faire respecter sans jamais abuser de son pouvoir. Le directivisme n'était pas sa philosophie. Il donnait beaucoup de latitude à ses employés et ne les harcelait pas sans arrêt pour plus de rendement.

L'horloge marquait dix-sept heures trente. Le lieutenant se leva, ramassa son blouson de cuir sur la patère, prit son casque. Un X de plus au calendrier avant les vacances.

36

Dès que Duval ouvrit la porte de la maison, il s'aperçut qu'une surprise l'attendait. Mimi montait le grand escalier en jouant de la flûte traversière. Ses yeux souriaient, parsemés d'étincelles. Il comprit aussitôt qu'elle avait recouvré son instrument. Elle leva les bras en l'air en signe de victoire.

— Ils ont perquisitionné chez mon voisin et ils ont retrouvé toutes mes affaires, sauf le walkman.

Elle grimpa à la course les trois dernières marches et se jeta dans les bras du paternel.

— La police de Québec est efficace… ironisa le lieutenant.

— C'est grâce à toi. J'ai fait ce que tu m'avais dit. Après ma déposition, le policier m'a donné le numéro de l'enquête et en fin d'après-midi, quand j'ai vu mon voisin partir avec son étui de guitare, qui semblait très lourd, j'ai appelé les policiers, qui l'ont pincé dans un *pawnshop* de la Basse-Ville.

Elle serra sa flûte affectueusement contre elle, puis embrassa son paternel.

— Le gars était déjà recherché pour recel et vol de voiture.

— C'est toi qui me disais que le faubourg Saint-Jean-Baptiste était sécuritaire ? lança Laurence en sortant de la salle de bain.

— Ça aurait pu arriver en banlieue, rétorqua Mimi.

— Ça vous tente de venir voir un film avec moi à la Boîte à films ? maugréa Laurence.

— C'est trop loin, Limoilou, argua Duval.

— Moi, j'y vais, décida Mimi.

— Moi, je vais mettre de l'ordre dans mes dossiers.

Duval eut droit à deux visages consternés. Se rappelant ses résolutions, il changea d'idée. Un peu de vie artificielle, c'est ainsi qu'il voyait le cinéma, le ferait décrocher de la vraie vie. Duval aida Laurence et Mimi à préparer le repas. Une bonne odeur de pâté chinois se répandait dans la maison. Laurence lui lança la pomme de salade en lui décochant un sourire qui annonçait des temps meilleurs.

37

JEUDI, 29 MAI

Deux jours avaient passé sans que l'enquête ne progresse. Le *Journal de Québec* avait annoncé comme prévu : *Finies, les folies, la nuit dans la rue Saint-Denis*. La virée du lieutenant avait obtenu un écho dans les médias sans que son nom soit mentionné. Dallaire avait entrepris les démarches auprès de son vis-à-vis de la ville de Québec. Un règlement municipal sanctionnerait sévèrement les infractions à caractère sexuel. Il serait voté dans une prochaine séance du Conseil. La sollicitation, qu'elle se fasse à pied ou en voiture, et la débauche à la belle étoile seraient punies par la loi. Plus de fornication dans les buissons. Par ordre du maire. Il faudra que le futur maire s'y fasse, avait ironisé le lieutenant pour lui-même, à moins d'amender le règlement.

Louis et Francis étaient pliés en deux en regardant le tableau d'affichage. Duval sortit de son bureau en entendant leurs rires. Badeau, le caricaturiste de la centrale, avait illustré « la virée rose » du lieutenant. Le dessin avait déjà fait le tour des bureaux. On y voyait des queues et des postérieurs sortant des buissons… et la matraque du lieutenant qui ressortait comme un leurre. Deux gais, du type *butch* sado-maso, suppliaient le lieutenant de les matraquer. Dans la petite bulle au-dessus du premier personnage était écrit : « Elle me plaît. »

Avec sa démarche lourde, Bernard tourna le coin.

— Vous savez ce qui vient d'arriver ? lança-t-il, le souffle court.

— Il y a une manifestation homo pour réclamer la présence du lieutenant Duval ? répondit Louis.

— Pour manifester contre les niaiseries de son collègue Harel…

Bernard et Francis tournèrent un peu plus le fer dans la plaie par leurs rires tonitruants. Louis comprit qu'il valait mieux arrêter là. Son chef n'en prendrait pas davantage.

— Estelle Lambert est à l'hôpital, dit Bernard.

— Comment ? s'étonna Duval.

— Elle a brûlé un feu rouge et s'est fait rentrer dedans.

— Elle est dans quel état ?

— Stable. Mais elle a été blessée grièvement.

— Je crois qu'elle commence à trouver que ça chauffe, commenta Louis. Elle devait trop penser au fait qu'elle est suspecte. Elle ne faisait pas attention puis bang, à l'hôpital !

Duval se tourna vers Francis.

— À partir des retraits effectués avec la procuration dans le compte de Marquis, tu vas établir un inventaire de tous les objets qu'elle s'est procurés. Quand on portera des accusations… on aura tout ce qu'il faut.

Francis fit glisser le dossier de Dolbec.

— Deux épisodes de prostitution dans les toilettes de Place Laurier alors qu'il était mineur. Sinon, rien à signaler.

Le dossier de Giroux, que Francis passa à Duval, semblait plus intéressant. La feuille de route parlait d'elle-même.

— Il y a de la matière, signala Francis.

— Peux-tu me résumer la leçon ?

— À part la mort par asphyxie sexuelle de son ami, il a déjà été arrêté pour trafic de cocaïne. Il avait inséré les sachets dans son rectum…

— Décidément, c'est un fourre-tout, ce gars-là ! plaça Louis, déclenchant un fou rire généralisé.

— Sacré Loulou, tu peux bien être le chouchou des bonnes sœurs, lança Bernard.

Duval fit signe à Francis de continuer son récit.

— Il a failli y laisser sa peau. S'il a été arrêté, c'est parce que les sachets s'étaient ouverts sous l'effet des acides gastriques. Il a été transporté d'urgence à l'hôpital. Après un bref séjour en prison – c'était sa première offense pour trafic de drogue –, il disparaît au Mexique. On note également dans le dossier des voies de fait armées avec… attendez un instant…

Francis cherchait le type d'arme en question.

— Avec son zizi ? gloussa Louis.

— Louis, ta première joke était bonne, mais là, arrête de niaiser, râla le lieutenant.

L'air penaud, le Gros mit sa tête en berne.

— … avec un couteau, Dany. Il a aussi été arrêté pour avoir volé une automobile. Depuis, il n'a rien à se reprocher.

Bernard, qui s'était fait raser les cheveux comme un général des marines, mentionna que la fouille des gars de l'Identité dans l'atelier de Dolbec n'avait rien apporté de concluant, puis il sortit l'adresse de Paul Raymond, l'ex-propriétaire de l'immeuble racheté par Lambert pour le fils des Marquis.

— Vous pouvez le joindre tout l'avant-midi.

— Louis et Bernard, lança Duval, allez rencontrer Paul Raymond. Et appelez au labo pour leur rappeler qu'on a besoin de savoir rapidement si la poudre qu'on a trouvée chez le fils de Marquis est identique à celle prélevée dans l'estomac de sa mère.

Louis pointa le doigt sur tout un chacun.

— En passant, les gars, ne ratez pas mon émission ce soir. La vérité va sortir ! Y en a qui vont faire des heures supplémentaires.

◆

Un document arriva par l'intermédiaire de Bernard, qui s'était rendu chez David Gagnon pour réclamer le manuscrit de Florence Marquis. Bernard mentionnait sur son *post-it* que Gagnon vivait reclus dans le monastère des Franciscains à Québec. Jeune moine tonsuré, il pratiquait le chant grégorien et s'occupait des éditions de la Vierge noire. Duval soupesa les carnets spirituels qui allaient paraître à l'automne. Il lut la première phrase et, d'emblée, l'illisibilité des caractères écrits à la main le mit hors de lui. Il faudrait que le moine lui fournisse un texte dactylographié. La tête, le sommet, le plateau, les arcs et les courbes supérieures des lettres majuscules donnaient l'impression de vouloir toucher le ciel tellement ils montaient haut, tandis que les voyelles, surtout minuscules, semblaient être les damnées de la terre, écrasées sur la ligne. Le D de Dieu, différent des autres D, formait un entrelacs élégant. Duval alla à la fin du manuscrit et, comme il le pressentait, la situation s'aggravait. L'écriture tremblée de la malade rendait la lecture impossible. Il y avait aussi des ratures, on sentait la main rageuse et impuissante. Il garda le manuscrit, car il pourrait interpréter certains signes à la lueur de leur contenu.

Il avisa immédiatement Bernard pour que Gagnon lui fasse parvenir une copie lisible.

Duval vérifia à quelle heure était sa citation à comparaître. Il devait témoigner cet après-midi-là dans un procès pour tentative de meurtre, une querelle conjugale qui avait mal tourné. Il détestait se présenter en cour en raison de la pression énorme qui pesait sur les enquêteurs. Les criminalistes les considéraient souvent comme un maillon faible à exploiter et leur acharnement le frustrait.

◆

En fin de journée, Duval recoupa les nouveaux éléments de l'enquête. Derrière sa machine à écrire, il colligea les informations que lui avaient remises ses hommes. Le bilan du jour était décevant. Le raticide que Louis avait découvert chez Richard Marquis était à base de bromadiolone. Paul Raymond se rappelait avoir acheté et utilisé ce produit pour tuer des écureuils qui avaient envahi le grenier, rien d'autre. Charles Marquis avait raison, pensa le lieutenant, son fils n'y est pour rien. Il profite du crime de quelqu'un d'autre en toute innocence.

Duval aurait aimé parler à Estelle Lambert, mais elle reposait aux soins intensifs, victime de quelques hémorragies, de plusieurs fractures et d'une sévère commotion cérébrale. Ce ne serait rien pour l'aider à retrouver la mémoire, pesta-t-il. L'enquête sur les biens volés et la prétendue fraude allait devoir attendre. À première vue, selon l'analyste de la section des crimes économiques, tous les papiers et actes notariés étaient en règle, ce qui ne voulait pas dire qu'elle n'avait pas essayé d'escroquer sa belle-sœur. Florence, qui était rongée par la douleur et qui se refusait à prendre de la morphine, n'avait peut-être plus toute sa raison. Elle devenait une proie facile. À la décharge d'Estelle Lambert, avait noté Duval, elle n'avait pas d'antécédents judiciaires.

Les recherches effectuées auprès de l'administration de Place de la Cité avaient confirmé les dires de Charles Marquis. Sa sœur avait fait faillite et perdu beaucoup d'argent dans la mésaventure de son dernier commerce.

Quant à la visite à la quincaillerie de Saint-Jean de l'île d'Orléans, elle donnerait peut-être des résultats, mais pas avant quelques jours.

Duval releva la tête de sa machine à écrire. Le mobile, l'argent, était clair dans le cas d'Estelle Lambert. Mais ce mobile pouvait tout aussi bien s'appliquer à Charles Marquis, qui avait beaucoup à perdre dans un divorce. Quant au fils Marquis, malgré sa relation malsaine avec sa mère, Duval ne le considérait pas vraiment comme un suspect dans cette affaire.

Il retira sa feuille du cylindre et coiffa sa Remington de sa housse protectrice. Il aperçut le manuscrit de Florence Marquis. Il le feuilleta, peinant de nouveau sur les caractères. Il le glissait dans son sac quand il se rappela sa résolution : pas de travail à la maison. Il le remit sur le bureau.

38

Peu avant vingt-deux heures, Duval descendit au salon pour écouter l'émission de Louis tout en réfléchissant à ce damné souvenir que le psychologue, Mercier, lui avait demandé d'extirper de sa mémoire. La maison, grande comme une manufacture, était vide et froide. Laurence avait repris son quart de nuit ; son moral était une balançoire qui montait et descendait avec son lot de contradictions. Duval ouvrit la porte du bar et sortit une bouteille de scotch vieux de quinze ans. Il s'en versa une lampée qu'il huma. Il marcha vers les belles tablettes en érable qui couraient sur le mur de pierres ocre. S'y trouvaient des souvenirs marquants, dont sa photo-finish du marathon de Boston. Il était loin derrière les meilleurs, mais se qualifier pour Boston s'avérait un exploit en soi. Dans ce petit musée d'estime de soi était aussi accrochée une médaille d'argent remportée aux Olympiques de la police à Chicago.

Daniel alluma la radio. L'émission de Louis débuta par une chanson de Tom Jones, suivie de son commanditaire, PFK. Duval s'installa dans un fauteuil. La voix granuleuse de Louis râlait en contrepoint pardessus celle de son idole. On l'entendait compter: « Quatre, trois, deux, un... ». Sur le plan technique: zéro – d'une semaine à l'autre, l'émission de Louis était une comédie d'erreurs. Duval savait que plusieurs collègues écoutaient l'émission, en particulier le substitut du procureur, qui aurait ce soir une oreille très attentive. Louis lui avait intimé d'être à l'écoute. Les parents de la petite Moreau seraient aussi rivés à leur radio.

Le Gros commença son émission par une prière pour les huit mineurs ensevelis en Abitibi: « Que Dieu tout-puissant ramène à la lumière nos frères ensevelis dans la mine, eux qui, dans la noirceur, dans l'immobilité, le prient aussi. » Puis il salua les gens qui lui avaient envoyé des lettres durant la semaine.

— À Jeannine qui me demande à quoi je peux bien ressembler, je l'invite à venir nous rencontrer au Centre Durocher pour la sixième édition de « Je danse avec ma police ». Plusieurs de mes collègues ont annoncé leur présence. Venez nombreuses... Ha, ha, ha ! ou plutôt nombreux, dit Louis en réparant son faux lapsus. Au programme cette semaine: la sollicitation dans la rue Saint-Denis est-elle chose du passé ? Je commente également la dernière émission de *Jeannette veut savoir*, où l'on semble prendre tous les hommes pour des tartes. Jeannette, j'espère que tu n'écouteras pas cette émission, parce que les tartes, tu vas te les prendre en pleine face. Il y a un instant, je vous parlais de ces personnes qui gagnent leur croûte dans le noir des mines. Eh bien, il y en a d'autres qui passent une partie de leur vie dans le noir des prisons, le cœur aussi dur qu'un morceau de charbon. Ce soir, comme chaque semaine, nous avons des amis à la prison de Bordeaux qui nous captent sur ondes courtes. Vous savez, la prison de Bordeaux est une prison qui a été construite dans les années vingt, selon le modèle d'une prison française qui datait déjà d'un siècle. C'est humide à l'extrême là-dedans. On a un auditeur qui peut nous en parler. On l'a en ligne. À l'avant-dernière émission, il m'envoyait chier, à la dernière il m'engueulait et, ce soir, il va commencer à me parler comme un être normal. Roger Hallé, alias Gus, a été accusé de l'enlèvement et du meurtre de la jeune Andrée Moreau. Ce soir, les parents d'Andrée vont aussi nous parler...Salut, Roger, comment s'est passée ta semaine ?

— On mange mal en crisse ici' dans.

— Combien ça te coûte pour manger ?

— ...

— Il y a des milliers d'enfants qui meurent de faim chaque jour. De quoi tu te plains ?

— Coudon, t'es don' bin stiff à soir, câlice. Tu veux-tu que je le fasse, ton hostie de programme ?

— Chus pas stiff, c'est toi qui te plains pour rien. Dans une prison du Texas, tu serais déjà passé sur le gril et tu boufferais des pissenlits par la racine et tu nous coûterais pas mal moins cher.

— Ç'arait été une bonne chose, câlice !

— Mais la vie est belle, comme dit la toune.

— Le monde est une chiure dans une poubelle qui pue.

— Pourtant, t'as eu de la belle visite cette semaine.

— ... ouan.

— Les parents d'Andrée sont allés te voir en prison pour t'offrir leur pardon. Y me semble que c'est une semaine importante pour toi, mon garçon. Y a pas une fortune qui peut racheter ça. Y a pas beaucoup de tes amis qui ont cette chance, Roger. Ce ne sont pas tous les parents qui pardonneraient au meurtrier de leur fille.

— ...

Duval, étendu sur le sofa, les oreilles en attente du meilleur comme du pire, tournait les yeux vers les points lumineux de la rive sud qui pétillaient au gré des branches qui s'agitaient devant. Entre les deux rives, le fleuve noir coulait son chemin. Son collègue lui paraissait en très grande forme.

On entendit un lourd soupir, une respiration sifflante à la radio, celle du détenu.

— Es-tu là, Roger ? Je t'entends pas fort.

— Oui, oui, chus là.

— Tu vas me faire perdre mes annonceurs. C'est un cadeau que Dieu te fait en t'offrant le pardon inconditionnel des parents d'Andrée. Y paraît que t'as reçu des livres de la part des Moreau.

— Oui, grommela la voix chevrotante de Hallé, qui avait le souffle râlant en cette soirée.

— Les parents d'Andrée sont en ligne. Bonsoir, monsieur et madame Moreau. Qu'est-ce que ça vous a fait, de pardonner à Roger ?

Le signal se perdit mais fut rapidement rétabli.

— … nous a fallu du temps, mais ça fait tellement de bien, dit la mère. Ma réconciliation avec ma blessure commençait par le pardon. Auparavant, aussitôt que j'avais une pensée pour Andrée, elle se teintait de haine. Je ne pouvais pas vivre en ressentant juste de la haine. C'est la pire des morsures.

— Ça nous a enlevé un gros poids, ajouta le père.

— J'imagine que vous avez passé des nuits à maudire Roger, pendant toutes ces années ?

— Oui, dit le père. Je ne sais pas combien de fois j'ai dû le tuer dans ma tête, je n'en dormais plus. Puis quelqu'un m'a emmené à une réunion de Jésus Ouvrier et j'ai compris que la haine allait me tuer et que j'allais perdre ma femme et ruiner ma vie. C'est Louise qui m'a entraîné vers le chantier du pardon, car c'est un vrai chantier, ça demande du travail, beaucoup d'efforts, y faut creuser longtemps en soi pour y arriver.

— Qu'est-ce qui s'est passé lors de cette cérémonie du pardon ?

— J'ai senti que la haine était évacuée et remplacée par de la paix. Je sentais quelque chose de différent en moi : la chaleur de Dieu.

Duval grimaça. Chaque fois que des gens affirmaient avoir rencontré Dieu, le lieutenant, dubitatif, se demandait s'ils étaient sincères ou victimes de leur enthousiasme.

— C'est ce que j'appelle, dans mon jargon, dit Louis, le changement d'huile du cœur. (Duval tiqua.) On se vidange du mauvais. Après, qu'est-ce qui s'est passé ?

— On était prêts à le rencontrer. L'aumônier de la prison, votre ami le père Gérard, nous a guidés dans cette démarche. Nous avons rencontré monsieur Hallé. C'était difficile de le regarder dans les yeux. Nous lui avons dit ce que nous ressentions pour lui. Il a pleuré. J'ai senti de l'humanité.

— Mais vous n'avez pas osé lui poser à ce moment-là la question qui vous tracassait depuis toujours…

— Non.

La mère sanglota, des trémolos dans la voix.

— Je veux demander à Roger de nous dire où se trouve Andrée. On aimerait l'enterrer, lui donner un coin de terre où elle sera près de nous.

Le silence à l'autre bout du fil était plein de tension. Un silence stressant que Louis rompit.

— Allô ! T'es là, toi, à Bordeaux ? Écoute, Roger. T'es en prison. Tu peux faire du bien autour de toi. Les parents d'Andrée n'ont jamais pu faire leur deuil. Y savent pas comment est morte leur fille. T'as pas d'enfant, tu peux pas savoir ce que c'est. Tu vas nous dire où t'as caché le corps de la petite. C'est pas un chien qu'on laisse traîner sur le bord d'une route. C'est une petite fille qui a été baptisée et qui devrait recevoir une sépulture chrétienne. J'entends tes chums qui te conseillent de rien dire. Écoute-les pas. Y vont tous pourrir en enfer. Y ont pas de cœur. Toi, tu retrouves le tien. Laisse-le parler.

— …

— Vas-y, Roger.

— …

— *Shoote*, mon homme. *Shoote !*

— ’coute… Je vais te le dire, mais pas devant tout le monde.

— OK, Roger, tu peux me le dire en dehors des ondes.

Duval se redressa. Une longue pause s’ensuivit, puis une chanson de Johnny Cash, *A Boy Named Sue*, brisa le silence. Duval appela aussitôt son commandant. Amener cette affaire à sa conclusion était très valorisant pour le poste, d’autant plus que l’affaire Marquis piétinait. Dallaire, qui écoutait lui aussi l’émission, était fébrile.

— On lance tout de suite l’opération, dit-il à Duval. T’es prêt ?

— Oui.

— Va chercher Louis et rappelle-moi dès que tu sais où c’est : j’enverrai quatre patrouilleurs, le maître-chien et des techniciens.

— OK. Je file tout de suite à la station.

39

Le lieutenant prit son casque et son blouson de cuir. La Ducati fila à cent à l’heure jusqu’à la station de radio CDEO, qui se trouvait à L’Ancienne-Lorette.

Derrière la console, Louis retirait son casque d'écoute. Il avait conclu son émission plus tôt, mais il était resté en contact tout au long avec le détenu et l'aumônier de la prison.

Harel aperçut Duval de l'autre côté de la vitre du studio. D'un geste nerveux, il lui fit signe d'entrer.

— Daniel, je capote, il m'a dit en dehors des ondes qu'on trouverait aussi un autre enfant, la petite touriste française portée disparue en 1969. Tu te rends compte, Daniel, le *cold case* Hervieux, la petite Sabine... après tout ce temps !

— Louis, c'est incroyable ce qui se passe !

Louis ressentait apparemment un choc ; le souffle court, nerveux, il se trouvait presque en état d'hyperventilation. Sa chemise était cernée de sueur sous les aisselles et il dégageait une affreuse odeur de transpiration. Si l'aveu de Hallé était vrai, ce serait le plus grand moment d'une carrière en dents de scie.

Duval alla chercher le verre d'eau qui se trouvait sur la console et le tendit à Louis.

— Tiens, bois.

— Les parents voulaient venir, mais je leur ai dit de rester à la maison, au cas où l'information serait fausse. Mais je crois qu'il ne ment pas.

— Dallaire nous envoie Madden avec son chien, des policiers et l'Identité judiciaire.

De la fenêtre du studio, Duval constata que les véhicules des médias affluaient déjà. « La première volée de mouches à pondre sur un cadavre n'est pas celle que l'on pense », se dit l'enquêteur qui en avait contre les chroniqueurs judiciaires. Au lieu de pondre des larves, ces parasites pondaient des articles sensationnels sur le dos des victimes.

— Pas question que les chacals fassent de l'argent sur le dos de la petite ! dit Louis.

— Où c'est ? demanda Duval.

— T'es venu en moto ?

— Où c'est?

— Es-tu prêt à me faire une bonne frousse?

Duval sourit.

— Pour ça, pas de problème.

Louis voulut appeler lui-même Dallaire pour lui transmettre les coordonnées. Hallé lui avait dit que les corps étaient enterrés derrière un chalet situé à Saint-Raymond-de-Portneuf, dans le rang Bras-du-Nord qui longe la rivière Verte.

Des journalistes, magnétos tendus, attendaient la sortie du Gros, qui se refusa à tout commentaire.

— Lieutenant Harel, où est le corps de la petite Moreau?

— Louis, est-ce qu'il a révélé l'emplacement du corps?

— A-t-il vraiment avoué?

En voyant Louis et Duval se diriger vers la Ducati, les nécrophages coururent vers leurs véhicules, prêts pour la chasse.

— Est-ce que sa description des lieux est précise? demanda Duval à Louis alors qu'il enfourchait la moto.

— Oui. Je connais la région.

Duval releva la béquille et actionna le démarreur. Louis enjamba avec difficulté l'engin.

— Accroche-toi, cria Duval.

La moto fila comme une flèche rouge vers sa cible. Le lieutenant descendit la grande côte de l'Aéroport et poursuivit tout droit vers l'autoroute Duplessis. «Tiens, suivez-moi, les asticots…» se dit-il en pensant aux médias. L'indicateur de vitesse marquait 160 kilomètres. Il tourna dans la parabole qui menait sur Charest Ouest. De la colline de L'Ancienne-Lorette, les véhicules des médias l'avaient sans doute encore à l'œil alors qu'il s'engageait dans la bretelle. Mais Duval était déterminé à les semer. Dans la grande ligne droite de l'autoroute 40, la moto perça la nuit. La route de campagne qui menait vers Saint-Raymond n'était pas éclairée. Elle traversait champs cultivés, villages, forêts, pinèdes. Le lieutenant souhaita que le cœur de son ami ne flanche pas et qu'il n'y ait pas de nids-de-poule pour les mener au paradis. Du sommet de la côte Joyeuse – quel étrange nom en cette soirée, pensa le détective –, le village de Saint-Raymond ressemblait à un jeu pour enfants. Il n'y manquait qu'un vieux train à vapeur. La ville dormait. Le lieutenant dévala la côte escarpée et tourna à droite avant le pont de la rivière Sainte-Anne.

40

VENDREDI, 30 MAI

Sous le ciel étoilé, vibrant d'immensité, les hommes s'affairaient. Les mêmes constellations, témoins muets, avaient été spectatrices des deux drames. Était-ce la dernière image qu'avaient vue Andrée et Sabine ? se demanda le lieutenant, qui grelottait. L'haleine tournait en condensation. Un technicien relia le dernier câble à la génératrice. Les projecteurs sur pied s'allumèrent les uns après les autres derrière le camp en bois rond qui ressemblait soudainement à un décor de cinéma. Le parfum des résineux dominait le paysage. En contrebas, les flots de la rivière rugissaient, gonflés par la fonte des neiges.

Madden, vêtu d'un pantalon de camouflage, sortit de son camion en sifflant. Sneak, son chien renifleur, jappa dans la boîte du camion. Quand il ouvrit le hayon, le chien en sauta avec son enthousiasme habituel, la queue comme un balai.

— Coudon, Louis, tu nous fais faire des heures supplémentaires avec ton émission, blagua Madden.

— Toi, tu m'as toujours pas payé pour la défaite des Flyers dans le sixième match de la finale.

— Je vais venir construire ta terrasse, à la place, comme tu me l'avais proposé. Mais achète tes clous et ton bois, par exemple. Est-ce que ça te convient ?

— Si je rentre dans mon argent… Elle a besoin d'être grande !

Le molosse alla au-devant de Louis, dont il renifla l'entrejambe.

— Samuel, ton chien soupçonne ma bite ou quoi ? Dis-lui de se tenir loin.

— Sneak, ici ! Tu trouveras rien là, ajouta Madden, ce qui déclencha les rires paillards des collègues.

C'était aussi le paradoxe de ce travail. L'humour qui permettait de survivre à l'indicible.

Le chien obtempéra aussitôt. Louis sortit un bout de papier chiffonné pour indiquer à Samuel l'emplacement présumé des cadavres.

Tout près, les techniciens de l'Identité judiciaire finissaient de sortir leur matériel. Par chance, on n'annonçait pas de pluie. Le seul grand nuage qui s'effilochait dans le ciel infini s'appelait la Voie lactée, étendard blanc picoté d'étoiles.

Sneak pouvait sentir un cadavre enseveli sous plusieurs mètres de terre. On l'avait dressé à percevoir des odeurs spécifiques, et même à les détecter dans un environnement contaminé par d'autres senteurs. Sa truffe ne fut pas longue à flairer la première fosse. Le chien se figea et s'assit à l'endroit où avait été enterrée une victime. Un technicien s'avança, planta un petit drapeau sur l'emplacement. « Bon chien », dit Madden en lui offrant sa récompense, un biscuit. Sneak poursuivit sa ronde et piétina longuement la même place avant de s'asseoir à quelques mètres derrière le coin du chalet. Roger Hallé avait bonne mémoire. Un technicien se pencha et piqua dans le sol un fanion jaune. Un jeune policier en uniforme photographia les lieux, pendant que les techniciens sortaient leurs pics et leurs pelles.

— Bon chien, répéta Madden en lui donnant un second biscuit.

Duval se pencha vers Sneak et fourra sa main dans son pelage noir et blond. Il évita de justesse la léchée du molosse.

— Penses-tu qu'il pourrait y en avoir d'autres ? demanda Louis.

— Autant profiter de la présence de Sneak, répondit Duval. Samuel, ratisse les alentours du chalet avec ton chien, des fois que…

Si un charnier était découvert, le deuil de plusieurs parents allait enfin se conclure, pensa Duval. Les cas non élucidés de disparitions d'enfants étaient nombreux au Québec. Les techniciens en Identité enfoncèrent leurs sinistres pelles.

Sous l'effet des projecteurs, les talles de conifères à l'horizon révélaient leur vert sombre. Avec l'éclairage, des ombres chinoises se découpaient sur l'écran de sapins. De temps à autre, le hululement sourd et doux d'une chouette meublait les rares silences. Les phares d'une ambulance débouchèrent dans l'entrée du chalet et aveuglèrent Duval. Pour semer les scribes, on avait demandé à la coop funéraire locale d'envoyer son véhicule. Duval jouissait à l'idée que les journalistes attendaient à la morgue le départ d'un camion qui n'irait jamais là où ils l'auraient souhaité. Les ambulanciers écoutaient une chanson western qui était de mauvais goût dans les circonstances. La Cadillac avec le sigle de la Croix-Rouge ne faisait qu'ajouter à l'aspect lugubre de la scène. Elle rappela un mauvais souvenir au lieutenant. Il sut dès lors de quoi serait composé le menu chez le psychologue, le lendemain.

Le premier trou indiqua rapidement par ses odeurs qu'un cadavre y gisait. La jeune fille, Andrée, selon Hallé, était enterrée à un mètre à peine de profondeur. Un fil électrique enroulé autour du cou indiqua tout de suite comment elle avait été tuée. Son corps à l'état de squelette, sur lequel s'accrochaient encore quelques tissus mous, était nu ; les vêtements avaient été jetés pêle-mêle dans la fosse.

Une heure plus tard, le même scénario se répétait avec Sabine. Madden parcourait encore et encore les lieux de long en large avec Sneak, mais sans résultat. La série meurtrière de Roger Hallé s'était arrêtée à ces deux petits anges. Enfin, c'est ce que tout le monde souhaitait.

Le camp en bois rond était bâti sur pilotis. Duval se pencha pour balayer le dessous avec sa torche. Il rampa sur quelques pieds et ramena une pelle rouillée qu'il remit à un technicien de l'Identité.

Afin de se réchauffer, Duval et le Gros entrèrent dans le chalet miteux où couraient les mulots aveuglés par les lampes. Les moustiquaires étaient déchirées, le tissu des fauteuils lacéré, le vieux poêle rouillé. Duval regarda les techniciens opérer par la fenêtre sale. Le son mat des coups de pelle dans le sol se répercutait en écho. La triste besogne avait repris un peu plus loin : Sabine avait été tuée de la même façon qu'Andrée et enterrée à plus ou moins un mètre de profondeur elle aussi. Les tissus mous sur les os d'un des cadavres indiquaient qu'il s'agissait d'Andrée, car elle avait été portée disparue longtemps après Sabine, dont les ossements étaient dépouillés. Aux petites heures du matin, alors que les premières lueurs du soleil se levaient sur la forêt, le fourgon de la morgue repartit avec les deux corps. Seuls deux trous rompaient la paix et la beauté des lieux. Les techniciens rangeaient leur équipement, prostrés par cette longue nuit.

— Samuel, tu me ramènes ? demanda Louis. Pas question que je rentre sur le cercueil à deux roues de Dany.

— Monte.

Duval resta un instant pour fouiller le chalet avec les techniciens, mais sans rien trouver de significatif. Il s'assit sur une chaise en rondins de bouleau, et son regard parcourut les lieux. Une souris sortit de sous le poêle et s'avança vers lui. Une autre la suivit. La première se figea net à mi-chemin, l'autre s'approcha de lui. Il pensa à Andrée et à Sabine. Il les imagina revivre sous la forme de ces mignonnes petites souris, qu'il baptisa aussitôt Andrée et Sabine. L'une des souris se leva sur ses pattes postérieures, le nez et les moustaches frétillantes. Il aurait aimé les entendre dire : « Merci, lieutenant, nos parents vont pouvoir mieux dormir. Dites-leur que nous sommes bien. Bonne nuit ! »

41

Au matin, le gros crâne de Louis brilla sous les feux de la rampe : radio, télé, journaux. Deux enquêtes avaient été fermées lors de son émission ! Le Gros multiplia les entrevues. *Le Soleil*, *Le Journal de Québec*, *La Presse*, *Allô Police*, Télé-Métropole… La star des chroniqueurs judiciaires, Claude Poirier, cigarette au coin des lèvres, se pointa à la centrale, accueilli par des 10-4. Il faisait un topo en direct devant la centrale :

— Louis Harel, qui appartient au mouvement charismatique, affirme que Jésus a clos cette enquête, que cette démarche a pu avoir lieu grâce à son implication à Jésus Ouvrier, qu'il n'a été « qu'un technicien exécutant les ordres célestes »...

Louis avait mis ses beaux souliers blancs, son veston bleu à rayures et sa chemise verte à grand col. Son crucifix en or au bout de son pendentif était en vue, Jésus bien emmitouflé dans son torse velu. On peignit un portrait coloré du Kojak de la SQ : on parla de son émission, de son engagement social au Club Lions, de son adhésion au mouvement charismatique, de l'intégration des boat people, de sa messe de la police. Mais avec les fleurs venait aussi le pot. On fit le tour de sa carrière : la tentative de meurtre qui l'avait laissé invalide, sa réputation d'être « léger sur la gâchette », les contraventions qu'il refusait de donner au début de sa carrière à des membres du Club Lions pour des infractions au code de la route...

Duval était content, car le crime non résolu de la jeune touriste française avait nui à Louis dans le passé. Chargé de l'enquête, il avait dû subir les pressions des parents qui le trouvaient incompétent. Un détective privé et des journalistes français avaient alors conclu à son incompétence. Des collègues méprisants l'avaient ostracisé. Ces mêmes jaloux feignaient ce matin l'indifférence devant tout ce qui lui arrivait. Dix ans plus tard, le Gros leur fermait le clapet pour de bon. Il avait lui-même appelé les parents de Sabine, qui arriveraient dans les prochaines heures. Ils avaient été d'une terrible froideur à son endroit. Le monde est ainsi fait, pensa le lieutenant. Les parents de la petite Andrée répandaient leurs mercis sur toutes les tribunes, les autres leur fiel.

Louis dut aussi clore son enquête. Il se rendit à la prison de Bordeaux. Hallé plaida coupable du meurtre de Sabine Hervieux et raconta en détail l'enlèvement et comment il avait abusé d'elle avant de la tuer. Louis le traita avec considération, lui apportant des sandwichs et des boissons gazeuses à volonté.

L'arrivée des parents de Sabine était prévue pour le lendemain, ce qui déclencha un soubresaut médiatique. Ils voulaient se rendre au chalet de Hallé. Dallaire allait leur coller au derrière un relationniste de la SQ puisqu'ils avaient traité Louis comme du poisson pourri à l'époque et que les journalistes n'allaient pas manquer de le leur rappeler. Même si le Gros se disait prêt à faire face à la musique, Dallaire avait préféré envoyer un porte-parole : il fallait éviter les dérapages. Harel était aussi rapide sur le « mâche-patate » que sur la gâchette, au dire de son patron. Il ne fallait pas gâcher ce beau coup de filet par une déclaration malheureuse.

42

Duval s'immobilisa devant la porte de l'immeuble du boulevard Saint-Cyrille. Avant d'entrer, il regarda s'il avait été vu et s'y engouffra en vitesse. Il marcha jusqu'au bureau 102. Son doigt écrasa la sonnette. Mercier ouvrit. Il portait un jean et une chemise à carreaux. Le psychologue avait entrebâillé la fenêtre pour dissiper la fumée de sa cigarette. Un quatuor à cordes jouait en sourdine à la radio ; une musique austère à l'image des tourmentés qui devaient le consulter, songea Duval.

— Installez-vous, lieutenant.

Tiens, il me donne du lieutenant, se dit Duval.

— En forme ?

— Oui, oui.

— Vous avez réfléchi à ma question?

— Oui.

Duval s'installa sur le récamier rouge de Mercier. Il avait hâte que sa courte thérapie se termine. Qu'allait-il tirer de ce souvenir qu'il allait déverser dans les oreilles du psychologue ? Vingt dollars payés pour raconter ce moment fort de son enfance changeraient quoi à sa situation actuelle ?

— Allez-y, je vous écoute.

— Enfant, j'avais terriblement peur de la mort. La découverte de la mort, de la mienne à venir, est venue me heurter profondément. Ç'a été comme une collision dans mon esprit. C'était une journée de mai 1951. Je suis en septième année. La récréation va bientôt sonner. Les cris résonnent de partout. Je suis avec les autres écoliers dans le stationnement de l'église. On joue au *fly*. Maréchal est au bâton. Comme il est un bon frappeur, je m'éloigne vers l'église. Je veux attraper la balle et me rendre au bâton. Je l'espère depuis quinze minutes. Maréchal frappe un long coup. Je cours, essayant d'attraper la balle du revers, mais elle touche le bout de mon gant et roule longtemps jusque sous le gros corbillard noir stationné devant les portes de l'église. Comme je le craignais tant, la balle s'arrête sous le véhicule. Puisque je suis le plus près et que personne ne veut courir jusque-là, j'y vais, sachant que je ne pourrai pas me résigner à me glisser sous le véhicule pour reprendre la balle. Une fois près du corbillard qui me faisait peur, je ne bouge plus. Mais les élèves s'impatientent et les cris commencent à fuser. « Allez, Duval ! Ramasse la balle ! Dépêche ! Qu'est-ce que tu fais ? » Je me penche, mais un terrible vertige me prend. J'ai mal au cœur. Je ne peux m'empêcher de regarder le monstre rond : ses rideaux en soie, le crucifix, le fourgon. Les cris continuent. Puis la cloche annonçant la fin de la récréation a sonné. Tout le monde a couru vers l'école. Je suis resté là. Et comme un malheur n'arrive jamais seul, le glas de l'église a sonné à son tour. Une vraie malédiction. J'étais anéanti par la peur. Les porteurs ont ouvert les portes de l'église. J'entendais les pas de la foule, le grand orgue qui pompait sa rengaine mortelle. Je savais que si je ne ramassais pas la balle, je passerais pour un pissou. Si au contraire je rampais sous la mort pour l'arracher, je pouvais peut-être vaincre ma phobie ou je m'évanouirais sous le véhicule. J'étais hors d'haleine. J'ai regardé encore où était la balle, en plein milieu sous le châssis. Je me suis aligné et je me suis penché en fermant les yeux. Ça tournait dans ma tête. J'ai touché la balle, mais, en me retournant, j'ai aperçu les pieds des croque-morts qui marchaient vers la porte du corbillard, puis le fond du cercueil. Je me suis extirpé de là comme on sort d'un tunnel. Le cercueil blanc n'avait pas plus d'un mètre de long. Je me suis dit que ça aurait pu être moi. En me voyant, les croque-morts m'ont demandé ce que je faisais là. J'ai montré ma balle. Ils ont souri et je me suis mis à courir vers l'école avec mon précieux objet. J'étais léger. Je venais de vivre un rite de passage. La peur, c'est quelque chose de destructeur.

Le lieutenant, qui émergeait du passé, prit conscience à nouveau de la vie autour de lui : le vrombissement des voitures, le bruit du ventilateur, l'odeur de fumée mal dispersée et la présence du psychologue. Mercier était demeuré suspendu au récit du lieutenant, le crayon tantôt posé sur sa lèvre inférieure, tantôt s'agitant sur sa feuille.

— Si quelqu'un m'avait dit à cette époque que je serais appelé à observer la mort dans tout ce qu'elle a de plus laid, à arpenter des scènes de crime, à recueillir mes renseignements à la morgue, j'aurais bien ri. Mais aujourd'hui, je ne changerais de métier pour rien au monde.

Mercier parla enfin.

— Donner un sens à la mort n'a-t-il pas donné un sens à votre vie et répondu à l'angoisse ultime de la mort ?

— Non, car je ne sais toujours pas où, quand et comment je vais mourir. Qui sera là à mon chevet ? Je n'ai pas peur de la mort d'autrui, celle que je vois fréquemment dans mon travail. Ma vie prend un sens à travers le destin tragique des autres. Je me vois comme un réparateur. Certains débouchent des conduits d'égout, d'autres rafistolent des congélateurs. Moi, je répare les torts causés à la dignité humaine.

— Et la mort est encore venue vous hanter ?

— Perdre ma femme à un moment où ma vie avait un sens, alors que nous étions parfaitement heureux, que le mot bonheur définissait bien la vie que je menais, a ramené de mauvais souvenirs. Pourquoi elle ? Pourquoi pas moi ?

— Pensez-vous que la réaction que vous avez eue, enfin, cette indifférence que votre femme vous attribue par rapport à sa fausse couche, est attribuable au cheminement que vous avez suivi relativement à cette peur ?

— Je vous paie pour que vous me le disiez.

Mercier resta impassible devant sa remarque. Le lieutenant essaya de répondre.

— Je ne me suis pas attaché à ce fœtus. Si ma femme avait perdu un enfant après neuf mois de grossesse, j'aurais été attristé. Les fausses couches sont un phénomène normal qui touche beaucoup de femmes. C'est ainsi que j'ai vu le problème.

Duval sortit vingt dollars et les remit à Mercier qui, à son grand soulagement, ne lui donna pas un nouveau « devoir intérieur ». Mais il lui dit quand même à la semaine prochaine. Quant à savoir si je vais me présenter, qu'il ne se fasse pas trop d'illusions, pensa-t-il.

Le lieutenant avait reçu deux appels sur son téléavertisseur : l'un de la propriétaire de son ancienne maison et l'autre de la centrale. Il utilisa une boîte téléphonique devant la jonction Sillery. Il appela d'abord madame Léger. La dame lui envoya aussitôt une poignée de bêtises. Elle l'accusait maintenant de lui avoir caché des informations sur les mauvaises fréquentations du quartier. Duval ne comprenait plus.

— C'est un quartier vraiment tranquille. C'est impossible. Vous ne devriez pas vous inquiéter. Écoutez, il faudrait se rencontrer.

Elle raccrocha et Duval murmura un « Crisse de folle ! » pour lui-même.

43

Le héros du jour voyait sa soirée « Je danse avec ma police » coïncider avec son triomphe. Le Centre Durocher, dans le quartier Saint-Sauveur, avait été transformé en discothèque. À chaque coin de la piste de danse, quatre gros monolithes noirs crachaient *Born to Be Alive*. Le disque-jockey avait installé des jeux de lumière multicolores et une boule disco au-dessus des danseurs. De nombreux policiers en uniforme, provenant de différentes municipalités, se déchaînaient sur le plancher. Un ventilateur diffusait de la glace sèche qui se mouvait en une épaisse brume chatoyante jusqu'aux genoux des danseurs.

Duval était accoudé au bar, en proie à une certaine lassitude. Il était venu pour Louis, sinon il aurait passé son tour. Laurence, encore de nuit, n'avait pu l'accompagner. Il regardait Francis qui dansait avec Adèle, une bonne amie de Laurence. Ils avaient l'air heureux, amoureux. À leurs côtés, Louis se déhanchait avec sa canne comme un diable dans l'eau bénite. Il ressemblait à un gourou. Il se dégageait de lui un mur de confiance. Les gens ne cessaient de le féliciter. Claudette, sa copine, vendait les billets à l'entrée. Son nez crochu, ses yeux rapprochés, son dentier si apparent n'en faisaient pas une reine de beauté, mais Louis l'adorait. Elle le laissait s'amuser, elle n'était pas du genre à surveiller ses fréquentations. Louis n'arborait que du blanc : veston, pantalon et souliers ; et de l'or : montre, bracelet et pendentif. Son crâne chauve, en sueur, brillait sous le feu des lumières. Il était content, il avait le sourire béat de blancheur. Ses partenaires de danse ressemblaient soit à des bonnes sœurs qui venaient de défroquer, soit à des putains. Jeannine, qui appelait fréquemment à son émission, avait coiffé pendant dix ans la cornette, tandis que Marie, d'origine haïtienne, faisait encore le trottoir dans la rue Notre-Dame-des-Anges un an auparavant. Il ne manquait plus qu'un de ces ex-bagnards qu'il invitait à venir témoigner dans ses soirées charismatiques. La sainte-nitouche et l'ex-pute se pressaient contre Louis, dont les bras s'agitaient comme les ailes d'un goéland. Il incarnait parfaitement l'innocent heureux de la Bible. Ses gros doigts boudinés, ornés de diamants, étaient écartés, les index haut dans les airs.

Marie, avec sa démarche chaloupée, s'approcha du bar pour renouveler sa consommation.

— Vous aviez une belle maison auparavant, lieutenant.

— Euh… oui, c'est vrai, mais pourquoi… fit-il en haussant les sourcils.

Sa copine Renée s'amena, perchée comme une grue. Elle passa une main autour de l'épaule du lieutenant.

— Ouain, Dan, t'ava' une hostie de belle cabane. Kossé qu't'as pensé ?

Duval se tourna vers elle.

— Pourquoi vous me parlez de ça ?

— Comme çâ, de même, dit-elle, chapeautant les voyelles d'accents circonflexes avec son gros accent de la Basse-Ville.

C'est alors qu'une lumière s'alluma dans le cerveau du policier. Il regarda Louis qui twistait comme un damné et il ne comprit que trop bien comment l'appel de la propriétaire de son ancienne maison s'expliquait. Il se fraya un passage jusqu'à Louis au milieu de la piste de danse. Le Gros s'agitait et chantait le refrain de *Born to Be Alive*. Duval vint se planter à côté de lui.

— Tu vas m'expliquer pourquoi toutes tes copines prostituées me parlent de ma maison ? cria Duval dans l'oreille de Louis qui continuait à danser sur place.

Il bougeait difficilement sur une piste de danse à cause de son handicap.

— Je t'ai fait profiter de mes contacts.

— La bonne femme capote. Elle m'a téléphoné.

— Ça veut dire que ça marche, tonitrua Louis qui expédia une bise à une copine qui s'approchait. J'ai été la rencontrer et je me suis fait passer pour un agent de l'escouade de la moralité.

Louis éclata d'un rire fou qui ne voulait plus arrêter.

— Tu vas me mettre dans le trouble, hurla Duval.

— Tu voulais ta maison ? Tu vas la ravoir.

Le Gros riait toujours.

— Attends de voir la bonne femme lever *dessour*...

Duval se pencha vers l'arrière, posa ses mains sur sa tête en signe de désespoir.

— Mais qu'est-ce qu'il a fait ? marmonna-t-il pour lui-même en retournant au bar, complètement dépité.

Louis reprit de plus belle : « *Born, born, born, born to be alive*... » Il moulina des bras, se déhancha et roula du torse devant une rousse qui arborait une coupe afro.

Entre les corps en mouvement, Duval aperçut le commandant Dallaire qui s'approchait de la piste de danse avec son épouse. Prince, fidèle à ses habitudes, ne s'était pas présenté. Il ne participait que très rarement à la vie sociale de l'escouade. Puis il vit Mireille venant vers lui avec ses petites lunettes rondes. Elle portait une minijupe turquoise et un chemisier blanc plutôt transparent. Le col échancré découvrait partiellement ses seins, pas plus gros que des pommes.

Duval sentit papillonner son estomac. Il avala une gorgée de sa bière pour se donner un peu de contenance. Elle avait détaché ses cheveux fauves qui reposaient sur ses épaules. Elle s'avançait vers lui avec un sourire ravageur, la bouche en cœur. Il détailla ses jambes fines, les mollets bien galbés, la cuisse ferme.

Le chanteur martelait à répétition son refrain: *born... born... born... to be alive*. Duval souhaita ardemment qu'elle ne lui demande pas de danser. Il se sentait tellement gauche et ridicule sur un plancher de danse. Elle ne détacha pas son regard du sien.

— Daniel Duval, tu ne danses pas comme les autres policiers ?

— Je danse très mal.

— Viens, je t'invite à un cours de danse disco !

— Pas tout de suite. Je peux t'offrir quelque chose à boire ?

Elle acquiesça.

— Alors, je t'offre quoi ? demanda Duval.

— Une limonade. Je ne bois pas d'alcool.

Le barman s'approcha pour prendre la commande. Sur la piste, Adèle regardait dans leur direction. Le lieutenant souhaita qu'elle ne s'imagine rien.

Le parfum de Mireille lui rappelait celui des fleurs de tilleul en juillet. Il aimait cette odeur.

— J'ai adoré ma randonnée à motocyclette.

— Tu es une bonne passagère qui sait épouser les courbes.

— Lesquelles ? demanda-t-elle en riant.

— Je parle de la route, bien sûr !

Elle libéra une nouvelle petite cascade de rires cristallins.

Le lieutenant reprit un air sérieux. Au même moment, Louis arriva tout en sueur. Il ne se priva pas de serrer Mireille dans ses bras.

— Ah toi ! Si j'étais lesbienne, tu serais mon genre…

Elle lui pinça la joue.

— Incorrigible !

— Avez-vous mis vos billets dans le baril pour le tirage ?

— Il y a un tirage ?

— On fait tirer nos vieilles matraques et des menottes.

Duval et Mireille s'esclaffèrent.

— Bon, c'est une *joke*. On fait tirer une fin de semaine à Sainte-Adèle. Vous dansez pas ?

— Tantôt.

— Déconstipez-vous ! Laissez-vous aller !

Une fille à l'allure bigote accrocha Louis au passage, mais celui-ci manœuvra pour s'en détacher.

— Je dois procéder au tirage, ma poule. Un beau voyage au village de Séraphin Poudrier, dans les pays d'en haut, ça te tente ?

Duval se demanda si le Gros n'était pas en train de devenir un gourou. Harel lui faisait penser à Marlon Brando dans *Apocalypse Now*. Louis avança lentement vers la tribune. D'un simple geste de la main, la musique s'interrompit aussitôt à sa demande. Il abaissa les bras et la foule cessa immédiatement de parler. Il exigea de l'index un éclairage et sur-le-champ on lui en procura un qui l'auréola de rose et de pourpre. Il lança un signal vers les coulisses. Une vieille punaise de sacristie, vêtue de brun et portant d'énormes lunettes, s'approcha avec le barillet contenant les billets de tirage.

— Mes chers amis, je vous parlerai pas trop longtemps car la journée a été longue.

Quelqu'un tapa des mains et tout le monde se mit à applaudir. Le Gros s'inclina plusieurs fois.

— Je veux remercier Dieu d'être ici ce soir avec vous. C'est à lui qu'il faut adresser vos applaudissements. Je sens sa lumière en chacun de vous.

Duval souhaita que le prêchi-prêcha ne s'éternise pas trop.

— C'est une soirée mémorable. Maintenant, je vais demander à Noëlla d'ouvrir le baril. Qui sait, vous aurez peut-être la chance de passer une fin de semaine dans le nord de Montréal.

Duval souhaita ne pas gagner le prix. Il n'avait pas envie de monter sur la scène. Harel en profiterait pour faire un spectacle et se payer sa gueule.

Louis procéda au tirage. Du coin de l'œil, le lieutenant remarqua Mireille, qui parlait avec quelqu'un derrière la console de musique. Un jeune policier en uniforme remporta le voyage au pays de Séraphin. Il se retira sous les applaudissements.

Quelques minutes plus tard, vers vingt-trois heures, le D.J. tamisa les lumières. Soudain, *Daniel*, d'Elton John (pas encore lui, pensa Duval), envahit l'espace, faisant fusionner les corps sur la piste. Duval avala de travers sa salive en sentant une étrange chimie envahir ses membres. La chanson avait tout d'un aveu et il comprenait pourquoi Mireille avait abordé le disque-jockey.

— On danse ? lança innocemment cette dernière, de nouveau à ses côtés. J'adore cette chanson…

Duval acquiesça du regard.

Elle était si menue qu'il craignait de l'écraser dans ses bras. Sa tête dépassait à peine ses pectoraux. Louis, à un mètre de là, lui décocha un regard malicieux, comme s'il était un vilain des *Looney Tunes*.

Duval faisait juste attention de ne pas marcher sur les pieds de sa partenaire. Elle se pressait un peu plus contre lui. Mais Adèle Marino se trouvait si près qu'il n'osait pas étaler ses sentiments. Il était raide comme une matraque, dans tous les sens du terme. Il ne faisait que tourner en rond comme un imbécile. Les beaux yeux de celle qui remplaçait Villemure sur le théâtre des homicides s'accrochaient aux siens. Le disque-jockey continua dans le liquoreux et la mélasse, faisant tourner ensuite une ballade de John Lennon. Juste assez pour que Mireille pose sa tête contre sa poitrine. Le cœur du lieutenant battait comme un maillet sur une timbale. Elle susurra quelques mots à ses oreilles. Il se sentit perdu un peu plus.

44

Lundi, 2 juin

La réunion de dix heures se déroula dans la bonne humeur. Duval souhaita que personne ne fasse allusion aux danses lascives du vendredi. Il n'avait pas la tête aux quolibets. Il se sentait sur la défensive.

Louis faisait encore les manchettes et la page 3 du *Journal de Québec*. En raison de l'heure de tombée des journaux, l'affaire Hervieux-Moreau n'avait pu être placée à la une et les journaux détaillaient encore certains éléments de l'affaire, dont les confessions de Hallé.

Après la tornade médiatique, l'équipe reprenait l'affaire Marquis. Les recherches de Francis apportèrent quelques éléments nouveaux. Mais c'est surtout la première page du *Journal de Québec*, en ce premier lundi de juin, qui donna une couleur neuve à l'enquête. Le journaliste Richard Grenier frappait fort.

Charles Marquis faisait la une non pas à cause de la mort suspecte de sa femme, mais pour son projet de revitalisation du Vieux-Port de Québec en prévision de la future grande fête de la voile. Quelqu'un avait mis la main sur la maquette et coulé de l'information, sans doute un architecte jaloux qui avait perdu le concours, avait affirmé Marquis à une tribune téléphonique du matin. Du côté du *Soleil*, un éditorialiste démolissait son projet avant même sa construction. Pierre Lévesque se demandait si le contrat allait échoir au groupe qui avait acheté quelques mois plus tôt Marquis Corporation. Autre point de litige : la dimension du projet. Les quatre édifices de dix étages devant le quai de la Reine laissaient perplexe l'éditorialiste. Ces condominiums de luxe allaient « affreusement enlaidir la vitrine historique qu'est place Royale et cacher aussi ce joyau qu'est le Château Frontenac », disait-il en substance. L'édifice, inspiré d'Habitat 67, allait sans doute rapporter gros au promoteur en raison de la proximité du fleuve. L'éditorialiste rappelait enfin que Marquis avait détruit dans le passé le cachet de la ville de Québec en s'efforçant d'en faire une cité résolument américaine.

Il faudrait maintenant, pour Charles Marquis, ramasser les pots cassés et se justifier sans arrêt. Ses adversaires allaient exploiter à fond ces munitions.

Duval lut un passage du *Journal de Québec* à voix haute.

— « Je veux ramener des gens aisés en ville, des citoyens qui vont payer des taxes. On ne peut pas arrêter le progrès. Il faut cesser de s'étaler vers la banlieue. Je sais qu'on en paiera le prix tôt ou tard. On ne vit plus à l'époque de Champlain. On compare mon projet à celui de Moshe Safdie, l'architecte qui a dessiné Habitat 67. Je suis content. Mais il ne faut pas oublier que Safdie a été très critiqué à l'époque alors que, treize ans plus tard, cet édifice est devenu un attrait touristique et qu'il est photographié dans les ouvrages récents d'architecture. »

— Parce que c'est aussi laid que son radiateur, lança Louis en gloussant.

On se concentra finalement sur l'ordre du jour et Francis passa ses notes en revue tout en ramenant son toupet blond au-dessus de sa tête.

— J'ai des nouvelles d'Estelle Lambert.

— Puis ? demanda Duval.

— La grande bienfaitrice de l'humanité est sortie des soins intensifs hier, mais les médecins invoquent sa grave commotion cérébrale pour nous interdire pendant quelques jours encore de lui parler ! J'ai par contre longuement interrogé Madeleine Linteau, vendredi après-midi, et elle se rappelait tous les objets achetés par Estelle pour Florence.

— Que révèle l'expertise des documents ? demanda Duval.

— Tous les papiers sont en règle et il n'y a pas eu falsification. Les dernières volontés de Florence Marquis ont été exécutées comme elle le souhaitait.

— Mais elle ne savait pas que l'exécuteur testamentaire était en train de l'exécuter à petit feu avec de la mort-aux-rats ! ajouta Louis.

Duval repoussa cette affirmation du revers de la main.

— Tes conclusions sont un peu hâtives, Louis. Mais comme tu es le Hercule Poirot du jour, on passera l'éponge.

— À propos de mort-aux-rats, dit Francis, je vais faire le suivi avec le gérant de la quincaillerie de l'île. La vérification des factures doit achever. Au fait, dans la plupart des quincailleries, les raticides en vente libre sont à base de bromadiolone.

Avant la fin de la réunion, Duval reçut un message indiquant que Marquis voulait le voir d'urgence.

— Dix piastres qu'il avoue le meurtre de sa femme ! lança Louis.

— Dix piastres, Louis, que tu ne feras plus jamais les manchettes si tu continues à dire n'importe quoi.

— T'as pas l'air dans ton assiette, aujourd'hui ! As-tu eu des nouvelles de la propriétaire de ta maison ?

— Non, pourquoi ?

— Juste pour savoir.

45

Marquis, toujours en robe de chambre, invita Duval à s'asseoir. L'homme d'affaires se glissa derrière son bureau en acajou, l'air dévasté. Plus rien à voir avec l'homme plein d'assurance qu'il avait vu les jours précédents. Un ouragan lui était passé dessus. Les poches sous ses yeux racontaient la nuit angoissante qu'il venait de traverser. Son rasage et le stress avaient aussi causé un peu d'eczéma sous son menton. Les ailes de ses narines étaient rougies. Cocaïne ou nez enchifrené ? se demanda Duval.

— J'ai reçu ça, dit Marquis.

Il tendit un billet. Le message était tapé à la machine à écrire sur du papier brun de mauvaise qualité.

Affreux sodomite, oublie la mairie, oublie ta vie tranquille si tu n'annonces pas ta démission dans les vingt-quatre heures. Un maire gai et coké ! Québec n'est pas Sodome.

Marquis se contorsionna sur sa chaise. Duval crut qu'il allait éclater en sanglots. Mais il parvint à se contenir, son visage pétrifié, l'air grave. Ses doigts faisaient tournoyer le globe terrestre en marbre. Il donnait l'impression d'avoir reçu une décharge de chevrotine à l'âme.

— Mais qui peut bien me faire une chose pareille ?

Le lieutenant examina le billet. Celui-ci n'était ni daté ni signé. Aucune rançon n'était demandée. Une seule exigence : rétracter son engagement de briguer la mairie.

— Ont-ils des preuves que vous êtes homosexuel ?

— Oui. Il y avait deux photos avec la lettre. Une où j'entre au Ballon, main dans la main avec Serge, et une autre dans le cimetière St. Matthew's pendant que je l'embrasse.

Le visage de Marquis se teignit de rouge. Il était embarrassé comme jamais.

— Je peux les voir ?

— Je préfère que non.

Duval tiqua en fermant les yeux.

— Écoutez, j'ai besoin de tous les renseignements pour vous aider. Vous ne vous rappelez pas avoir vu quelqu'un prendre ces photos ?

— Bien sûr que non ! Je ne l'aurais pas laissé faire.

Marquis hésita puis se résigna. D'une main molle, il remit au policier les deux photos.

Duval compara l'objet du chantage à de la dynamite. L'humiliation que ressentait Marquis démolissait sa dignité. Ses mains serraient son visage comme un étau.

— Avez-vous parlé de cette lettre à des gens que vous connaissez ?

— Non.
— Même à des proches ?
— Juste à Serge.
— Aurait-il pu en parler à d'autres ?
— Je ne sais pas.
— Qui voudrait vous faire chanter ?
— Je ne sais pas.
— Des rivaux politiques ?
— Je ne sais pas, je vous dis.
— Ce matin, à la une du journal, un journaliste dénonce votre projet de construction dans le Vieux-Port. Comment la nouvelle a-t-elle pu être connue ?
— Le concours est public. Il y a longtemps que je travaille à ce projet. Plusieurs personnes ont eu accès aux maquettes.
Marquis se gratta fébrilement le menton et la rougeur s'accrut un peu plus.
— Vous parliez à la radio d'architectes frustrés, reprit Duval.
— Oui, c'est ce que j'ai dit.
— Vous avez des soupçons ?
Marquis hocha la tête de dépit.
— J'ai su que Marcel, l'homme que j'avais tant aimé au collège, avait présenté un projet lors du concours. Comme son projet n'a pas été retenu, j'ai pensé qu'il avait pu établir un lien de cause à effet et croire que le concours était arrangé d'avance.
— Au point d'exercer du chantage ?
— Je souffre peut-être de paranoïa…
— Un homosexuel peut bien en faire chanter un autre, prétexta Duval.
— Les coups volent très bas, là comme ailleurs. Mais, dans ce cas, on réclamerait une rançon…
— J'en conviens. Lors de vos sorties dans des bars gais, avez-vous été en contact avec des gens qui vous ont menacé ou suivi ?
— Non.

— Vous m'avez dit que les gens avec qui vous alliez naviguer l'autre jour étaient aussi des homosexuels.

— Oui.

— Plusieurs sont des personnes en vue…

— En effet.

— … et la lettre fait référence à une consommation de cocaïne. Qu'en est-il ?

Marquis baissa la tête, demeura muet. Duval sut qu'il lui cachait quelque chose.

— Comment savent-ils que vous consommez de la coke ? Dites-le-moi.

Marquis fourra une main dans son veston et en sortit une photo qu'il avait froissée. On le voyait, billet enroulé à la main, s'apprêter à consommer une ligne de cocaïne en compagnie de Serge Dolbec.

— Pourquoi me cacher ces renseignements, monsieur Marquis ? J'ai besoin de tout savoir.

Marquis se figea net, comme le béton qui avait fait sa fortune.

— Où cette photo a-t-elle été prise ? reprit le lieutenant.

— Sur la terrasse de la maison de Serge.

— Quelqu'un avait-il accès à votre terrain ?

— C'est tellement vaste. Il est facile de se cacher derrière un arbre ou des buissons.

— Cette photo est récente ou non ?

— Je pense qu'elle date de l'an dernier.

— Les gens qui étaient avec vous sur le bateau, l'autre jour, savent-ils que vous consommez de la cocaïne ?

— Oui.

— Quelqu'un, parmi ces individus, aurait-il une raison de vous en vouloir ?

— Non. S'il y a un endroit où je me sens moi-même et à l'aise, c'est en compagnie d'autres gais. Ce sont mes amis.

— En même temps, vous prenez des risques en vous montrant dans ces endroits.

— Je ne le fais plus, ou du moins très rarement.

La boule du globe se remit à tourner de plus en plus vite au bout de ses doigts.

Duval marqua une longue pause avant de poser sa nouvelle question.

— Où est Serge Dolbec ?

— Il est en train de repeinturer le garage de la maison.

— Vous m'avez dit l'autre jour connaître le passé de Martin Giroux.

D'un geste, Marquis repoussa du revers de la main les insinuations de Duval.

— Martin est très dévoué. J'ai confiance en lui malgré ses antécédents judiciaires. Jamais il n'aurait fait une chose semblable.

Tiens, tiens, se dit le lieutenant, Marquis a changé radicalement d'opinion au sujet de Giroux. Cette lettre de menace avait-elle pour but de lancer son équipe sur une autre piste ? Marquis, Dolbec et Giroux sentaient-ils la soupe chaude ?

— Connaissez-vous bien le passé de Dolbec ?

— Il n'a pas de passé judiciaire.

— Il s'est quand même prostitué à une certaine époque.

— Je sais tout ça. Il était mineur. Ça ne change rien à l'amour que j'ai pour lui.

— Et vous n'avez aucun soupçon ?

— Pas le moindre.

— Quelqu'un vous ferait-il subir des pressions financières ? Quelqu'un qui en voudrait à votre argent ?

Marquis parut décontenancé. Il avait l'impression que Duval lisait dans ses pensées.

— Savez-vous que votre petit ami fait d'étranges livraisons ? reprit Duval.

— Qu'est-ce que vous voulez dire ?

— Je l'ai vu, l'autre soir, remettre à des contacts ce qui m'a paru être des sachets de poudre.

Marquis faillit défaillir. La zone d'eczéma rougit davantage.

— Voyons, vous devez vous tromper !

— Je le souhaite pour vous.

— Ce devait être des billets de spectacle.

— Des billets de spectacle ?

— Serge joue dans une revue musicale depuis plusieurs années. Il a créé un personnage à succès, Dolly D'Aiguillon. Il s'est produit dans de nombreux bars gais de Québec et de Montréal. Comme c'est une troupe amateur, il distribue fréquemment des billets. Ils vont jouer à la fin du mois une pièce de Michel Tremblay.

Il n'y a pas pire aveugle que celui qui ne veut pas voir, pensa Duval qui souhaitait mettre en garde Marquis contre ses amis. Il nota cependant le renseignement pour le vérifier et se dit qu'il avait enfin une réponse à ses interrogations quant aux différents noms de Dolbec.

Le lieutenant se leva.

— Je vais garder le message et les photos pour les faire analyser.

— Pas les photos !

— Je vous promets que tout ça restera confidentiel.

Marquis acquiesça, la mort dans l'âme. Duval ressentit alors une certaine compassion pour lui. Sa situation devenait insoutenable. C'était un scénario cauchemardesque pour un gai, une sorte d'homicide identitaire.

— Et qu'est-ce que je fais, pendant ce temps ?

— Vous attendez qu'on vous dise quoi faire. J'aimerais mettre votre ligne sur écoute.

— Vous n'y pensez pas !

— Dans ce cas, vous n'avez qu'à vous retirer de la course à la mairie. Bonne journée !

Duval tourna les talons. Le rappel ne se fit pas attendre longtemps.

— Attendez ! Bon, c'est d'accord.

— Ce sera fait d'ici une heure ou deux, le temps d'obtenir un mandat.

Duval n'allait pas l'aviser que la ligne de son mignon perdrait aussi sa confidentialité. Puisqu'il n'y avait qu'un compte de téléphone, il y voyait une bonne excuse qui pourrait être défendable en cour et acceptée comme preuve.

Marquis accompagna Duval jusqu'à la porte.

En sortant, celui-ci se demanda à nouveau si Marquis ne cherchait pas à détourner les soupçons d'homicide qui pesaient sur lui. Mais l'article du *Journal de Québec* était bel et bien réel. La nature humaine l'avait habitué à tous les paramètres de la dégénérescence. Cette histoire de concours d'architecture était de la foutaise. Il n'y croyait pas un instant.

En refermant la porte, il aperçut Dolbec juché sur une échelle. Il portait une casquette de peintre, une salopette bleue et des chaussures en toile blanche, un chalumeau dans la main gauche et un grattoir dans la droite. La flamme bleue faisait boursoufler la peinture. D'un bras mollasson, il grattait la peinture desquamée du garage, qui tombait en fines écailles.

— Monsieur Dolbec, j'aimerais vous voir.

— J'arrive.

Il éteignit le chalumeau et déposa le grattoir sur la marche la plus haute de l'échelle. Avec son avant-bras, il essuya la sueur qui perlait sur son front puis descendit sans regarder le travail qu'il avait accompli.

— J'aimerais savoir ce que vous livriez vendredi soir dernier.

— Je suis filé ou quoi ?

Il ne cessait de renifler, même s'il n'avait pas l'ombre d'un rhume au fond de la gorge.

— Non, on s'est plutôt retrouvés sur le même chemin par hasard et je me suis demandé si vous ne faisiez pas un autre job en dehors de celui-ci. Qu'est-ce que vous distribuiez ?

Dolbec éclata de rire en hochant la tête d'incrédulité.

— Vous avez confondu billets et drogue !

Il sortit son portefeuille et en retira des billets de spectacle. Il les passa à Duval, qui les examina.

— Je fais du *transforming* sous le nom de Dolly D'Aiguillon. C'est mon nom de scène, comme Guilda pour Jean Grimaldi ! À la fin du mois, nous montons les *Belles-Sœurs* de Michel Tremblay. J'ai formé une troupe il y a trois ans : la troupe Osarose. Tous les rôles de femmes de la pièce seront joués par des hommes travestis. Vous connaissez Tremblay, c'est le meilleur dramaturge québécois et il est gai, dit Dolbec fièrement. Il est même connu à l'étranger. C'est possible qu'il assiste à la pièce. Toutes les troupes amateurs fonctionnent de bouche à oreille. Comme la communauté gaie forme un groupe restreint dans la ville et que nous nous connaissons tous plus ou moins, les acteurs de la pièce vendent leurs billets en rencontrant des connaissances. Vous savez, ce n'est pas la première fois que notre troupe monte un spectacle.

Duval regarda attentivement sous le nez de Dolly.

— En passant, vous avez un peu de farine sur le bord du nez.

Dolbec passa un doigt rapide sur ses narines rougies par la cocaïne. Le lieutenant planta ses prunelles sombres dans celles du jeune éphèbe à l'allure androgyne.

— Bonne journée, conclut-il. Faites attention de ne pas inhaler trop de peinture au plomb, c'est toxique…

Dolbec encaissa le coup sans broncher. Il se pencha, ramassa son chalumeau et remonta sur son échelle. Duval repartit avec l'impression que chacun des suspects dans cette affaire avait toujours une nouvelle carte dans son jeu. L'histoire des billets était véridique. Il avait été trop prompt à tirer une conclusion.

46

En début d'après-midi, Duval reçut un message alors qu'il revenait avec Louis d'un resto de la Grande Allée. Une manifestation se tenait aux abords de la résidence de Charles Marquis. Les Amis de Florence protestaient contre une injonction les empêchant de se rendre désormais dans la chapelle. Deux agents de sécurité bloquaient l'accès au terrain. Duval fut aussi avisé que les techniciens avaient mis la ligne de Charles Marquis sur écoute et qu'un micro avait été installé dans la maison de Serge Dolbec.

Daniel et Louis prirent immédiatement le chemin de Sainte-Pétronille. Les scènes pastorales qui défilaient devant le pare-brise, le temps frais et ensoleillé rendaient la balade agréable.

Le Gros, toujours aussi philosophe, pestait contre le patron du Wrigley Field qui insistait pour que les matches de baseball se jouent l'après-midi. Il n'y avait pas de projecteurs au stade des Cubs. Résultat : le match qui était allé en prolongation avait dû être arrêté en raison de l'obscurité. L'entêtement du roi de la gomme à mâcher avait une seule cause : il souhaitait voir les cols bleus de Chicago se reposer en famille, le soir venu.

— Ce gars-là est riche à craquer et il s'entête à ne pas acheter des ampoules pour éclairer ses joueurs ! pestait Loulou.

— Il n'est pas plutôt partisan de la tradition qui veut que le baseball soit un sport de jour ?

— Avec sa maudite tradition, le match a été arrêté alors que c'était trois contre trois et on ne sait pas quand il va être repris.

En arrivant à la hauteur du domaine de Marquis, Duval aperçut les deux agents de sécurité. Une vingtaine de personnes, surtout des gens âgés, s'étaient regroupées. Un curé en soutane et arborant le col romain menait la manifestation.

— Pourquoi Marquis les empêche-t-il de prier? s'interrogea Louis.

— C'est une propriété privée.

Plusieurs manifestants portaient des pancartes sur lesquelles on pouvait lire: « Laissez-nous prier », « Béatifions Florence ». Une femme portait une icône de la Vierge noire sous laquelle elle avait écrit: « Elle a pleuré pour nous. »

— Une vraie cour des miracles! Maudit asile! pesta Duval.

— Daniel! Pas de farces avec ça!

— Tu crois à ça?

— Tu sais que la croix a dansé devant mes yeux pendant mon coma!

Le lieutenant n'ajouta rien pour ne pas froisser le Gros.

Un message sur une pancarte intrigua le lieutenant: « Prions pour le roi du béton! » Ce message faisait-il référence à l'homosexualité de Marquis? Florence avait-elle confié à son groupe de prière l'autre drame qui l'accablait?

Le lieutenant sortit de la voiture pour aller à la rencontre des manifestants, Louis sur les talons. Afin de se donner des airs de journaliste, Duval sortit son carnet. Aussitôt, celle qui lui parut la plus hystérique du groupe s'approcha. Elle portait un pantalon noir et une chemise blanche.

— Que se passe-t-il? s'enquit Duval.

— Marquis nous interdit l'accès de la chapelle.

— Mais c'est un terrain privé, prétexta Duval.

— Non, c'est la chapelle de la Vierge noire. C'est le lieu où l'on prie Florence Marquis, qui nous accorde des grâces.

Un manifestant lui remit une circulaire lui enjoignant de se joindre à la Fondation des amis de Florence Marquis. Un autre billet invitait au prochain atelier de prière. Un homme ajouta en contrepoint :

— On sait qu'il se passe des choses pas très catholiques dans cette maison, si vous voyez ce que je veux dire.

— Et qu'est-ce que vous voulez dire ? demanda Duval, très intéressé, d'autant plus que c'était cet homme qui tenait à bout de bras la pancarte : « Prions pour le roi du béton ! »

— Je dis qu'il se passe des choses pas belles dans ces murs, reprit l'homme en haussant le ton.

L'individu, chétif comme un arbuste malade, montrait beaucoup d'agressivité.

— Et en quoi ça vous regarde ? le provoqua le lieutenant.

— La moralité regarde la religion catholique. Monseigneur l'a dit.

— Monseigneur ?

— Bin, voyons, monsieur ! L'évêque de Québec. On voit que vous faites pas votre religion.

— Qu'est-ce que vous entendez par moralité ?

— Certainement pas toutes les cochonneries qui ont cours dans cet antre de débauche.

Louis parut approuver ces propos, ce qui déplut au lieutenant. Cet homme pouvait-il être l'auteur de la lettre anonyme qui acculait Marquis au pied du mur ? Florence s'était sans doute confiée. Ou encore Estelle Lambert, avec sa langue venimeuse, avait répandu la nouvelle.

— Comment vous appelez-vous ?

— Joseph Mazenod, et mon père s'appelait Eusèbe Mazenod. Ma famille a donné dix curés et treize religieuses à la communauté. Tous des Mazenod.

— Êtes-vous de l'île ?

— De L'Ange-Gardien, juste de l'autre bord.

Avec ces informations, il serait facile de retrouver le zélote, se dit Duval.

Le curé s'approcha. Il dépassait d'une tête ses ouailles. Son visage émacié, ses orbites sombres lui donnaient un air austère. Sa tonsure naturelle avait rougi au soleil. Louis allongea une main chaleureuse. Duval présenta une main molle.

— Je suis le curé Ouellet. Que faites-vous ici, mes chers amis ?

Duval détestait qu'on l'interpelle avec l'expression « mon ami ».

— Je suis enquêteur de police, mon père, répondit Louis.

— Ah, je sens que c'est Dieu qui vous envoie.

— Et pourquoi ? s'enquit Duval.

— Pour mettre fin à la luxure et au stupre.

— D'où tenez-vous vos renseignements ?

— C'est connu. J'ai été le confident de Florence. Je lui ai plusieurs fois donné l'extrême-onction.

— Que faites-vous de la loi du confessionnal ? fit remarquer Duval.

— Elle s'est confiée en dehors du confessionnal, mon ami.

— C'est quoi, cette histoire de Vierge qui suinte ?

Le visage du curé se crispa, ce qui rappela à Duval ces moments angoissants qui précédaient les coups de courroie au collège.

— Un peu de respect, monsieur l'enquêteur. Ceci n'a rien de léger. Plusieurs fois la Vierge noire a donné des signes de sa présence dans la chapelle.

— Et comment ?

— Elle pleure, mon ami.

— Mais Charles Marquis est chez lui. Vous n'avez pas le droit d'accéder à son terrain.

— En quoi cela le prive-t-il de nous voir prier dans la chapelle ? Charles Marquis a même menacé de la faire raser si nous prolongions notre manifestation. C'est ce qu'il nous a affirmé en passant la grille. C'est un pécheur, monsieur. Un vrai antéchrist ! dit le curé en marquant chaque syllabe.

Louis acquiesçait en silence à ses propos. Duval décida d'affronter le curé Ouellet.

— Vous dites que vous avez plusieurs fois donné l'extrême-onction à Florence.

— C'est exact, mon fils.

— Écoutez, monsieur, je ne suis pas votre fils. Répondez juste à mes questions.

— Ne me parlez pas sur ce ton !

— Cessez tout paternalisme à mon égard.

Le curé regarda Louis.

— Votre ami ne doit pas être pratiquant.

Toute la désapprobation de Louis s'exprima dans son visage.

— Non, mon père, dit-il en baissant la tête.

— Maintenant, intervint Duval, répondez à ma question : vous avez donné plusieurs fois l'extrême-onction à Florence Marquis. Pourquoi ne pas l'avoir incitée à prendre ses médicaments anti-douleur ?

— J'ai tout fait pour l'en convaincre. Elle ne voulait pas, car elle préférait souffrir pour Lui.

Le curé lui tourna le dos et se remit à égrener son chapelet, que reprirent en chœur les manifestants, tous vêtus d'une manière vieillotte.

Duval se dit qu'il était temps de mettre le nez dans les *Carnets spirituels* de Florence Marquis. Il ne portait pas les religieux dans son cœur. Les hommes et les femmes de Dieu qu'il avait croisés dans sa vie lui avaient laissé de mauvais souvenirs – des coups non mérités, des punitions abusives, des abus malsains.

Les premiers comportements criminels qu'il avait observés *de visu* étaient ceux de religieux. Ses premiers exemples d'injustice flagrante étaient issus de bonnes sœurs acariâtres, sans aucun jugement, frustrées de leur condition. Comme si elles se défoulaient de leur esclavage de prières. Sa seule consolation était de savoir que ces folles de Dieu n'avaient pas eu d'enfants.

Tout en regagnant la voiture, Duval se tourna vers Louis, sachant que son commentaire allait le froisser.

— Crois-tu que ce curé aurait pu envoyer la lettre à Charles Marquis ?

— Daniel ! Franchement ! Un curé ne fait pas ça !

— En 1922, l'abbé Delorme a bien assassiné son frère pour lui voler sa fortune et a trafiqué les papiers notariés !

— On l'a libéré après deux ans. Il a été acquitté.

— Oui, mais tout le monde savait qu'il avait tué son frère.

— Je ne veux pas entendre cette théorie-là.

Duval monta dans la voiture dont le tableau de bord, chauffé par le soleil, dégageait une odeur de plastique. Il roula lentement jusqu'au stationnement de la résidence après avoir montré sa plaque aux agents de sécurité. Il aurait aimé que Marquis l'avise avant d'obtenir cette injonction.

Madeleine nettoyait les carreaux à l'extérieur. Elle les avisa que monsieur était sorti, mais que monsieur Dolbec était dans sa maison.

Duval donna deux coups de heurtoir : il perçut du mouvement à l'intérieur de la coquette demeure. Dolbec ouvrit. Vêtu d'un peignoir imprimé de lettres chinoises, il sortait de la douche. Serviette à la main, il séchait ses cheveux délavés, presque blancs.

— Je me donnais une teinture. Qu'est-ce que je peux faire pour vous ?

— On a une photo à vous montrer, expliqua Duval en annonçant son faux prétexte.

— Entrez, dit-il d'un ton sec. Je monte me changer.

Une fois Dolly hors de vue, Duval expédia un sourire de satisfaction à son comparse. L'occasion était trop belle. Harel et Duval choisirent le recoin le plus sûr pour cacher le microphone : sous la table coincée entre deux fauteuils. Il aurait fallu épousseter le dessous du meuble pour le découvrir, et d'après la poussière accumulée, le ménage n'était pas fait souvent.

Duval s'approcha de la table longue. Il aperçut la revue porno qui y traînait. La couverture montrait un homme nu, ce qui répugna au Gros. Sur le papier glacé, Duval remarqua des traces de cocaïne et de lames de rasoir. Ce qui l'intéressa davantage, sur cette table, c'étaient les plans d'architecte. Le lieutenant prit l'épais rouleau, le même qu'il avait vu Dolbec et Giroux consulter au Ballon, et le déplia. Le « Projet Cozumel », comme il y était indiqué, consistait en un hôtel de luxe sur le bord de la mer. La construction du complexe semblait chère à Dolbec et à Giroux, qui paraissaient avoir plus en tête le Mexique que Marquis. Et si les deux hommes faisaient chanter le richissime quinquagénaire ?

Il ne leur restait plus qu'à attendre Dolly, à lui montrer la photo d'un suspect bidon et à se tirer.

47

MARDI, 3 JUIN

Le lendemain matin, aux petites heures, Harel et Duval notèrent la présence d'un faux camion d'Hydro-Québec aux abords du manoir de Marquis. La fourgonnette grise aux vitres teintées contenait tout un appareillage électronique qui permettait de capter les conversations et de les enregistrer. De plus, dans la mesure où une communication serait suffisamment longue, Bell pourrait localiser sa provenance. Duval voulut s'enquérir du déroulement de l'opération.

Louis préféra rester dans la voiture. Duval traversa la rue d'un pas rapide et frappa à la porte du camion gris. Le technicien tout en sueur le fit monter. Devant son appareillage électronique, Paul Danis raconta qu'il ne se passait pas grand-chose.

— Un appel a été fait chez Dolbec en fin d'avant-midi. Rien de particulier.

Il faisait chaud à l'intérieur, tout près de vingt-cinq degrés, et l'habitacle était pire qu'une serre au dire du technicien. Duval se réjouissait de ne pas accomplir ce boulot. Il se rappelait avoir fait de l'écoute électronique dix ans plus tôt, afin d'amasser des preuves qui allaient mener à la Commission d'enquête sur le crime organisé, la CECO. Lui et d'autres policiers tentaient alors de comprendre comment était né l'empire des frères Dubois, qui comptaient parmi les crapules les plus ignobles de l'histoire du crime au Québec. Le lucratif marché de la protection et de la drogue rapportait des millions de dollars à ces bandits qui avaient pris le contrôle de Saint-Henri et d'une partie de la rue Notre-Dame à Montréal.

Duval souhaita une bonne journée à Danis et retourna avec bonheur à son véhicule.

Louis lui tendit une tablette Mars. Duval déclina son offre. L'odeur du chocolat au lait lui avait toujours répugné.

— À une époque, se rappela Louis en enfournant goulûment le chocolat caramélisé, je pouvais avaler dix barres Mars en ligne, jusqu'à m'en rendre malade.

Duval l'écoutait d'une oreille distraite. Il réfléchissait à la lettre de menace, repensait au curé en soutane. À ses côtés, Louis avait complété le mot mystère du journal et refermait le tabloïd.

— Les gars de la mine n'en sortiront pas vivants, poursuivit Louis. Il a beaucoup plu par là dans les derniers jours et les travaux ont été ralentis par l'accumulation de la boue. Je ne voudrais pas être à leur place, me voir et m'entendre mourir au fond d'un trou.

— Dis donc, t'as rien de plus réjouissant à me raconter ?

— Oui, regarde le beau pétard du matin, dit Louis en montrant la pin up du jour en bikini.

Mais c'est davantage la une du *Journal de Québec* qui déprimait Duval. Un gros plan sur un fils éploré, avec le titre : « Sa mère s'est noyée sous ses yeux ». La mère apparaissait en médaillon. Ces journalistes-là n'avaient aucun respect pour la dignité humaine. Un photographe avait eu le culot de capter le drame de cet enfant pour commercialiser l'accident. C'était une forme de diffamation de l'âme, pensa-t-il. Eux appelaient ça de l'information…

— Je me demande comment tu fais pour lire un ramasse-crottes pareil. Dire qu'on appelle ça un journal !

— Gâche don' pas mon plaisir, lui reprocha Louis.

Duval démarra le véhicule. Au même moment, il aperçut une grue et un camion qui entraient dans le chemin menant à la résidence de Charles Marquis. Le roi du béton avait-il quelque projet de construction sur son domaine ?

Le reste de la journée n'apporta rien de significatif.

48

MERCREDI, 4 JUIN

L'horloge marquait huit heures et Duval faisait le point avec son équipe. Mais les nouvelles qui retenaient l'attention du lieutenant venaient du *Journal de Québec*. La une montrait un camion en train de déménager la chapelle sur le terrain d'un camp de jour à l'est de l'île d'Orléans. Marquis avait offert sa chapelle contre un dollar.

Le même journaliste, Richard Grenier, affirmait que Marquis faisait l'objet d'une enquête policière au sujet de la mort de sa femme Florence.

— Quelqu'un coule de l'information à Grenier, résuma Duval.

— Qui ?

— Je ne sais pas, mais c'est une vraie campagne de salissage.

Francis entra en coup de vent dans la salle.

— Je vous annonce qu'Estelle Lambert est sortie de l'hôpital !

— Est-ce qu'on lui fait passer le polygraphe ? demanda Louis.

— Son médecin dit qu'elle n'est pas encore pleinement rétablie de sa commotion, avisa Francis.

Duval ramena à l'avant-plan les articles de Grenier.

— Ce crétin ose appeler ça du journalisme d'enquête !

— Il n'a pas mentionné que Marquis est homo, lança Louis.

— C'est vrai. Mais les gens qu'on a rencontrés lors de la manifestation devant la grille de la résidence de Marquis sont très bavards, à commencer par le curé. Je crois que Grenier est en train de faire un *build-up*. C'est le supplice de la goutte d'eau qui fait vendre de la copie.

Duval parcourut le dernier rapport d'écoute électronique.

— Paul Danis pense que Dolbec se sait sur écoute. Ses conversations téléphoniques sont maintenant laconiques, ponctuées de phrases du genre « on s'en parlera là-bas », « plus tard »… Et personne n'est venu chez lui pendant ce temps. Ils se sont terrés, ce qui semble un réflexe normal dans les circonstances.

Un rendez-vous pris par Dolbec intéressait pourtant Duval. Il aurait lieu à la taverne Sélect, le lendemain soir à dix-neuf heures. Dolbec devait y apporter « les affaires ».

— Frankie, comme ils ne t'ont pas encore vu, tu iras à la taverne. Moi, je serai au casse-croûte juste en face.

— Est-ce que je m'habille en rose ? Non, sincèrement, j'ai pas envie.

Loulou ricana et s'avança pour pincer la joue de Francis.

— Avec ton beau petit toupet blond, ma grande, t'es tellement « cute » ! Tu vas faire un malheur.

— Loulou ! s'indigna Francis en frappant Louis solidement sur le bras.

— Elle frappe fort, en plus ! Vas-y, fais-moi mal !

Francis roula des yeux exaspérés. Dans cet univers viril, certaines insinuations ne passaient pas, même à la blague. Duval s'interposa comme un professeur essayant de calmer des élèves dissipés puis, les esprits apaisés, il parcourut le mémo qu'il avait rédigé la veille.

— Francis, peux-tu me trouver l'adresse de Giroux de l'automne dernier ?

— C'est dans le dossier.

— Va voir la quincaillerie la plus près de là. Prends aussi la photo du dossier.

— Tu penses que…

— Va voir ! coupa Duval.

Francis sortit, pas très content de son assignation.

Duval prit le *Soleil*. Il avait été avisé qu'on n'y était pas très tendre envers Marquis. Et avec raison : dans la page d'opinions, plusieurs lecteurs dénonçaient le projet de Marquis : « Finis, les monstres en béton », disait l'un d'eux. « Le port n'appartient pas qu'aux riches », écrivait un autre. « Pas de mairie pour le marquis du ciment », titrait un troisième. Rien pour remonter le moral de l'homme d'affaires.

Le lieutenant referma le journal.

— Et nous, qu'est-ce qu'on fait ? s'informa Louis.

— On se rend au magnifique *Journal de Québec* rencontrer Richard Grenier, qui devrait gagner le Pulitzer avec sa série d'articles…

49

Le boulevard Pierre-Bertrand était congestionné par les automobiles et les véhicules lourds. Louis complétait le mot mystère du journal et Duval observait le paysage urbain de Vanier, un endroit tout désigné pour loger ce journal jaune. Dans ce quartier, un des plus défavorisés de Québec, tout était plat, à commencer par les boulevards urbains, l'environnement industriel où se multipliaient les entrepôts carrés et les remorques. Plusieurs immeubles à logements avaient aussi été recouverts de tôle. Quelqu'un avait certainement empoché de l'argent en habillant la municipalité de cet affreux revêtement.

— Tu comptes partir en voyage pour les vacances ? demanda Louis.

— Oui.

— Où ?

— Laurence aimerait aller en Californie.

Le Gros siffla.

— Toi ?

— Je vais aller à Wells passer deux semaines au bord de la mer. Peut-être avec mes deux filles, si ma niaiseuse d'ex le veut bien.

Louis regarda Daniel, un sourire paillard égayant son visage.

— Pourquoi tu me regardes comme ça ?

— Comment s'est passée la nuit chez Mireille ? Tu m'en as jamais parlé.

— Tu dis n'importe quoi ! Je l'ai raccompagnée, c'est tout. Je n'ai pas couché avec elle.

— Mens pas comme ça à mon oncle Loulou. Elle a demandé au *dee-jay* de faire jouer un beau *slow* pour toi. Vous vous colliez comme des mouches en mal de sucre.

— De quoi tu te mêles !

Louis leva un bras pour dire qu'il avait compris et qu'il se tairait, puis il essaya de trouver un poste de radio. Fernand Gignac et son *ballroom* jouaient à un poste, une pièce disco de Patsy Gallant à un autre, ailleurs c'était une ballade de Joe Dassin qu'il fredonna aussitôt : « … *dis-moi comment j'existerais.* »

Duval aperçut l'enseigne du journal sur la brique rouge sang comme ses unes. L'édifice avait tout d'une usine à produire des nouvelles. Il signala et tourna à gauche.

La température commençait déjà à monter à l'extérieur. Le macadam du stationnement irradiait et sentait l'asphalte fraîchement coulé. La journée serait torride.

L'air climatisé des bureaux fut apprécié des deux enquêteurs ; de Louis surtout, qui montrait un gros cerne sous les aisselles. Ils s'approchèrent du comptoir circulaire. La réceptionniste raccrocha le récepteur et leva la tête vers eux.

— Qu'est-ce qu'on peut faire pour vous ?

— Nous voudrions voir Richard Grenier.

— Et qui est-ce que j'annonce ?

— Deux enquêteurs de la SQ.

Elle composa le numéro du poste.

— Vous n'avez qu'à vous rendre à la salle de rédaction.

Dans la salle de rédaction, des dizaines de journalistes réfléchissaient à leurs articles. Sur les claviers des machines à écrire couraient leurs doigts lents ou frénétiques. La percussion des touches se perdait dans une cacophonie au rythme incalculable. Impressionné, Louis signala à Duval deux journalistes sportifs très connus qui discutaient ensemble. Tous les postes étaient séparés par des panneaux recouverts de tapis. Duval demanda à un homme qui passait où se trouvait le bureau de Grenier.

— Juste là-bas.

En marchant dans la direction indiquée, Duval songea qu'il était étrange que ce soit Richard Grenier qui fasse la chronique judiciaire. Habituellement, les articles étaient signés par Pierre Corbeil. À deux postes de travail de là, il vit Grenier qui martelait les touches de son clavier. Une cigarette se consumait dans son cendrier et une autre au coin de ses lèvres. Il portait un long toupet peigné sur le côté. Ses cheveux gris lui recouvraient les oreilles. Le milieu de sa moustache blanche était recouvert de jaune, des résidus de nicotine. Dans son cou, une croix en inox était accrochée à un lacet en cuir. Il retira ses lunettes dorées de style aviateur et frotta ses yeux. Il aspira longuement sa cigarette et exhala la fumée à la fois par les narines et par la bouche.

L'ombre des deux colosses de la SQ ne tarda pas à attirer l'attention du journaliste. Il recouvrit sa machine à écrire de sa housse.

— Qu'est-ce que je peux faire pour vous, messieurs ?

— On aimerait vous parler.

— Allez-y.

Puisqu'il n'y avait pas de place où s'asseoir, la conversation se déroula autour du poste de travail.

— J'aimerais savoir où vous prenez vos informations concernant Charles Marquis.

— C'est comme de demander au Colonel la recette de son poulet, dit Grenier en riant.

— Est bonne ! répondit Louis avec ironie.

— Monsieur Grenier, quelqu'un divulgue de l'information et j'aimerais connaître son nom.

— C'est pas quelqu'un de la police. C'est tout ce que je répondrai.

Sa langue pointue frétilla sur le bout jauni de sa moustache, ce qui dégoûta le lieutenant.

— Vous savez qu'un journaliste doit protéger ses sources, reprit-il soudain. Vous connaissez sans doute Deep Throat, le nom de l'informateur qui a fait couler Nixon. On n'a jamais su qui c'était, mais il a eu raison du président.

— Les preuves parlaient d'elles-mêmes.

— Les miennes aussi.

Duval appuya ses mains sur le rebord de la cloison.

— Je connais le dossier, c'est mon enquête, et rien n'indique que Charles Marquis a tué sa femme.

— Attendez de lire ce que je prépare.

— Savez-vous que vous êtes en train de détruire la réputation d'un homme ?

— Je crois qu'il vaut mieux le faire présentement que lorsqu'il sera en fonction.

— La présomption d'innocence, vous ne connaissez pas ?

— …

— Qui vous donne cette information ?

— Je n'ai pas à répondre. Demandez au Conseil de presse. On vous y donnera la même réponse que moi.

Mais pour l'instant j'ai du travail. Je vous prierais de m'excuser.

— Est-il possible de savoir quel « chiard » vous aurez à la une demain ?

— C'est présumer que je ferai la une.

— En passant, pourquoi ce n'est pas votre confrère Corbeil qui couvre cette affaire ?

— Parce qu'il ne peut pas tout faire, vous ne croyez pas ?

Duval se rendit compte qu'il ne tirerait rien de Grenier. Il lui faudrait revenir avec un mandat, et ce, malgré tout le brassage médiatique qu'une telle initiative causerait. Le lieutenant fit signe à Louis de le suivre et ils repartirent sans saluer le journaliste.

Avant de sortir, le lieutenant demanda à voir l'imprimerie. Dans l'atelier, les linotypistes montaient la prochaine moulée du jour. Duval s'arrêta devant un homme qui portait une casquette. Sur son bleu de travail était inscrit son nom : Vadnais.

— J'aimerais parler au gérant de l'imprimerie.

— C'est moi.

— Pouvez-vous me montrer comment se fait la une ?

— Pourquoi ?

— Je suis curieux. C'est tout.

Mais au même moment, Grenier, qui avait prévu le geste de Duval, entra dans l'atelier.

— Eh ! Jean, ne leur dis rien. Ce sont des policiers. Ils n'ont pas d'affaire ici. Y ont pas de mandat. Qu'y décrissent !

Sans un mot mais avec un regard qui en disait long, le linotypiste leur montra la sortie.

Les deux détectives obtempérèrent. En repassant la porte de l'atelier, Duval toisa Grenier avec mépris, mais le journaliste regardait Louis comme s'il le reconnaissait soudain.

— C'est vous qui avez la réputation d'avoir la gâchette facile ?

— Mon tabarnak !

Duval vit la canne de Louis se lever d'un coup, mais il la saisit d'une main ferme avant qu'elle ne s'abatte Dieu sait où.

— Viens, Louis ! Laissons notre homme brasser sa marde…

Duval passa devant Grenier en le frôlant.

— Vous allez en entendre parler, lui lança le journaliste. Je vais trouver avant vous l'assassin de Florence Marquis. Vous allez en baver.

Au comptoir de la réception, Duval demanda à voir Pierre Corbeil. La réceptionniste lui annonça que le chroniqueur judiciaire était en congé.

50

Duval et Harel prirent aussitôt le chemin de l'île. Duval alluma la radio. Il grimaça en entendant *Love Is in the Air*. Il voulut éteindre le poste, mais Louis, qui aimait la chanson, insista pour qu'il le laisse ouvert. Duval repensa à son dangereux flirt avec Mireille. Il savait qu'il jouait avec le feu. Il la trouvait attirante, pourtant il lui faudrait éteindre ce feu de paille avant que celui-ci n'embrase la maison. Il souhaita que Mireille ne se fasse pas trop d'idées.

Madeleine Linteau les accueillit avec froideur. Elle croyait sans doute, pensa Duval, qu'ils étaient à l'origine des articles dévastateurs de la fin de semaine et du matin.

Marquis, téléphone à la main, arpentait la pièce de long en large. Dans son épaisse robe de chambre en ratine, il avait l'air d'un boxeur qui s'en va au massacre. Mais Marquis se battrait comme un homme acculé au pied du mur. Ses cheveux en bataille, ses yeux cernés et sa voix enrouée étaient les effets visibles du drame. Si cet homme-là avait tué sa femme, pensa Duval, il n'irait plus très loin. Serge Dolbec, tout aussi défait que son amant, était avachi sur le divan. En ces moments difficiles, il regardait son *sugar daddy* avec des airs de *mater dolorosa.* Il expédia un regard accusateur aux policiers. S'il simulait, le mimétisme était parfait, songea Duval. Marquis, tout en poursuivant sa conversation téléphonique, invita du doigt les policiers à prendre un fauteuil.

Il s'entretenait avec un journaliste de Radio-Canada qui voulait discuter du projet immobilier en marge des fêtes du 375e anniversaire du voyage de Jacques Cartier.

— D'abord, est-ce qu'on est en ondes ?

— …

— Si on n'est pas en ondes, c'est d'accord.

— …

— Si je suis en conflit d'intérêts ? Pas du tout ! Cette transaction a été effectuée il y a quelques mois, avant que je ne vende la compagnie.

— …

— Non, il n'y a pas eu de spéculation qui aurait pu hausser le prix de vente.

— …

— C'est vrai que le maire actuel est mon ami. Il a accepté de modifier le règlement de zonage pour des projets à cet endroit. Mais les quais seront ouverts à d'autres promoteurs immobiliers.

— …

— Vous nagez dans la rumeur. Le maire actuel ne fait pas et ne fera pas partie du conseil d'administration de mon ancienne compagnie.

— …

— Vous devriez attendre avant d'échafauder des hypothèses du genre.

— …

— En tout cas, mon concept architectural plaît au Conseil du patronat et aux employés de la construction. Il créera beaucoup d'emplois, sans compter les retombées économiques pour la Capitale. En pleine récession…

Marquis s'arrêta, hocha la tête de dépit.

— Je ne répondrai à aucune question concernant l'enquête en cours.

— …

— Désolé, monsieur Gervais, je dois mettre un terme à notre conversation, mon horaire est très chargé. Merci. Bonjour.

Marquis expira longuement, épuisé. Il se frotta les yeux et murmura un imperceptible « C'est l'enfer », qui toucha le lieutenant. Il n'aurait tellement pas voulu être à la place de Marquis. Invité à prendre la parole, le lieutenant résuma sa visite au *Journal de Québec*.

— … et je tiens à vous aviser que les révélations à la une, ce n'est pas fini. Il semble assuré que Grenier fera paraître un autre article sur vous demain.

— Mais pourquoi s'acharner sur moi ? Si l'enquête démontre que j'ai tué ma femme, la justice s'appliquera. Mais je n'ai rien à me reprocher, cette cabale est insoutenable. Et puis, quand je fais une bonne action, que je cède ma chapelle à la municipalité pour un dollar, cet écœurant-là vire ça tout à l'envers. Tout ce que je veux, c'est empêcher les gens de circuler sur mon terrain. Des individus qui me méprisent en plus.

Il se laissa choir près de Dolbec en soupirant et se prit la tête entre les mains. Dolbec l'entoura d'un bras affectueux, lui caressant les cheveux. Marquis n'était plus que l'ombre de lui-même. À côté de lui, Duval entendit grogner Louis, mais heureusement son collègue ne proféra aucune remarque déplacée.

— Connaissez-vous des gens, dans le cercle religieux que fréquentait votre femme, qui vous en voudraient ?

— De toute façon, maintenant, tout le monde m'en veut. Qu'est-ce que je leur ai fait ?

Cette dernière phrase était un cri de l'âme. Marquis se pencha en avant, donnant l'impression qu'il allait s'écrouler. Il ferma les yeux, ce qui creusa les replis de sa solitude.

— Dis pas ça, Charlou. Je suis là, avec toi, répliqua Dolbec sur un ton velouté.

Marquis releva la tête et se tourna vers Dolly.

— C'est décidé. J'envoie un communiqué aux médias pour leur dire que je renonce à la mairie. Ce n'est plus possible.

Duval regarda Marquis.

— Monsieur, je suis prêt à vous aider. À ce stade-ci, vous n'avez été déclaré coupable de rien. Par contre, si Grenier continue sa cabale, la pression va devenir extrêmement forte. Il faudra quelqu'un à lapider.

Duval savait que même si le siècle venait de franchir une nouvelle décennie, la morale chrétienne et l'ultramontanisme rampaient toujours dans le cerveau de bien des individus. Il serait facile de manipuler l'opinion publique dans une telle affaire. Si les lions avaient des chrétiens à se mettre sous la dent à une certaine époque, les dévots actuels n'hésitaient pas à saigner sur la place publique un homme qui avait bloqué l'accès à une chapelle, un homosexuel de surcroît.

— Qu'est-ce que vous attendez de moi ?

— Je répète ma question : est-ce qu'il y aurait des gens qui vous en voudraient parmi les intimes de votre ex-femme ?

— C'est certain que la nouvelle de mon orientation sexuelle a été un dur coup pour ma femme. Je sais que ses amis étaient au courant. Il est probable qu'un des membres de son cercle de prière transmet l'information à Grenier. De toute façon, je suis déjà mort.

Cette phrase sembla galvaniser Dolbec, qui lança d'un ton enflammé :

— Voyons, Charles. On est là, nous ! Dis pas ça, bonyenne !

Duval n'avait pas encore choisi de quel côté ranger Dolbec. Pouvait-il être celui qui dévoilait l'information à Grenier ? Heureusement, se dit-il, les fameuses photos n'avaient pas abouti au journal.

Duval regarda par la fenêtre où glissait un paquebot sur lequel il imagina Marquis se retirant à l'abri du regard des autres. C'est ce qu'il aurait fait à sa place. Partir sur son bateau, loin de tout.

— Monsieur Marquis, j'aimerais vous proposer de passer le test du polygraphe.

— Pourquoi ? Vous me soupçonnez tant que ça ?

— Je pars du principe que vous êtes innocent. Ce serait un élément de preuve que le ministère public pourrait utiliser par la suite.

— Je veux bien.

— Parfait. Rendez-vous à neuf heures, demain matin, à mon bureau du boulevard Saint-Cyrille.

— D'accord.

Louis, qui s'était approché du piano, s'exécuta comme le craignait Duval. Il pianota sans fausse note *My Way*, mais fredonna sans discernement le refrain, ce qui était de mauvais goût dans les circonstances.

And now the end is near
So I feel the final curtain.

Sa prestation lui valut des regards indifférents, malgré l'incongruité des propos. Le pire, c'est qu'il ne s'en rendait même pas compte, pensa Duval. Son cerveau était une simple passoire à malices.

Duval invita Louis à se retirer. Son numéro de chant se termina là.

51

Le lieutenant ne parvenait plus à chasser *My Way* de sa tête, comme si un virus sonore court-circuitait ses neurones et polluait ses idées. Vers quatorze heures, ils reçurent du technicien chargé d'écouter les conversations de Dolbec et de Marquis un enregistrement intéressant. Il avait été capté, quelques minutes après le départ des détectives, dans la maison de Dolbec, où semblaient s'être réfugiés les deux hommes. Duval inséra l'amorce de la bande et Louis appuya sur la touche *On*. C'est la voix de Dolbec qui ouvrait le dialogue.

— *Tu devrais pas passer au détecteur de mensonge.*

— *Je n'ai aucune crainte.*

— *Moi, je ne veux pas essayer ça.*

— *Ils n'ont rien contre nous.*

Louis et Duval se regardèrent, interloqués. Ces propos ambigus pouvaient être interprétés dans bien des sens.

— *Tu veux faire une ligne ? Ça va te remonter.*

— *Non. J'en prends trop.*

— *Envoye don' !*

— *(soupir)...*

— *Envoye, ça va te recrinquer.*

— *OK d'abord !*

Duval et Harel entendirent une série de petits bruits, puis une inspiration sifflante suivie d'un murmure de soulagement.

Qu'avait à craindre Dolbec que Marquis passe le test du polygraphe ? Il est vrai que l'appareil, avec sa panoplie de fils et de capteurs, effrayait : il réagissait aux fluctuations de la voix, détectait la sudation excessive, les fréquences cardiaques, la pression sanguine, le rythme de la respiration. Un homme de nature nerveuse pouvait craindre d'échouer le test, même innocent d'un crime dont on le soupçonnait. Le polygraphe n'était pas infaillible.

Mais Marquis révélait sur cet enregistrement un autre aspect de sa troublante métamorphose. Duval savait qu'il consommait de la cocaïne, mais il ignorait à quel point l'homme d'affaires était accroché à la poudre blanche. Après quelques minutes de silence, Marquis reprenait la discussion sur la bande.

— *Maudit poison ! Je vis l'Everest de ma vie dans l'autre sens. J'avais jamais été sur un* high *pareil ! Je marchais sur le bord de la faille et maintenant je tombe, et ça n'en finit plus.*

— *Il faut partir, Charles. T'as pus rien à faire ici. Crissons notre camp ! Le courtier de Cancun m'a appelé pour me dire qu'il me réservait le terrain encore une semaine. Tout le monde dit que c'est un super investissement. La main-d'œuvre est très bon marché. Je ne serai plus à ta charge. Puis, tu le sais, je te rembourserai. C'est une super occasion. Cet hôtel pour gais, ça va être une bombe. Ça dérougira plus. Y a déjà des gars au Ballon qui veulent me réserver des places. Et puis tous les sites archéologiques sont à proximité.*

— *Puis moi, je ne te verrai plus ! Tu vas toujours être en train de spotter des jeunes culs bronzés, plus beaux, plus ronds que le mien.*

— *Moi, c'est ton popotin rond que j'aime… Puis on va déléguer ! Penses-tu que je vais travailler cinquante heures par semaine ? Tu vas être loin de tous ces chacals qui veulent ta peau.*

— *Ma chouette, si tu veux que ça marche, ton affaire, tu vas devoir travailler cent heures par semaine au début. C'est ça, les affaires.* Business means busy, *que je dis toujours dans mes conférences.*

— *Il y a un super beau port à Cozumel. Tu pourrais amener ton bateau. On s'installerait là. Il va y avoir plein de bateaux pour prendre les livraisons.*

— *Tu devrais t'installer ailleurs que sur une île. Ça va restreindre la clientèle.*

— *Y a un très bon service de traversiers.*

— *S'il le faut, on construira une chaîne d'hôtels gais partout dans le monde. On va ouvrir la voie. Mais laisse-moi un peu de temps encore. Je suis tellement dans la merde ! Je ne vois plus clair. Aujourd'hui, j'ai mis fin à un vieux rêve. J'avais de beaux projets. Laisse-moi digérer ma déception. Puis tant que j'aurai la police sur le dos… vaut mieux pas. Ils vont sauter aux conclusions.*

— *Mais c'est devenu insoutenable ici. Tu peux plus sortir de la maison après tout ce qui s'est dit sur toi.*

— *Je sais.*

— *Avant que Florence meure, t'étais pas mal plus intéressé par nos projets.*

— *Essaie de comprendre la situation où je me trouve.*

— *Martin serait prêt à conduire ton bateau jusqu'au Mexique. Ce serait une maudite belle aventure. On pourrait même faire une p'tite virée en Colombie…*

— *Viens ici, mon p'tit crisse, que je te…*

Soupirs, murmures et râles emplirent les casques d'écoute. Louis arbora une gueule dégoûtée.

— Je trouve ça dégueulasse, un crime contre-nature.

— Louis, tout ce qu'on te demande, c'est de découvrir qui a tué Florence Marquis, rien d'autre.

— Ça t'écœure pas, toi ?

— …

— Écoute ça. C'est indécent…

Parmi le flot d'informations qu'il venait d'inscrire dans son carnet et qui, entre autres, donnait l'explication des nombreux appels en provenance du Mexique, Duval en souligna une : la possible utilisation du bateau de Marquis. Giroux voulait-il transporter de la drogue à l'insu de Marquis ?

Louis jeta un coup d'œil dans le carnet pour voir ce que Duval soulignait comme ça.

— Tu penses à la coco ?

— Peut-être…

De ses deux mains, le lieutenant massa longuement son visage en insistant autour des yeux. Il avait hâte aux vacances. Il s'imaginait avec Laurence dans un chalet sur le bord d'un lac. Un petit chalet en bois rond dans Charlevoix. La paix tout autour, l'odeur des épinettes, un orignal qui traverse le lac au petit matin. Que l'appel du bois… car celui des hommes ne provoquait que déceptions.

52

JEUDI, 5 JUIN

Vers six heures trente, Duval entendit la voiture de Laurence qui entrait dans le stationnement. Il était levé depuis trente minutes. Même si Morphée s'était fait attendre, il se sentait frais et dispos. Il avait eu le temps de se doucher, de se raser et d'avaler une tasse de café.

Assis devant son bol de céréales, il feuilletait le catalogue d'un magasin à rayons. Il lui faudrait acheter une nouvelle canne à pêche. En entendant tourner la poignée de la porte, il ressentit une vague d'émotions.

Il savait que tout était en train de se jouer entre eux. Il alla à sa rencontre pour lui faire la bise. Elle portait sa tunique vert hôpital. Elle le serra contre lui et il apprécia cette étreinte. Il savait qu'il la voulait pour compagne, mais leur union avait besoin de ces ajustements propres à la mécanique de la vie… Il souhaitait reprendre cette liberté qu'ils avaient tous les deux au début de leur relation.

— Une bonne nuit ?

— Non. L'enfer. Un gros accident sur la Capitale. À croire que les ingénieurs qui ont construit les entrées de cette autoroute sont des psychopathes. Pendant que je cherchais les mots pour annoncer à des parents la mort de leur fils, un crétin qui s'était foulé la cheville en patin à roulettes m'engueulait pour que je le soigne tout de suite. Chaque fois qu'il me voyait passer, il me harcelait.

— Tu veux que je te prépare à déjeuner ?

— Non, je vais aller me doucher. Toi, ç'a bien été ?

— Avance, recule…

— Oh ! À propos : je t'ai rapporté *Le Journal de Québec*. J'ai pensé que ça t'intéresserait.

Il prit le journal et ne fut pas surpris, en dépit de l'ampleur de la nouvelle. En première page, le cauchemar à épisodes se prolongeait pour Marquis. Grenier récidivait et poursuivait le feuilleton de la crucifixion de l'homme d'affaires. Mais, cette fois, des photos accompagnaient le roman-savon tragique, les mêmes que Marquis avait reçues anonymement, et d'autres plus compromettantes.

Devant le miroir du vestibule, le lieutenant noua sa cravate pendant que Laurence se beurrait finalement une tartine. Par la fenêtre, il observa le ciel couvert et opta malgré tout pour la Ducati. Après avoir placé minutieusement son veston sous son blouson de cuir pour éviter de le froisser, il jeta un dernier coup d'œil au miroir.

Laurence lui donna une bise, le serra contre lui. Il lui souhaita une bonne journée. Avant de s'éclipser, il se retourna.

— Laurence, j'aimerais ça qu'on se loue un chalet durant les vacances. Une petite semaine dans Charlevoix.

— Qu'est-ce que tu dirais de deux semaines ?

— Vendu !

Il lui envoya la main et, avant de sortir, ramassa l'excitant journal à sensations. Beaucoup de chair à lapider au menu, constata-t-il.

53

Après avoir garé sa moto près du soupirail de l'ancienne morgue, il gagna son bureau en lisant l'article de Grenier. La tête plongée dans la saga rose, il salua distraitement les collègues qu'il croisait. L'homosexualité de Charles Marquis était désormais chose publique. Une photo le montrait embrassant Dolbec sur le pont du *Lion bleu*. Le journal avait dû noircir les parties génitales de Marquis. Tout le monde était nu sur le pont. Duval alluma sa radio : la nouvelle circulait dans tous les médias. Beaucoup de blagues sur les gais et sur Marquis. Aux tribunes téléphoniques, les hyènes ne donnaient plus cher de la peau de Marquis. Partout on reprenait la déclaration laconique de Marquis qui renonçait à briguer la chefferie du Parti des citoyens et la mairie. Un seul auditeur avait osé téléphoner au Gros Moustachu, l'animateur-vedette à Québec, pour exprimer de la compassion à l'endroit de Marquis. Il mentionnait qu'il y avait plusieurs gais en politique québécoise, mais que ceux-ci gardaient leur vie intime cachée. L'animateur l'avait vite rabroué en le qualifiant de « fifure » et de « langue brune » pour tenir un discours pareil. Personne n'était prêt à accepter un maire gai à Québec. L'énergumène de la radio se demanda s'il ne fallait pas établir un lien entre la mort de Florence Marquis et la vie dégénérée que menait son « fif de mari » depuis quelques mois. Les pires médisances, les plus sales calomnies avaient cours sur la place publique en ce jour gris.

Duval pressentit que cet article aurait un impact sur l'enquête. À partir de ce moment, Marquis devrait se battre pour sauver sa peau. La rumeur publique allait s'amplifier et devenir insoutenable. Le procès dans les médias venait de commencer. Le lieutenant, qui détestait que les journalistes empiètent sur son territoire, savait que la pression serait dure pour les nerfs. Il se dirigea vers la salle de réunion.

Ses collègues s'y trouvaient déjà, commentant les derniers développements de l'enquête. Le commandant Dallaire assistait au briefing. Le journal circulait de main en main. Duval avait inscrit sur le tableau noir toute une série d'hypothèses qu'il élabora devant ses confrères, puis il conclut :

— Qui fait chanter Marquis ? Quelqu'un cherche à lui extorquer son blé, à l'écarter de la mairie et à le saigner sur la place publique.

Francis montra la feuille avec la retranscription de l'écoute électronique.

— Ce document-là laisse entendre que l'amant de Marquis veut le voir investir dans un gros projet immobilier au Mexique. Ils ont besoin de son argent. Et ils ont aussi besoin de son bateau.

— Dolbec tente-t-il de faire tomber Marquis, de l'affaiblir psychologiquement, de le priver de son vieux rêve d'accéder à la mairie afin qu'il accepte de coopérer au sien? questionna Duval. Lui et Giroux sont comme des parasites profitant du vieux qui joue au papa cool avec la jeunesse dangereuse. Marquis est tellement parti – il consomme de la coke, baise sa petite poule, fréquente les saunas – qu'il ne se rend pas compte de ce qui se trame autour de lui. Tant que son beau Serge est là, près de lui, la vie est belle. Il est dépendant de lui et de la cocaïne. Mais Serge a besoin de l'argent de Charles pour réaliser son projet d'hôtel.

— Mais ça n'explique pas pourquoi Florence a été assassinée, argua Prince.

Duval opina de la tête.

— Oui, en partie. Elle a été tuée avec ou sans la complicité de Marquis.

— Je ne te suis pas, lança Prince.

Duval pela le fruit de sa réflexion nocturne en essayant d'y voir clair.

— Marquis avait tout à perdre en divorçant. On l'a bien vu en étudiant ses avoirs. Il aurait pu perdre une partie de sa fortune au profit de son aigre moitié. Elle, dans son testament idéal, elle léguait tout, ou presque, à des œuvres de charité et à des fondations. Puisque sa femme avait au départ une chance sur deux de guérir et 100 % de probabilités d'obtenir le divorce, les procédures auraient été médiatisées. Tout le monde aurait fini par savoir que Charles Marquis, candidat à la mairie, était homosexuel. Il est à peu près clair que Florence Marquis, si elle avait eu le temps de divorcer, serait devenue un obstacle aux espoirs de Charles, mais aussi à ceux de Dolbec. Les trois jours où l'on a interdit à Estelle Lambert de voir sa belle-sœur sont capitaux. Ils ne voulaient pas de témoin. Je crois que Serge Dolbec, dont les ficelles sont tirées par Martin Giroux, sert d'appât pour attirer Marquis dans le filet. Il est jeune, beau, l'équivalent pour nous d'une belle actrice hollywoodienne.

— Laquelle, Zsa Zsa Gabor ? demanda Louis.

— Florence Marquis n'aimait pas Dolbec, continua le lieutenant, imperturbable, et on la comprend très bien. Mais, en plus, elle sentait que son patrimoine était menacé, elle savait que cet homme exerçait une mauvaise influence sur son mari. Marquis voulait vivre une relation exclusive avec Dolbec, et il n'avait plus qu'à faire disparaître sa femme, qui risquait de lui intenter un gros procès, procès qui lui aurait coûté cher tant financièrement que politiquement. Ça, je crois que Dolbec et Marquis le savaient très bien.

— Une fois la bonne femme bouffant du pissenlit par la racine, compléta Prince, Dolbec pouvait manipuler comme un pantin l'homme d'affaires. Son projet d'hôtel semble intimement lié à leur projet de couple. Et il y a de la coke dans l'air. N'oublions pas que Giroux a déjà été arrêté pour avoir passé de la cocaïne.

Le commandant Dallaire approuva tout en se rongeant l'ongle du pouce.

— Et qu'est-ce qui va se passer, à votre avis ? demanda-t-il au lieutenant.

— Marquis n'aura pas le choix de se terrer, annonça Duval. Il va faire appel à un bon avocat, car dans les prochains jours la rumeur va enfler. Le pus va gicler en masse : c'est avec ça que les journaux graissent leurs presses à imprimer.

— Et pour Dolbec et Giroux ? s'enquit le commandant.

— Il faut les surveiller. Je crois qu'ils sont dangereux. Marquis est peut-être même leur proie. Mais je peux aussi me tromper.

— Avec tout ça, demanda Francis, qu'est-ce qu'on fiche d'Estelle Lambert ? On lui fait passer le polygraphe, à elle aussi ?

— On va attendre, dans son cas. Le portrait d'ensemble est trop flou, pour l'instant, soupira Duval.

— Au fait, Daniel, qu'est-ce que t'as tiré du manuscrit de Florence Marquis ?

D'un geste de la tête, découragé, Duval montra le texte dactylographié, ce qu'on appelait dans le jargon les épreuves.

— Pas grand-chose jusqu'à maintenant. Je viens de recevoir la copie faite par Gagnon, le correcteur. C'est un ouvrage de prières d'un ennui mortel. Si je ne succombe pas durant la préface, je compte le parcourir plus en détail, surtout avec les bigots qui viennent de se joindre au party…

Duval prit le document et le rangea mécaniquement dans son sac.

Vers onze heures, Duval reçut un message du technicien chargé de passer le polygraphe à Charles Marquis. Ce dernier ne s'était pas présenté. Mécontent, Duval crut que la pression sur Marquis, qui venait d'atteindre un degré élevé, l'avait retenu à la maison. Il aurait aimé que l'homme d'affaires l'avise de sa décision. Il attendit son appel, mais en vain. Les absents avaient toujours tort, songea Duval. Un engagement était un engagement.

La journée passa en ces petits riens qui rongent les nerfs quand rien n'avance : coups de téléphone infructueux, reconstitutions inutiles d'événements, étude de dossiers, épluchette improductive de factures, écoute électronique sans résultat. Les médecins ne voulaient pas qu'Estelle Lambert se fatigue à rencontrer les enquêteurs. Il n'y avait plus qu'à attendre un appel de Marquis et le rendez-vous de Dolbec à la taverne Sélect ce même soir.

Cinquième partie

L'opus noir

54

Après le souper, Laurence repoussa sa chaise avec lassitude. Elle avait un coup de cafard. Ses yeux accusaient les nuits couleur d'hôpital. Elle commença à empiler les assiettes, mais Duval posa doucement la main sur son bras.

— Laisse, je m'en occupe. Tu peux monter.

Elle alla se préparer pour son quart de nuit à l'Hôtel-Dieu de Québec. Ces horaires alternés étaient difficiles à gérer. Alors qu'elle était d'ordinaire difficile à émouvoir au travail – elle savait conserver une distance vis-à-vis de ses patients –, Laurence vivait péniblement certaines situations. La veille, la mort d'un jeune garçon décédé à la suite d'une blessure reçue pendant une partie de baseball l'avait affectée. Elle trouvait cette fin absurde: «Mourir d'un arrêt cardiaque après avoir été frappé d'une balle au sternum!» Il avait expiré dans ses bras quelques instants après son arrivée à l'urgence.

Duval repensa à l'animateur de *Par quatre chemins* qui, la veille, avait disserté sur la notion d'horloge biologique. Le lieutenant avait écouté distraitement, mais s'il avait bien suivi les propos de l'animateur,

Laurence et lui traversaient un mauvais épisode, leur horloge biologique était déréglée. Il constatait bien que les aiguilles tournaient dans le sens contraire. Toute leur vie se déroulait avec un décalage horaire. Il parcourut des yeux les lieux. Il en émanait de mauvaises ondes. Pourtant, il n'était pas superstitieux. Mais il ressentait le mauvais esprit de l'endroit.

Duval débarrassa la table et classa assiettes, verres et ustensiles dans le lave-vaisselle. Tous ces petits gestes qu'il appréciait encore il n'y avait pas si longtemps le mettaient à rude épreuve. La routine pesait sur lui. Tout était toujours à recommencer. Il ne cessait de penser à son flirt récent avec Mireille, à la fausse couche de Laurence, aux doutes qui le rongeaient dans l'affaire Marquis. Alors qu'il croyait s'être construit une base solide pour faire contrepoids à l'existence, voilà qu'il lui fallait s'enraciner comme un arbre replanté dans de mauvaises conditions. Il se mouvait dans le noir. Il sentait qu'il avait trahi la confiance de Laurence avec Mireille. Était-ce la proximité de la quarantaine qui allait frapper d'ici peu ?

55

Il négocia à 130 kilomètres/heure la grande courbe du boulevard Champlain qui découvre les ponts de Québec. Il ralentit près d'un pilier du pont Pierre-Laporte où se cachaient les intercepteurs de la police de Sainte-Foy. Pas de policiers en vue. Ce boulevard permettait aux patrouilleurs de Sainte-Foy d'atteindre leurs quotas de contraventions pour infractions de la route. Les lampadaires métalliques moissonnaient le ciel à grande vitesse, fauchant les nuages. Deux remorqueurs poussaient un pétrolier vers la raffinerie de la rive sud. Bientôt, Duval dut ralentir en raison de la pluie qui noircissait à vue d'œil la chaussée. Il tourna dans la côte Gilmour et monta par les plaines d'Abraham.

Il stationna la Ducati au carré d'Youville. Il était interdit de rouler à moto dans le Vieux-Québec. Il alla rejoindre Francis dans la tabagie jouxtant le cinéma Capitole. L'endroit fleurait bon les odeurs de son enfance: réglisses rouge et noire mélangées, jujubes et tabacs à pipe. Dans le miroir en œil de poisson lui apparut le visage déformé de Francis. Il feuilletait une revue de chasse et pêche.

Il montra à Duval le bateau qu'il aurait aimé s'acheter, serra les lèvres d'envie et referma la revue, dépité.

— Adèle préfère qu'on aille rendre visite à ses parents en Bretagne.

— Invite-les à venir pêcher au Québec.

— J'avais pas pensé à cette possibilité.

Duval regarda l'heure.

— Ils ne devraient plus tarder.

Duval hésita avant de poser la question qui lui brûlait la langue depuis près d'une semaine.

— Est-ce qu'Adèle a commenté ma danse avec Mireille?

Francis recula. Il ne s'attendait pas à ce que le patron revienne là-dessus.

— Un peu…

Duval vit bien qu'il voulait éviter le sujet.

— Allez, ne me cache rien.

— Bin… oui, elle m'en a beaucoup parlé. Elle se demandait si vous aviez couché ensemble.

Duval soupira.

— Mais tu peux être sûr qu'elle n'en parlera pas à Laurence.

Puis il ajouta :

— J'osais pas te le demander, mais là, c'est plus fort que moi. Avez-vous couché ensemble, Mireille et toi ?

— Non, Francis, et je veux que ce soit clair, répondit Duval.

Devant la taverne Sélect, Giroux, sous un parapluie rouge, attendait son comparse en grillant une cigarette. Il portait un pantalon en denim et un t-shirt noir qui faisait ressortir ses biceps et ses tatouages. Dans sa main gauche, il tenait un étui protecteur tubulaire.

— Pourraient-ils transporter de la coke dans ça ? s'inquiéta Francis.

Le lieutenant haussa les épaules. Duval et Tremblay restèrent à distance des grandes vitrines afin de ne pas se faire remarquer de l'extérieur.

Dolbec traversa bientôt la rue Saint-Jean, habillé en dandy : pantalon noir en soie, chandail argenté pareil à de la peau de requin, imperméable blanc et souliers italiens. Il portait en bandoulière un sac en cuir et sa longue cigarette pointait bien haut de façon maniérée. Ils se donnèrent la bise.

Avant d'entrer, Giroux pinça les fesses de son copain.

— On fait un métier dangereux… ironisa Francis. Faudrait pas que j'échappe mes menottes…

— Je t'attends au resto à côté, ajouta Duval.

— Bon, j'y vais.

Le temps de se rendre au restaurant, un jeune s'avança vers lui : « As-tu vingt-cinq cennes, man ? » Duval refusa de faire l'aumône à ce bipède bien portant, comme il appelait ces resquilleurs. Tout de suite après, un barbu arborant un bandana rouge à points blancs brandit à la hauteur de ses yeux le journal *En lutte*, mais il ne réagit pas.

Bien assis près de la fenêtre du resto, il commanda un café, puis plongea son regard dans la vitre. Les autobus ne cessaient de circuler, lui cachant momentanément la vue. Le communiste remuait sa revue dans les airs et le jeune clochard ne parvenait pas à inspirer assez pitié pour emplir sa casquette.

À peine dix minutes plus tard, Duval aperçut Dolbec et Giroux qui mettaient le nez dehors. Le lieutenant laissa un dollar sur la table et sortit immédiatement. Giroux et Dolbec traversèrent en oblique la rue Saint-Jean en direction du stationnement souterrain de la place d'Youville. Francis se pointa sur le trottoir.

Le lieutenant ne voulait pas les perdre des yeux. Francis arriva à sa hauteur.

— Qu'est-ce qu'on fout ?

— On les suit.

— Je suis venu à pied de chez Adèle.

— Tu vas faire de la moto !

Les deux suspects passèrent sous la grande entrée de béton. Duval et Francis marchèrent d'un bon pas.

— Qu'est-ce que t'as vu ?

— Des photos. Dolbec et Giroux regardaient des photos.

— Quelle sorte de photos ? Est-ce que ça pourrait être les photos qui servent à faire chanter Marquis ?

— Aucune idée. C'est possible.

— Je vais chercher la moto. Reste ici pour repérer leur voiture.

Duval monta les marches deux par deux. Il sentait que l'enquête arrivait à un carrefour ou, plutôt, dans un sens unique qui les conduirait sur une piste certaine. Il coiffa son casque et roula rapidement vers la sortie. Une Jaguar verte, celle de Marquis, freina derrière lui, à la guérite du stationnement. Duval reconnut Dolbec et Giroux. Ce dernier était au volant. Duval donna un dollar au préposé et passa prendre Francis un peu plus bas. Sans perdre de vue la Jaguar arrêtée au feu rouge, il détacha le casque supplémentaire qu'il accrochait maintenant sur la partie arrière de la selle. Francis n'eut pas le temps de lier la courroie que Duval embrayait.

La Jaguar descendit par la rue des Glacis et tourna dans la côte Samson vers la Basse-Ville. Duval suivait la Jaguar à distance raisonnable sans trop solliciter la puissance du moteur. Giroux roulait lentement dans la rue Saint-Paul. Il cherchait sans doute une adresse. Il stationna la voiture devant la vitrine d'un brocanteur. Duval stoppa sa moto devant Emmaüs, un comptoir d'aide pour les pauvres. Giroux et Dolbec sortirent. Quelqu'un les attendait, car on leur ouvrit rapidement la porte de l'appartement jouxtant un magasin d'antiquités et une galerie d'art. À cette heure, passants et touristes flânaient, regardaient les vitrines ou repartaient avec une partie du patrimoine québécois dans leurs bagages. La pluie tombait, mais avec moins d'intensité.

— Qu'est-ce qu'on fait ? demanda Francis.

— On attend.

— Crois-tu que Marquis…

— Je ne sais plus quoi penser de Marquis. Il est tellement bandé sur son poulain qu'il ne voit plus clair.

— Il ressemble à un *old timer* sur son retour d'âge.

Le vent du fleuve était frisquet. Dans le Vieux-Port, au-dessus de la forêt de mâts, les goélands se laissaient porter par le vent dans la lumière déclinante.

Francis faisait du lèche-vitrine devant le comptoir Emmaüs. Il reluqua un gros poste de radio allemand à ondes courtes qu'il voyait déjà dans son chalet de Charlevoix. Duval jeta un coup d'œil. La devanture était pleine d'articles hétéroclites : laveuse avec essoreuse à main, crucifix, peinture par numéros, lampes, machines à écrire…

Trente minutes plus tard, Dolbec et Giroux marchaient à nouveau sur le trottoir. Ils n'avaient plus l'étui tubulaire. Giroux lança les clés à Dolbec. Ils montèrent dans la Jaguar de Marquis. Duval et Tremblay chevauchèrent la Ducati. La voiture des suspects tourna à gauche dans la rue Dalhousie et entra directement dans le port de Québec.

Ils avaient sans doute rendez-vous avec Marquis sur le *Lion bleu*, songea Duval. Le bateau était bel et bien amarré à son ponton. Des lumières éclairaient la timonerie. Giroux et Dolbec ouvrirent le coffre de la voiture pour en extirper des sacs de voyage. Est-ce que Marquis cherchait à fuir comme lui-même l'aurait fait ? se demanda le lieutenant. Le test du polygraphe lui pesait-il à ce point ? Après ce qui venait de lui arriver, n'importe qui aurait voulu aller se terrer à l'autre bout du monde.

Duval immobilisa son engin. Ils patientèrent quelques minutes. La passerelle du pont-levis s'éleva pour laisser passer le *Lion bleu*.

— La filature se termine ici.

Francis regarda le ciel.

— Ce n'est pas un temps pour naviguer. Je me demande bien ce que Marquis peut faire avec ces minables, dit-il.

— Le cul n'a pas de tête !

L'enquêteur de Charlevoix acquiesça. Duval lui indiqua de remonter sur la moto, mais Francis fit signe que non.

— Je vais rentrer à pied. J'ai promis à Adèle de revenir aussitôt qu'on aurait fini. Qu'est-ce que tu vas faire, toi ?

Duval désigna le gros bâtiment des Hospitalières qui surplombait la falaise à travers la grisaille et la pluie.

— Laurence travaille. Je vais me promener.

Il regarda son copain s'éloigner par la côte d'Ambourges couverte de vieux pavés. Duval se sentait complètement désœuvré. Il avait cru que cette filature donnerait des résultats. Elle le laissait plein d'appréhension.

Il n'avait pas du tout envie de retourner dans l'aquarium. Il décida de se rendre chez Mimi pour lui proposer d'aller au cinéma. « Tiens, pour changer, pourquoi pas *La Cage aux folles*, le film le plus populaire de l'heure ? » ironisa-t-il pour lui-même en remontant la béquille.

56

Il stationna la moto devant l'immeuble de Mimi. Une faible lueur baignait la fenêtre du salon. On aurait dit une chandelle. Sur le rebord du châssis, Alibi scrutait le trottoir, spectateur attentif. Il miaula en repérant Duval.

Celui-ci monta l'escalier qui grinçait à chaque marche. Il reconnut la chanson *Night in White Satin* des Moody Blues. Il arriva au second palier. La musique provenait de l'appartement de Mimi. Il allait frapper, mais la surprise le laissa pantois. Il entendait des gémissements qui allaient en s'amplifiant. Sur le coup, il se demanda si sa fille se trouvait en danger. Puis il se rendit compte que Mimi était en train de faire l'amour. Ou peut-être était-ce sa colocataire ? songea-t-il en cherchant à se rassurer. Mais non, elle était en voyage. Il ressentit un trouble profond. Il descendit le plus vite possible sans faire trop de bruit. Mimi s'était-elle trouvé un nouveau copain ? Le malaise qui le gagnait ne fit que s'accroître. Puis une voix réaliste lui rappela que sa fille était majeure et qu'elle avait choisi de quitter le nid familial.

Il coiffa son casque et retourna dans la rue Saint-Paul pour examiner l'endroit où Dolbec et Giroux étaient entrés. Il voulait noter le numéro civique pour vérifier dans l'annuaire des noms de rues qui habitait à cet endroit. Il y avait le 450 A et le 450 B. Sur le mur, une plaque mentionnait « Pierre Ferron, architecte ». La pluie mélangée à la boue laissée par des travaux de voirie rendait la chaussée glissante. Il stationna la Ducati devant la galerie d'art Angers : on y vendait des objets d'art anciens, des sculptures et des tableaux de peintres québécois : Suzor-Côté, Leduc, Borduas, Riopelle, Pellan, Hurtubise, Fortin, Lemieux… C'est du moins ce qu'on annonçait en lettres d'or sur la porte. Dans la vitrine, un tableau de Lemieux sur un chevalet montrait un homme seul à l'avant-plan sur un chemin jaune qui s'éloignait derrière lui. Cette image troubla le lieutenant, car elle se superposait à son reflet dans la vitre. Il s'observa, cheveux détrempés, mal rasé, puis détourna le regard vers un tableau de Borduas pareil à un dynamitage de couleurs vives. Une ambulance passa, sirène à tue-tête, l'extirpant de sa méditation.

Duval marcha jusqu'au coin de la rue Saint-Paul où se trouvait une cabine téléphonique. Il appela au standard de la centrale pour qu'on lui communique le nom du résident.

Il patienta et rappela cinq minutes plus tard.

— Le 450 A correspond à la galerie Angers et le 450 B à un bureau d'architecte au nom de Pierre Ferron.

— Peux-tu vérifier s'il a des antécédents judiciaires ?

— Je m'en occupe.

Le soir tira son lent fondu au noir. Duval renfourcha sa monture et s'arrêta devant un cinéma. Il tendit la tête pour lire le programme sur l'enseigne lumineuse et plissa les yeux, ébloui par la centaine d'ampoules sous le portique. Il avait déjà vu *Apocalypse Now*, mais on présentait *Le Tambour*. Laurence lui avait proposé plusieurs fois d'aller voir ce film. Il regarda l'affiche sur le mur. Un petit blond aux yeux déments, en tenue de jeunesse hitlérienne, tapait sur son instrument. Le film avait remporté des prix et l'intéressait, mais il durait près de trois heures. Puis il aurait des regrets d'y aller sans Laurence. Il embraya en première. Malgré la pluie qui redoublait d'intensité, il décida de se rendre à l'île d'Orléans. Mais à quoi servaient ses résolutions ? se tança-t-il. Il ne le savait que trop bien, mais il devenait incorrigible quand son sixième sens le turlupinait. Il aurait toute sa vie, s'encouragea-t-il, pour se corriger. Il tenait à savoir si Marquis était à bord de son bateau en compagnie des deux autres.

◆

Il éteignit le moteur et laissa la moto rouler sur son élan. Les gouttes de pluie s'évaporaient sur la tôle brûlante du moteur. Les beaux réverbères que Marquis avait posés dans l'allée menant à son manoir étaient éteints. Le chemin paraissait abandonné.

La pluie avait diminué. Il ne tombait plus qu'un léger crachin. Tout autour, les lilas embaumaient les lieux d'un parfum dense et pénétrant. Duval arriva au domaine. Tout était noir à l'intérieur, ce qui contrastait avec la ville de Québec, au loin, toute en lumière. Il déplia la béquille. Le métal chaud de la Ducati émit des clic-clac. Il souleva la selle de la moto et retira une petite lampe de poche retenue par un élastique. La Jaguar n'était évidemment pas dans le stationnement. Il sonna plusieurs fois, mais personne ne vint répondre. La domestique devait dormir ou peut-être était-elle en congé.

Duval descendit le sentier. Le cottage qui se découpait devant lui était désert. Il promena le faisceau lumineux sur la maison puis vers la cime des arbres. Des chauves-souris s'élançaient, traçant des boucles maladroites pour revenir se poser sur la même branche. Le manège se répétait sans arrêt. Des milliers de moustiques virevoltaient à travers le voile lumineux de sa torche, happés par la gueule des vampires aveugles. Le cri des grillons s'intensifia.

Duval examina l'entrée du cottage. Un détail l'agaçait: le balcon était boueux, comme si on était entré et sorti plusieurs fois pour transporter des objets. Il sonna là aussi, mais n'obtint pas plus de réponse.

Il retourna jusqu'à la maison de Marquis. Le vent du fleuve faisait bruire les feuilles. Il arriva à la hauteur de la façade arrière. Il entendit en sourdine la sonnerie d'un téléphone. Cinq, dix, quinze coups... Quelqu'un cherchait désespérément à joindre Marquis. Le lieutenant chercha une ouverture dans cette forteresse. En vain. Il y avait d'ailleurs certainement un système de sécurité à toute épreuve. Devait-il entrer? Il n'en sentait pas l'urgence.

Il rebroussa chemin et téléphona à la centrale de la boîte téléphonique qui se trouvait en haut de la côte d'entrée de l'île d'Orléans. On lui annonça que ni Angers ni Ferron ne possédaient de dossier judiciaire.

◆

Duval se glissa sous les couvertures avec la pile de feuilles des épreuves du livre de Florence Marquis. De la fenêtre la lune créait un halo irrégulier dans une masse de nuages gris. Le souffle sourd du vent frais, le bruissement des feuilles disposaient à une nuit de repos, mais il voulait passer à travers les cinquante premières pages du volume, qui en contenait plus de trois cents. Une prose aride comme le désert de l'Arizona.

Qui allait bien acheter ce livre? se demanda le lieutenant. Les premiers feuillets des *Carnets spirituels* ne l'éclairaient pas dans son enquête. Florence n'y faisait que renier son passé de femme riche. Des thèmes revenaient comme un mantra: la quête de pureté, l'importance des oraisons, les péchés du corps, les sorties de l'âme (le hors-soi), sa fascination pour la Vierge, le contact intime avec Dieu… Ses adresses à Dieu avaient le ton de l'amitié. Le tout baignait dans un style fleuri et ampoulé. Des mots se répétaient comme en écho: grâce, félicité, oraison, Bienheureux, Très Grand, Séraphique. Si cette prose avait été un gâteau, pensa le lieutenant, elle aurait causé des caries et des indigestions. Florence Marquis voyait sa vie comme « un long méandre qui menait vers Lui ». Les regrets liés à sa « vocation avortée » revenaient souvent. Florence était sévère pour elle-même, jugeant sa vie « pleine de péchés ». Mais « cette avancée vers Dieu » avait aussi ses « moments de grâce »: les premières fois où Il s'adresse à elle, le jour où la Vierge noire pleure dans la chapelle, la venue des fidèles dans le petit temple de Sainte-Pétronille… Soudainement, son cancer devenait une grâce de Dieu, sa souffrance une offrande à Dieu, ce qui expliquait son refus de soins palliatifs. Elle parlait aussi des fréquents saignements douloureux – ce qu'elle appelait ses indispositions – qui avaient miné sa vie après la naissance de son fils…

Duval inscrivit rapidement quelques notes dans son calepin et referma le manuscrit. Après l'avoir déposé sur la table de nuit, il éteignit la lampe. Il jaugea un peu plus l'aberrante solitude des lieux et s'endormit. Quelques minutes plus tard, il vivait dans les vitraux de la chapelle à la Vierge noire.

Au-dessus de lui, un ciel d'œdème semblait se contracter jusqu'à exploser. La chanson *I Will Survive* jouait à un volume planétaire. Un chœur de mille voix martelait le refrain. Il se tourna. Charles Marquis reposait sur la Croix, une couronne d'épines autour de la tête, les pieds et le corps transpercés de clous. Son visage à l'agonie, crispé par la douleur, était couvert de sueur. Il murmura deux fois : « Mon Père, pardonnez-leur ce qu'ils font. » Quelqu'un plus bas portait à ses lèvres une branche sur laquelle était piquée une éponge. Marquis s'abreuva, ses yeux roulaient dans leurs orbites. Duval étira le cou et aperçut, à la droite de Marquis, Dolly, en slip rose, qui gisait sur sa croix. En bas, la foule criait des injures par-dessus le fondu sonore de la chorale : sodomites, dégénérés, salauds. À mort ! Dans la mêlée il reconnut Laurence. Laurence en Vierge du monde. Elle était superbe, bronzée, pulpeuse. Une déesse à profond décolleté. Mais on lui avait à nouveau enlevé son enfant. Duval murmura pour elle « *I will survive* », « *I will survive* ». À sa droite, à genoux, il reconnut Florence, Florence en Marie-Madeleine. Il entendit une voix qu'il connaissait bien : « Achevez-le ! » ordonnait le Gros, vêtu en centurion romain. Des urubus tournaient autour des croix, prêts à becqueter le fils de Dieu, ou Charles Marquis, il ne savait plus trop. Leurs visages se confondaient. Duval pencha la tête et entrevit ses jambes, l'une contre l'autre sur la croix. Une lance atteignit Marquis à l'abdomen et sa tête ploya. Duval ressentit un affreux vertige. Une forme noire se mouvait vers lui comme un serpent. Elle grossissait. Il reconnut le frère aux yeux vicieux. Il voulut se protéger, mais ses mains étaient clouées. Puis la croix tomba au ralenti dans la foule. Il hurla : « Non. Non, NON ! » et passa du monde du rêve à celui de la réalité. Il se redressa dans son lit, le cœur en palpitations, la tête en émoi, tout en sueur.

Il ouvrit la lumière. Après s'être frotté les yeux, il voulut chasser ce mauvais rêve et l'oublier. Il reprit la lecture du livre de Florence Marquis, mais retomba dans le sommeil dix pages plus loin.

57

VENDREDI, 6 JUIN

Après une nuit trop brève, les yeux cernés par la fatigue, Duval fut réveillé à six heures par l'appel de Louis. Grenier avait tenu sa promesse. La nouvelle faisait encore une fois la une du *Journal de Québec*. Un feu d'artifice à sensations: le scribe clamait que Marquis avait assassiné sa femme et que, selon des sources qu'il disait à toute épreuve, l'arsenic avait été caché dans le plancher de la chapelle. Une feuille comportant un texte écrit à la machine était reproduit en page 2.

— Le papier est identique à celui du premier message, Dany. Mêmes caractères de machine à écrire.

— Où est rendue la chapelle ?

— À Saint-François de l'île. On construit présentement une fondation pour l'asseoir. Si tout ça est vrai, je crois qu'on tient notre homme.

— J'arrive.

— Euh… Dany, il faut que je te dise: on parle aussi de nous dans le journal. Et pas en bien.

— Je m'en doute. J'arrive.

La journée s'annonçait humide et sans vent. Une masse d'air chaud en provenance du sud des États-Unis touchait le Québec. À la surface de l'eau, un voile de brume s'évaporait peu à peu.

Sur le chemin longeant le fleuve, Duval aperçut Laurence qui arrivait dans la BMW. Il s'immobilisa près de sa portière, se pencha pour l'embrasser. Elle était épuisée par sa nuit mais de belle humeur.

— Je viens de recevoir un appel d'urgence de la centrale. *Le Journal de Québec* prétend que le poison qui aurait servi à tuer Florence Marquis serait dans la chapelle et que Marquis serait le meurtrier.

— T'en as pour la journée ?

— Aucune idée. Je t'appellerai.

— On pourrait aller à la campagne en fin de semaine ?

— Oui, j'achète.

Il s'étira à nouveau pour l'embrasser car un de ses snobinards de voisins s'impatientait dans sa voiture derrière celle de Laurence.

◆

Duval gara sa monture rouge vif et entra dans la tabagie de la rue Turnbull, adjacente au poste, pour acheter le journal. Il marcha la tête basse en lisant l'article. Grenier avait ajouté à son morbide feuilleton une photo où l'on voyait Florence Marquis toute en beauté, et une autre où Charles Marquis avait l'air d'un fou furieux. *Empoisonneur ?* titrait-on en lettres rouges. *L'arsenic sous la chapelle ?* On insistait sur le fait que Marquis avait caché à sa femme son homosexualité pendant tout son mariage. Un peu plus et on stipulait le mobile du meurtre.

Mais la suite fit raidir le journal dans les mains de Duval. Grenier blâmait les enquêteurs pour « leur piètre travail » et racontait la visite des policiers Harel et Duval et l'intimidation dont il avait été victime. L'histoire n'allait pas en rester là, selon le journaliste.

Au bureau, la nouvelle avait mis toute l'équipe sur le qui-vive. Dallaire, Prince et Tremblay prenaient connaissance des révélations de Grenier quand Duval entra dans la salle de réunion.

— Le poste de la SQ de Saint-Laurent a dépêché des policiers pour protéger le présumé lieu du crime, affirma Dallaire. Ils vous attendent.

— Qui peut bien envoyer ces lettres ? demanda Duval.

— On a un mandat de perquisition, répondit Dallaire. Grenier va devoir cracher ses sources et ses documents.

— Bernard et Francis, vous vous rendez au *Journal de Québec* avec le mandat. Vous interrogez Grenier et vous rapportez tous les documents qu'il a reçus. On se retrouve ici à midi.

Les deux hommes partirent aussitôt en direction du journal.

— Charles Marquis ! lança soudain Duval.

Le lieutenant composa immédiatement le numéro de téléphone de l'homme d'affaires. Il parla à madame Linteau. Son patron lui avait dit la veille qu'il partait pour une sortie sur le fleuve. Quand il lui demanda si Dolbec était chez lui, elle répondit aussi par la négative. Le lieutenant sentit au téléphone qu'elle lui cachait quelque chose. Il demanda à Louis de téléphoner au Yatch Club pour savoir si le *Lion bleu* était revenu à quai.

Marquis était introuvable, de même que Dolbec. L'entrepreneur appréhendait-il la nouvelle qui allait sortir ce matin ? Un rapide coup de téléphone apprit au lieutenant que le technicien en écoute électronique n'avait rien de nouveau à lui fournir.

Louis déposa son récepteur.

— Le bateau de Marquis n'est pas rentré, Dan. Mais on m'a dit qu'il se dirigeait apparemment vers Montréal.

— Appelle les garde-côtes !

◆

À la pointe de Saint-François de l'île d'Orléans, un cordon de sécurité avait été installé pour contenir les curieux. Pour la plupart, il s'agissait des Amis de Florence. Le curé Ouellet y était. Des chants religieux accompagnaient le travail des policiers. Les travaux de fondation avaient été interrompus. Bulldozer et pelle mécanique demeuraient en retrait. La petite chapelle reposait sur des pilotis. Le fond bleu du Saint-Laurent, plus large à cet endroit, serait un décor fabuleux pour les fidèles de Florence Marquis.

Duval et Harel approchèrent du cordon. Grenier était là avec son photographe. Il était entouré de la cour de Florence Marquis, qui le prenait sans doute pour un héros. Duval croisa son regard alors qu'il parlait avec le curé. À travers la foule, il reconnut aussi un ancien policier de la SQ, maintenant à la retraite. Il savait que Gérard Gendreau avait ouvert un bureau de détective privé et qu'il avait pignon sur rue dans le Vieux-Québec. Les conjectures se multiplièrent dans sa tête. Et si Gendreau travaillait sur ce coup ? Et si Gendreau avait été engagé soit par Florence Marquis, soit par Richard Grenier, ou Estelle Lambert ou encore Martin Giroux ?

— Tu te rappelles de Gerry Gendreau ? demanda-t-il à Louis.

— Gerry, le privé ?

— Oui. Il est au milieu de la foule.

— Pas vrai ! Gerry avait de bons contacts à l'hippodrome, mais maudit qu'y était déprimant.

— Moi, je pense qu'il en avait aussi avec des proches de Marquis.

— Qu'est-ce que tu veux dire ? Je te suis pas.

— Je crois qu'on a engagé Gendreau pour filer Charles afin d'obtenir des preuves visuelles de son homosexualité. Les photos qu'a publiées Grenier et celles qu'a reçues Marquis ont peut-être toutes été prises par Gendreau.

— Ce qui signifierait que Charles Marquis ne serait pas responsable de la mort de sa femme.

— Je n'ai pas dit ça.

Duval releva le cordon pour que Louis puisse passer le premier. Le lieutenant passa à son tour et Grenier le nargua d'un sourire baveux. Les « sources » de Grenier turlupinaient Duval: ce pouvait être n'importe qui, un dégénéré en quête de publicité, un zélote de la foi, voire Grenier lui-même, pour ce qu'il en savait. N'importe qui aurait pu déposer un contenant d'arsenic sous la chapelle. Mais, à la décharge de Grenier, les photos et le message demandant à Marquis de se retirer de la course à la chefferie étaient bel et bien réels.

Duval aperçut sous les pilotis des techniciens de l'Identité. Au bout de cinq minutes, l'un d'eux l'interpella.

— Lieutenant Duval, venez voir.

Il se pencha sous les solives de la chapelle. Le technicien dirigea sa lampe dans un coin. Un contenant était bel et bien coincé à cet endroit. C'était une boîte de cacao. Il prit son appareil et la photographia plusieurs fois. Il ne l'ouvrit pas avant qu'on ait pu en tirer des empreintes. Il enfila ses gants de latex et déposa le pot dans un sac étiqueté destiné au chimiste Rivard. Dans quelques heures, on saurait s'il y avait du poison dans ce contenant et si il correspondait à ce qui avait empoisonné Florence Marquis.

Duval sortit et alla rejoindre Louis. Le nombre de badauds s'était accru. Les chants religieux en arrière-fond étaient lugubres. Duval et Harel retraversèrent le cordon. Duval chercha Gendreau dans la foule, mais il avait disparu. Le curé s'avança vers le lieutenant. Grenier, à proximité, écoutait tout.

— Puis, lieutenant? demanda le curé.

— Il y a bel et bien un contenant, mais il reste à déterminer si c'est ce qu'on recherche.

— Je voulais vous poser une question, mon père, s'excusa Louis.

— Oui, mon fils ?

— J'ai cru remarquer tantôt que vous connaissez Richard Grenier ?

— En effet, mon fils.

— Savez-vous si Grenier, lui, connaissait Florence Marquis ?

— Bien sûr qu'il la connaissait. Il a été longtemps chroniqueur au journal *Le Chemin de Jérusalem*. Il a critiqué plusieurs de ses livres et l'a même interviewée une fois. N'est-ce pas ignoble, ce que son mari lui a fait ?

— C'est ce que je pensais, dit Louis en souriant comme un gros nounours content de lui. Je croyais bien avoir vu le nom de Richard Grenier associé à des revues et à des journaux religieux.

— Eh bien, là, mon fils, ce que vous dites me fait plaisir.

— Merci, mon père, conclut Louis.

Duval, qui n'avait pas soufflé mot, monta dans la voiture le visage radieux. Louis venait de mettre au jour un indice insoupçonné, mais de taille, dans la multitude de pistes qui s'entremêlaient.

58

Mandat de perquisition en main, Duval et Harel se rendirent à l'appartement de Giroux. Il habitait un grand cinq pièces et demie dans le quartier latin, à l'ombre du Séminaire. Du salon on apercevait les pierres grises et la porte cochère de l'ancienne Université Laval. Le lieu puait le ranci ; un vrai bordel. Louis et Duval passèrent les pièces en revue. Les planchers s'étaient creusés avec le temps, les lattes de bois franc s'étaient disjointes, noircies par l'eau çà et là. Des disques étaient éparpillés partout dans le salon. Sur un miroir abandonné par terre, des traces de poudre étaient encore visibles. L'état des lieux laissait penser qu'on s'était préparé pour un voyage en catastrophe. Louis se boucha le nez en grimaçant.

— Ça sent le *swing* ici !

— Ouvre la fenêtre.

Près du téléphone, Duval aperçut un numéro griffonné sur un bout de papier. Il le composa et se retrouva au Bureau des passeports. L'agent refusa de lui fournir aucune information par téléphone. Il faudrait passer avec un mandat. Le lieutenant appela tout de suite à la centrale pour demander à Bernard de s'en occuper.

— Je suis à peu près sûr qu'ils sont partis au Mexique, lui dit Duval.

Sur la porte de la salle de bain était accrochée l'affiche d'un spectacle intitulé *Lady in Pink*, de Dolly D'Aiguillon. La revue gaie avait été présentée dans le cadre des Mardis fifis. Dans sa robe rose, Dolbec était grimé comme une catin enflammée à la Rita Hayworth. Elle avait les jambes bien écartées, une main sur la hanche et l'autre tenant le porte-cigarette à la commissure de ses lèvres beurrées de rouge. Elle vous regardait, frondeuse, sensuelle. Un ventilateur avait été utilisé pour ébouriffer sa chevelure rouge.

— Un homme non averti pourrait se faire prendre dans un beau piège avec cette allure-là, suggéra Louis.

Au-dessus du bain sur pattes, une affiche toute récente des *Belles-Sœurs*, par la troupe Osarose, annonçait les spectacles des 25, 26 et 27 juin. L'alibi de Dolbec tenait bel et bien. Duval prit un certain temps à reconnaître Dolbec, attifé d'une perruque et habillé d'une petite jupe qui semblait sortir d'un Greenberg des années soixante. On présentait la pièce comme une première mondiale.

Dans la chambre de Giroux, le lit au drap rouge était défait, des vêtements traînaient partout sur le plancher, le chiffonnier était recouvert de linge. Une photo de Giroux, dans une pause de culturiste, les muscles bien saillants et luisants, trônait sur une étagère. Des vêtements de *chap*, un slip en cuir, une cagoule et un fouet gisaient dans un tiroir.

— Tiens, deux paires de menottes ! On se demande à quoi ça pouvait servir, lança Louis, sourire aux lèvres.

— Dolly a dû être souvent molestée... ne put s'empêcher de répondre le lieutenant.

Il balaya d'un revers de main les vêtements sur le dessus du chiffonnier. Une enveloppe tomba à l'arrière. Duval enfila des gants de latex et se pencha pour la ramasser. Il s'agissait d'une enveloppe Kodak. Il l'ouvrit et sentit son pouls accélérer.

— Louis, viens ici.

— T'as trouvé quelque chose ?

— Regarde.

Le lieutenant feuilleta devant Louis la série de photos qui montraient Marquis en compagnie d'autres hommes durant une fête. Dolbec et Giroux apparaissaient sur plusieurs clichés.

Duval examina chacune d'elles.

— Il n'y a rien de compromettant dans ces photos-là, rien d'indécent. Ce sont des polaroïds, contrairement aux clichés du journal pour lesquels on a utilisé un zoom puissant.

Duval remit l'enveloppe sur le chiffonnier. Il n'y avait rien à tirer de ces photos.

59

Mouchoir à la main, Dallaire avait mauvaise mine. Ses allergies au pollen, à la poussière et aux acariens lui faisaient la vie dure. Il avait des picotements dans ses yeux larmoyants, des éternuements incessants et la peau lui démangeait. À ses côtés, son déshumidificateur dégageait une légère brume.

Duval et Harel entrèrent dans son bureau. Les plantes vertes devenues jaunes manquaient d'amour et surtout d'eau.

Après une séquence de trois éternuements en rafale, Dallaire fournit les renseignements de dernière minute.

— On est toujours sans nouvelles de Marquis. Les garde-côtes continuent leurs recherches, mais comme la navigation est abondante en cette période de l'année, ça complique le travail.

— On a trouvé chez Giroux le numéro du Bureau des passeports, dit le lieutenant. Ils sont peut-être allés plus loin que Montréal. Plusieurs fois Dolbec a reçu des appels du Mexique : il veut y acheter un hôtel.

— Où, au Mexique ? C'est grand, le Mexique !

Le commandant se moucha à s'en arracher le nez.

— Il a parlé d'une île qui s'appelle Cozumel, précisa Duval.

— On va vérifier ça auprès de la police mexicaine. Bon ! Je vais lancer un avis de recherche à la grandeur du Québec. C'est quand même louche : le matin où l'on annonce dans les journaux qu'on a découvert le poison qui aurait pu tuer sa femme, Marquis et sa grande folle disparaissent.

Marquis devenait aux yeux de plusieurs le suspect numéro un, pensa Duval. Sa décision de passer le test du polygraphe, puis le fait de se défiler sans aviser n'aidaient pas sa cause.

Le patron sortit deux autres mouchoirs de la boîte recouverte d'une housse en peluche.

— Mais Marquis n'a pas pu prendre connaissance de la une, car il est parti la veille, fit remarquer le lieutenant.

— Il se doutait probablement de ce qu'elle serait, ajouta Louis.

— Qu'est-ce qu'ont donné l'interrogatoire et la perquisition chez Grenier ? demanda Duval.

— Le journal a déposé une injonction, mais on a pu saisir les documents en question. Grenier a affirmé qu'il n'avait fabriqué aucune preuve et qu'il a bel et bien reçu ces documents. Il ne connaît pas son informateur.

La toux grasse du patron n'en finissait plus. Duval attendait qu'elle soit terminée avant d'aborder l'autre sujet dont il voulait parler. Dallaire trompetta ses sécrétions dans son mouchoir.

— Câlice d'allergies !

— J'ai aperçu Gerry Gendreau dans la foule de badauds qui observaient la fouille de la chapelle.

— Gerry ? Il est détective privé maintenant.

— C'est ce qui m'inquiète. Je crois qu'il travaille en collaboration avec Grenier.

— En tout cas, c'est un vrai malcommode qui connaît la musique. Bonne chance si tu veux apprendre quelque chose de lui !

Avant de sortir, Duval se retourna.

— Patron, vous devriez vous débarrasser du tapis et de cette housse de poils bleus qui recouvre votre boîte de kleenex.

— Pourquoi ? C'est le cadeau que Malo m'a offert au dernier échange de cadeaux de Noël.

— C'est un vrai nid pour les acariens de toutes sortes.

— Ah bin ! Le tab…

Dallaire retira l'enveloppe poilue et la jeta à la poubelle. Louis, qui détestait Malo, ne cacha pas sa satisfaction.

◆

Avant d'aller rejoindre Francis et Bernard, Duval fit un détour par la bibliothèque. Il voulait consulter de nouveau la notice nécrologique de Florence Marquis parue dans *Le Soleil*. Il installa avec fébrilité la bobine du microfilm.

Il la déroula rapidement, puis, avec la touche plus lente, il alla droit à la notice : « La défunte tient à remercier particulièrement sa belle-sœur, Estelle Lambert, son médecin soignant de l'Hôtel-Dieu, le docteur Paul Camirand, et aussi Marie Dumas, Chantale Drolet, David Gagnon, Gérard Gendreau, Jocelyn Gérin-Lajoie et Richard Grenier. Prière de ne pas envoyer de fleurs mais des dons à la Fondation des amis de Florence. » L'adresse mentionnée était celle d'Estelle Lambert.

Le lieutenant trépignait. Il fit imprimer la page et courut la montrer à ses amis. Le trio faisait relâche à la cafétéria. Devant leur café fumant et leurs beignes au miel, ils lisaient le journal. Il y était question des otages américains à Téhéran qui n'en finissaient plus de croupir à l'ambassade depuis huit mois.

— Un vrai pays de fous ! Si j'étais le président, je te crisserais une bombe là-dessus, lança Louis.

Duval déposa la photocopie devant eux.

— Grenier avait des liens plus étroits qu'on pense avec Florence. Comme Louis s'en est souvenu, il est connu dans les milieux religieux. Et Gerry Gendreau est aussi mentionné dans la nécrologie. Il a sûrement été engagé par Florence Marquis pour coincer son mari.

— Gendreau ! s'exclama Francis. Quand je suis arrivé à Québec, il m'a dit que je ne m'habituerais pas à la ville.

— On l'a vu ce matin, à Saint-François, quand on a fouillé la chapelle.

— En tout cas, on n'a rien tiré de Grenier, affirma Francis.

— Pas grave. Nous, on s'occupe de Gendreau.

Puisque le lieutenant pressentait que les affaires du détective privé allaient bien, il valait mieux prendre rendez-vous. Il chercha son numéro dans le bottin. Gendreau avait son nom en grosses lettres encadré dans les pages jaunes et accompagné d'un dessin montrant un limier avec un casque à la Sherlock Holmes, loupe à la main. Duval composa aussitôt le numéro.

◆

Le lieutenant déposa le bras de la table de lecture sur la première plage de *Kind of Blue*. Le rythme en et les accords répétitifs l'hypnotisaient d'une fois à l'autre. Il s'installa dans son *lazy-boy* pour continuer sa lecture des *Carnets spirituels* de Florence Marquis. Le texte commençait à être intéressant par sa démesure : les contacts répétés avec Dieu, la souffrance qui s'apparente à de la jouissance. À nouveau il était question de la Vierge noire qui avait pleuré. Puis des références à l'Ancien Testament, à Sodome et à sa descendance maudite : « Il semble bien que Loth et sa famille n'aient pas été les seuls à fuir la calamité qui allait s'abattre sur la ville maudite. » « Mon mal, le mien, celui de personne d'autre. » Duval se rappela qu'elle avait eu un cancer du col de l'utérus. Elle se considérait comme souillée par un mal qui rongeait les organes impurs de la femme. La lecture parut à

Duval de plus en plus intéressante. Il ajusta la pince de la lampe de lecture sur le manuscrit. Sur le mur de gauche, son ombre prit une proportion gigantesque. Le thème de l'impureté et de sa souffrance offerte à Dieu occupait tout un chapitre. Elle ne cessait de louanger le Créateur de lui avoir montré le chemin après tant de détours. Elle se percevait comme le contraire de l'Immaculée-Conception. Son corps avait été ravagé par la semence impure. Le fruit interdit avait pourri ses entrailles. Tout son « être portait la souillure du monde » qu'il lui fallait expurger par une douleur dont elle aurait souhaité qu'elle s'apparentât à celle du Christ. Les saignements avaient recommencé. « Le sang noir. » Rien ne semblait vouloir apaiser ses douleurs. Plusieurs passages mentionnaient des moments de solitude passés dans la chapelle.

Une corne de brume sur le fleuve tira Duval de sa lecture. Il releva la tête. Le saxo angoissé de Coltrane passa le relais à Cannonball Adderley, tandis que Bill Evans et Paul Chambers maintenaient la cadence des accords minimalistes de la pièce. Plutôt que de continuer sa lecture des épreuves, Duval décida d'examiner le manuscrit écrit de la main même de l'auteure. À quelques endroits, Florence avait inscrit dans la marge et en très petits caractères des listes d'épicerie, des livres à acheter, des commissions à faire. Duval essaya de déchiffrer quelques informations : « Khalil Gibran, *Le Prophète*, encre, cierges, cire, poudre à plancher, humidificateur » – il s'agissait sans doute de l'humidificateur qu'elle avait fait acheter à Estelle Lambert. Le reste était illisible. Ces éléments, si terre à terre et terriblement domestiques, contrastaient avec la haute voltige spirituelle et les considérations divines, conclut Duval en remettant le manuscrit à côté des épreuves. Encore une journée ou deux et il aurait passé à travers le texte.

60

Samedi, 7 juin

Vers deux heures du matin, alors que Duval dormait seul dans son lit, tout son corps tressaillit à la sonnerie du téléphone. Sa main tâtonnant accrocha le récepteur sur la table de nuit. La voix pâteuse et les sens engourdis, il essaya de se redonner une certaine contenance. Ces appels nocturnes l'angoissaient davantage maintenant que Mimi était partie de la maison. Il craignait toujours une mauvaise nouvelle. Mais, comme d'habitude, la voix du répartiteur lui confirma qu'il s'agissait du boulot, ce qui le réconforta. Selon un pilote d'hélicoptère des garde-côtes, un bateau qui correspondait au *Lion bleu* s'était échoué au Bic. Les agents de la SQ du Bas-du-Fleuve n'avaient pas repéré les membres d'équipage. Aucun appel de détresse. Aucune demande d'assistance.

— L'hélico de la SQ vous attend à l'Ancienne-Lorette. Vous devriez être là-bas vers trois heures trente. Louis Harel a été contacté. Le maître-chien de Rimouski est déjà en route.

Il écrivit un message à l'intention de Laurence qu'il marqua de plusieurs X.

Le lieutenant se rendit en moto à l'aéroport. Puisque la situation l'exigeait, il brûla prudemment tous les feux rouges et dévala le boulevard Duplessis en cinquième en se remémorant de mauvais souvenirs. Cinq minutes après son départ, il entrait dans le stationnement de l'aéroport. À l'extérieur, l'odeur du fuel était insupportable. Il marcha jusqu'à l'héliport. Les pales d'un hélico tournaient déjà lentement. Louis, qui habitait Loretteville, arriva quelques minutes plus tard.

Le Gros avait encore les sillons de son couvre-lit en chenillette imprimés dans le visage.

— Maudite job ! Je perds mon damné samedi ! jura-t-il en guise de salut.

Les techniciens avaient terminé l'inspection de l'hélicoptère. Le pilote s'avança et leur fit signe de venir.

Harel et Duval marchèrent vers la petite libellule blanche. Le lieutenant aida Louis à se hisser à bord. Le pilote s'installa, manœuvra une commande. Les pales tournèrent de plus en plus frénétiquement.

Louis avait emporté une médaille de saint Christophe, le saint patron des voyageurs.

— J'ai jamais aimé les avions, se plaignit-il en bouclant sa ceinture de sécurité.

L'engin s'éleva et s'élança au-dessus de Sainte-Foy. Duval plongea son regard en dessous. Sainte-Foy lui parut plus belle du haut des airs sous sa robe de nuit. L'hélicoptère survola le fleuve. Seuls quelques points lumineux étaient visibles sur le long serpent noir.

Louis avait ramassé la dernière édition du *Journal de Québec*, qui venait tout juste d'être livrée. Il la tendit à Duval, qui y jeta un œil découragé. *Le poison retrouvé sous la chapelle*, titrait-on à la une avec la photo de la petite chapelle sur ses pilotis. À l'intérieur, les sous-titres étaient éloquents : *Le journal mène l'enquête*, *Florence a souffert le martyre*, cette dernière affirmation étant tirée d'une citation d'un toxicologue. On n'attendait même pas l'opinion du laboratoire de l'Identité judiciaire pour savoir si c'était du vrai poison ou du *Kool-Aid* qui se trouvait dans le contenant, ironisa Duval. Le journal ajoutait qu'il avait été impossible de joindre Charles Marquis, et Grenier avançait l'idée que Marquis avait pris le large.

Duval, qui avait encore en tête certains extraits des *Carnets spirituels*, aurait voulu en discuter avec Louis pendant que filait sous eux le paysage sombre. Mais puisque ce dernier croyait aux miracles et en la véracité des récits des saints, il hésitait. Finalement, il se décida.

— Louis, sur quoi se base le Vatican pour béatifier et canoniser quelqu'un ?

— On demande à des experts scientifiques, des médecins, de faire une analyse de cas pour déterminer s'il y a vraiment eu un miracle. Je te donne un exemple : un petit gars paralysé par la polyo, et que tous les médecins avaient condamné, a recommencé à marcher. Le petit avait reçu une relique de la sainte qu'il priait. Le miracle a donc été authentifié et mis au crédit de la future sainte lorsqu'est venu le temps de la canoniser.

— Tu penses pas que les médecins sont achetés ?...

— Voyons, Dan ! Ça m'écœure que tu dises ça. Tu connais pourtant mon histoire. Tu m'as ramassé. T'as même cru que j'étais mort. Tout le monde pensait que j'allais mourir. Moi, j'ai vu la croix luire et danser devant moi. La sœur qui a prié pour moi vouait un culte à Dina Bélanger, qui un jour sera béatifiée. Elle avait touché chacune de mes blessures avec un morceau de tissu de la bienheureuse Dina. Un jour, mon histoire va entrer dans les annales du Vatican.

Duval ne voulut pas argumenter davantage par respect pour les croyances religieuses de son ami. Tous ces récits, à son avis, relevaient de la fantaisie.

L'engin poursuivait son vol entre les rives lumineuses du fleuve.

Le pilote communiqua avec le capitaine du *J.E. Bernier*, qui avait participé à la mission de recherche. L'officier l'autorisa à atterrir. Louis s'avança, un affreux rictus creusant son visage.

— Tu vas atterrir sur un bateau ?

— Oui, sur l'héliport du brise-glace.

— C'est gros comment ?

— Un peu plus petit qu'une piscine.

— Tu me cherches ou quoi ?

— En plus, le courant est fort, ajouta le pilote avec flegme.

Duval intervint.

— Louis, du calme.

— On voit pas grand-chose ! remarqua Louis en se rongeant les ongles.

L'hélico se positionna au-dessus du navire et amorça sa descente. Une minute plus tard, l'engin touchait le pont.

— En plein dans le mille, dit le pilote en regardant Louis.

À travers les fortes émanations d'éthanol, Duval et Louis mirent pied sur le pont. Le navire tanguait légèrement. Harel dut s'appuyer sur sa canne. Un officier de la SQ du poste du Bic s'approcha. Bédard, c'est le nom que Duval lut sur son badge, tendit la main et résuma les opérations en cours. Il avait de grands yeux et un visage long et lisse comme du caoutchouc. Il lui fit aussitôt penser au personnage Gumby que l'on pouvait plier à sa guise.

— Bonjour, lieutenant, on a repéré le *Lion bleu* dans les îles du Bic. Il a dérivé, on ne sait pas comment, jusqu'à s'échouer sur des récifs. Une équipe se trouve près du bateau. Il a subi pas mal d'avaries. La marée est très forte. Je vous y emmène.

— Pas de signes de l'équipage ? Des victimes ?

— On ne sait pas encore. J'ai parlé au capitaine et il m'a dit que c'est difficile de naviguer par ici.

Duval se rappela que c'était à Pointe-au-Père que l'*Empress of Ireland* avait fait naufrage en 1914. Cette tragédie avait fait plus de victimes que le *Titanic* et créé une véritable mythologie dans la région.

Sur le pont, des marins préparaient le bateau pneumatique qu'ils allaient descendre avec une grue.

— L'embarcation nous attend, dit Bédard.

Duval aida Louis à se hisser à bord du Zodiac.

Le matelot actionna un levier et le bateau s'abaissa lentement vers le fond noir. Un marin à la couette de cheval, le visage buriné par le soleil, démarra le moteur. Le bateau fila à vingt nœuds vers le *Lion bleu*. Le vent et les giclements d'eau fouettaient le visage. Bédard montra du doigt l'endroit où s'était abîmé le navire de Marquis que l'on distinguait, éclairé par des projecteurs. Le yacht était secoué par le courant et frappait avec force les rochers. Le navire sur lequel s'était scellée la rencontre entre le jeune et le vieil amant avait-il précipité leur fin ? Le pilote ralentit son approche et aborda avec prudence le yacht.

— Les courants sont traîtres, ici, annonça-t-il.

Le Saint-Laurent était l'un des cours d'eau les plus difficiles à naviguer en raison de ses hauts fonds, de ses courants contraires, de ses affluents puissants, de la rencontre des eaux douces et salées et de l'étroitesse de son chenal par endroits. Le gouvernement obligeait les capitaines des navires étrangers à céder la navigation de leur bateau aux pilotes du Saint-Laurent, des capitaines expérimentés qui connaissaient les pièges du fleuve.

Le *Lion bleu* tambourinait contre les écueils aux arêtes acérées. L'arrière était relevé. Aucune lumière ne fonctionnait à bord. Le Zodiac se plaça près de l'échelle arrière du bateau de plaisance. Le pilote lança un filin pour s'amarrer le mieux possible à l'épave. On entendait au loin le grognement des phoques. Duval marcha vers l'avant du Zodiac.

— Tu fais attention à toi, l'avisa Louis.

Le lieutenant déposa sa lampe dans la poche de son veston. Il s'agrippa à un échelon médian et enjamba celui du bas. Il se hissa à bord. Lampe de poche d'une main et l'autre cramponnée au garde-fou, il avança lentement en rythmant sa marche sur les coups de butoir contre la roche. Le bateau de plaisance était littéralement essoré entre les récifs. Le bruit était assourdissant.

— L'embarcation de secours du *Lion bleu* a été utilisée, tonna Duval à l'intention de ses collègues.

Même si la vie semblait absente à bord, Duval eut le réflexe de s'assurer que son .38 était bien en place. Il se hissa sur l'échelle qui menait à la timonerie et ouvrit la porte de la cabine de pilotage. Rien à signaler. Le livre de bord du bateau gisait par terre. Duval s'assura qu'il pouvait entrer à l'intérieur. Il s'accrocha à la rampe menant aux appartements. Dans le salon, des bouteilles roulaient sur le plancher. Si *Plus près de toi, mon Dieu* avait été la dernière œuvre jouée par l'orchestre du *Titanic*, *Dancing Queen* d'Abba avait accompagné la fuite hors du *Lion bleu*, remarqua Duval en voyant le disque sur la platine.

Dans la cuisine, la vaisselle fracassée et les casseroles percutaient violemment tout ce qu'elles touchaient. Il s'avança dans le couloir en se tenant bien. Il ouvrit la porte d'une chambre. Elle était vide. Celle qui était vis-à-vis également. Tous les lits étaient faits. Duval arriva au fond du corridor. Devant lui, sur la porte en teck, était accroché un écriteau: *Captain's lounge*. Avec appréhension, Duval poussa la porte. La pièce était tout aussi vide. Mais le lit était défait. Marquis dormait-il au moment où Giroux l'entraînait, accidentellement ou non, vers les hauts fonds? Duval avait vu ce qu'il voulait voir. Il semblait que les occupants avaient pu sortir, ce qui ne voulait pas dire que, dans la panique, tous s'en étaient tirés.

De retour sur le pont, Duval essaya de voir comment l'embarcation de secours avait pu gagner la rive. Il était certainement difficile de naviguer entre ces rochers en pleine nuit. Au loin, ce qu'il entrapercevait ressemblait à de la forêt : que des îles, que du bois. Il retourna vers le Zodiac.

Duval détailla à Bédard et à Louis son expédition. Il se tourna vers le pilote et lui demanda de les conduire jusqu'à la rive. Celui-ci s'exécuta sans gaieté de cœur.

Bédard avisa Duval qu'une équipe de recherche patrouillait déjà la berge.

— À quoi ressemble le terrain là-bas ?

Bédard indiqua de l'index la carte des lieux.

— On est dans les environs du Parc provincial du Bic.

— Une fois qu'on atteint la rive, est-ce que c'est facile d'accéder à la route ?

— Tout dépend où ils sont arrivés. S'ils marchent droit par là, dit-il en désignant la droite, ils vont probablement tomber sur des campeurs. S'ils vont un peu plus vers la gauche, ils vont buter contre des falaises ou de la forêt dense. C'est facile de se perdre sans boussole. À la noirceur, ils peuvent même tourner en rond.

Alors que le Zodiac avançait avec précaution vers la rive, Bédard reçut dans son walkie-talkie un message de la centrale : les trois plaisanciers avaient été retrouvés et ils semblaient ne souffrir que de blessures mineures. Le maître-chien et sa bête les avaient repérés dans la forêt. Ils tournaient effectivement en rond depuis quelques heures non loin de la route. Ils affirmaient que le *Lion bleu* avait eu une panne et qu'ils avaient essayé de la réparer jusqu'au moment de toucher un haut fond. Pris de panique par l'échouement du yacht sur les récifs, ils avaient lancé à l'eau l'embarcation de sauvetage.

— Pourquoi n'ont-ils pas appelé les secours quand il était encore temps ? demanda Duval.

Bédard posa la question à son interlocuteur, mais il n'obtint pas de réponse : la communication avait été rompue.

◆

Vingt minutes plus tard, Duval arrivait au poste de police local à peu près en même temps que le maître-chien et les trois naufragés. Toujours vêtus de bermudas et de t-shirts, complètement imbibés d'eau salée, ils avaient été piqués de toute part par les maringouins et les mouches noires. Leurs visages couverts d'éraflures sanguinolentes faisaient peur. Les trois inspiraient la pitié, mais plus particulièrement Marquis, qui affichait une mine de condamné.

Duval essaya de se montrer avenant.

— Bonsoir, monsieur Marquis. Qu'est-ce qui s'est passé ?

— On a eu une panne.

— Où alliez-vous ?

— Je vais être franc avec vous, lieutenant Duval, nous étions en route pour le Mexique. Je n'ai pas besoin, je crois, de vous expliquer pourquoi.

Duval hocha la tête, signalant à Marquis qu'il pouvait comprendre ses motifs.

— Je ne peux plus vivre persécuté comme ça, continua l'homme d'affaires. J'avais juste envie d'être sur mon bateau avec mes chums. Ne plus être la cible des quolibets et des insultes.

— Vous auriez pu m'appeler pour annuler le test du polygraphe. Vous n'avez fait qu'accroître la suspicion. Vous ne vous aidez pas.

Marquis soupira en levant les bras de dépit.

— Qu'est-ce que vous voulez que je vous dise ?

Dolbec, qui avait écouté attentivement pendant tout ce temps, plaida la cause de son copain.

— Charles n'est pas coupable du meurtre de sa femme. Je le sais. Je vivais à côté de lui quand c'est arrivé. Il est même venu me chercher au cottage pour qu'on la sorte de la chapelle. Il était bouleversé. Il n'a pas tué Florence. En connaissez-vous, des hommes qui auraient accepté une situation pareille ? Sa femme méprisait les homosexuels et il la tolérait sous son toit. Connaissez-vous un homme qui lui aurait construit une chapelle pour qu'elle puisse s'adonner à son vice à elle ?

— Ça, c'est Charles, un gars généreux, ajouta Martin Giroux.

Duval eut envie de rétorquer que c'était un mobile des plus classiques, d'autant plus qu'il y avait de l'argent en jeu et un petit copain à la place de la maîtresse habituelle. Mais il ne voulait pas sauter aux conclusions à ce stade. D'autres éléments pouvaient encore jouer en faveur de Marquis.

— Mais vous comprenez que tous les journalistes croiront que vous avez pris la fuite ? argumenta Duval.

— Je n'ai pas encore été accusé du meurtre de ma femme.

Louis profita du moment pour lancer sa carte.

— Mais j'ai une mauvaise nouvelle pour vous autres. Il y a un mandat d'arrêt contre vous. Tout ce que vous direz pourra être retenu contre vous. Vous pouvez choisir de vous taire et appeler un avocat.

Marquis dévisagea Harel comme s'il s'agissait d'un demeuré. Il hocha la tête, ferma les yeux de dépit puis regarda le lieutenant Duval.

— Je crois que Florence vous aurait aimé, car vous êtes un être bon de nature et je vous fais confiance. Vous êtes sûrement en mesure de comprendre ce que je vis comme être humain, mais aussi comme homosexuel qui voit son nom traîné dans la boue et ridiculisé. Quand j'ai accepté ce que j'étais, Serge a été le premier à le savoir, puis ç'a été au tour de Martin. Je souhaitais que ma situation soit connue seulement d'un cercle d'intimes, mais il a fallu que quelqu'un me trahisse et rende ma situation publique. Tout le monde maintenant se paie ma gueule. J'ai même honte auprès de la petite communauté gaie de ma ville, car j'aurai été la cause des attaques qu'ils subiront bientôt un peu partout. C'est ça que j'ai voulu fuir. N'auriez-vous pas fait la même chose à ma place ? Comment auriez-vous réagi ?

Le lieutenant refusa de répondre à la question. Il ploya la tête. Non, il n'aurait pas voulu être dans la peau de Charles Marquis.

Celui-ci ravala un sanglot, puis craqua pour de bon. Dolbec l'entoura de ses bras comme une mère son enfant. Duval le revoyait une dizaine de jours plus tôt lors de sa conférence du Château Frontenac, et il se dit qu'il fallait peu de temps pour abattre un homme en pleine maîtrise de ses moyens.

Duval fit signe à Louis et aux autres policiers de sortir.

— On va redescendre à Québec demain matin.

Puis il se tourna vers Bédard.

— On va coucher au Bic ce soir. Pouvez-vous leur permettre de se laver et leur trouver des cellules décentes pour passer la nuit ?

Le policier acquiesça et informa Marquis qu'il pouvait appeler à Rimouski pour qu'on dégage son yacht de sa fâcheuse situation.

— Merci, murmura l'homme d'affaires.

Bédard s'adressa ensuite à l'un de ses collègues.

— Amène le lieutenant Duval au motel du Bic.

Le policier salua son supérieur et reprit la 132 avec les deux enquêteurs de Québec. Duval se réjouit en pensant que le *Journal de Québec* n'avait pas dépêché de journaliste sur les lieux. L'exercice d'humiliation auquel se livrait Richard Grenier se passerait d'images pour cet épisode difficile de l'existence de Charles Marquis ! Ce qui n'empêcherait pas ce dernier de vivre sa première nuit en prison, coupable ou non.

Le motel du Bic nichait au sommet d'une colline. Les phares des automobilistes s'allongeaient dans les talles d'épinettes. L'enseigne lumineuse du motel se dressait au bord de la route. L'air était pur en cette nuit de juin. Le vrombissement des rares voitures et camions était amplifié par l'eau et par le mur que formaient les montagnes. Heureusement que la saison touristique ne battait pas son plein. Duval et Harel étaient vannés et ils n'avaient qu'une envie : dormir.

61

Après un petit déjeuner copieux, Duval et Harel montèrent dans la voiture banalisée conduite par un agent du Bic. Les trois suspects étaient à bord d'une fourgonnette, menottes aux poignets. Ils prirent le chemin de Québec. La journée s'annonçait radieuse. Avec trois cents et quelques kilomètres à parcourir, Duval aurait aimé avoir les *Carnets spirituels* de Florence Marquis pour profiter de ces heures afin de comprendre les derniers jours de sa vie. D'autant plus que Louis et l'agent, un chevalier de Colomb, causaient de leur organisation respective, ce qui l'ennuyait à l'extrême. Il ne manquait plus qu'il soit aussi dans le mouvement charismatique, s'inquiéta le lieutenant. Par chance, l'arrière-pays et ses vallons enlacés au fleuve lui offraient un beau tableau pour réfléchir à ses affaires. Il reporta son attention sur le paysage qui défilait. Des îles émergeaient du fleuve. En bordure de la rive, une vieille maison de pierre entourée de verdure fit clignoter le mot vacances dans sa tête. Les vaches bien allongées ou qui paissaient tranquillement le faisaient aspirer au repos. Plus loin, une jument veillait sur son poulain et à cette vue il s'interrogea sur la pertinence d'être père à quarante ans. Même la beauté de la nature l'interpellait sur sa vie présente. Il ferma les yeux et s'endormit.

Il se réveilla à la hauteur de Kamouraska. Passé Montmagny, Louis syntonisa l'éboueur des ondes, qui poursuivait son sale boulot. La nouvelle était maintenant publique, même si les journaux du matin n'avaient pu en faire état.

Le *morning man*, qui travaillait même le samedi, avait été informé du naufrage du *Lion bleu*. Il y était question des activités criminelles de Martin Giroux: « Marquis en fuite avec un meurtrier, pis son serin », cancanait-il. Il rappelait la mort du copain gai de Giroux après une baise sado-maso, son inculpation pour trafic de cocaïne… Marquis passait un mauvais quart d'heure aux mains du porte-ordures numéro un à Québec. « Le présumé meurtrier de Florence Marquis a été arrêté après s'être échoué avec son bateau alors qu'il tentait de fuir le Québec. Pas besoin de dire qu'il n'y avait pas de pitounes à bord ! » fanfaronnait le controversé animateur. « On parle d'une panne de moteur, mais moi, j'y crois pas. Je vous le dis, là, je crois pas ça pantoute. Trois fifs la nuit sur un bateau… Marquis était un marin d'expérience, mais il a dû troquer la barre pour celle de son amant. Pendant que la quille touchait le fond, une autre était bien levée… »

Duval n'en pouvait plus.

— Pouvez-vous fermer la radio ? Je ne suis pas capable de me concentrer avec cet hostie de macaque halluciné.

— C'est drôle, Dan, glousse Louis.

— Mais tu le trouves pas mal moins drôle quand il te traite de mangeux de beignes grassement payé !

Louis éteignit la radio en jetant un regard désabusé au policier du Bic.

62

Même si on était samedi midi, un message était posé sur son bureau, un message qui lui parut extrêmement intéressant. « Rappeler Pierre Corbeil chez lui. »

Il composa immédiatement le numéro du chroniqueur. Duval avait eu affaire à Corbeil dans l'histoire du tueur de l'autoroute. Le journaliste avait accepté d'écrire un bref article afin de confondre le tueur, disant qu'un suspect avait été arrêté. Même s'il n'avait pas les chroniqueurs judiciaires en haute estime, le lieutenant avait loué le geste du journaliste.

— Pierre Corbeil, s'il vous plaît.

— C'est moi.

— Salut ! Daniel Duval de la SQ.

— Comment ça va ?

— Ça va.

— As-tu un scoop pour moi ? Je suis en manque, ces temps-ci…

— Peut-être. Comment ça se fait que tu n'as pas le dossier de l'affaire Marquis ?

— Une maudite bonne question qui m'a amené à prendre une semaine de congé… Un petit morveux de journaliste me *bumpe* avec ses sources qui sentent pas très bon.

— Qu'est-ce que tu veux dire ? le relança Duval, subitement à l'affût.

— Un pigiste d'un journal religieux arrive avec une sale histoire et on lui offre toute la place. J'ai envoyé promener mon éditeur. J'ai pris un petit congé de protestation. On est en train, avec ce genre d'articles, de causer du *gay bashing*. C'est déjà assez dur d'être homo à Québec sans qu'un petit *Jesus Freak* de droite venu de nulle part nous expose à la lapidation publique.

— Ah ! je ne savais pas que tu étais gai, Corbeil !

— Je m'affiche pas, mais là... Cet enfant de chienne va passer un mauvais quart d'heure. Y sont tous pareils, les hosties. Ils prêchent « Aimez-vous les uns les autres », et aussitôt que t'as le dos tourné, y sortent leur poignard.

— D'où il vient exactement, ce Grenier-là ?

— Tu connais le journal *Le Chemin de Jérusalem* ?

— Vaguement.

— Il y a été chroniqueur. C't'un suceux d'évêque, si tu vois ce que je veux dire.

— Je vois.

Dans la tête de Duval, les idées se bousculaient. Il prit soudain une décision.

— Écoute, Corbeil, veux-tu de bons articles pour ton journal ?

— Je viens de te dire que je suis en manque !

— Il s'est passé plein de choses cette nuit dans l'affaire Marquis et ce n'est pas fini. Je sais que tu vas traiter ça sur un ton différent. Je commence à comprendre ce qui s'est vraiment passé dans cette histoire-là. Je suis en train de démêler les écheveaux.

— Est-ce que Marquis ou un de ses chums est coupable ?

— Va pas trop vite en affaires.

— En tout cas, tu peux compter sur moi pour que ça sorte proprement.

— Bien. Je te rappelle dès que j'ai du solide.

Grenier allait s'en mordre les doigts et reprendre son *Chemin de Jérusalem*, se dit Duval en raccrochant.

Il rentra à la maison vers quatorze heures. Enfin une résolution tenue, s'encouragea-t-il. Dire Straight jouait *Sultans of Swing* à plein volume. Laurence entreprenait un congé de quatre jours. Elle portait sa jupe blanche, sa camisole de tennis et son petit bandeau blanc. Elle dansait en ramassant ses affaires. Il ne l'avait pas vue depuis le souper qui avait précédé son départ au Bic.

Elle s'avança pour l'étreindre et lui coller deux gros baisers. Elle rayonnait.

— Qu'est-ce que tu dirais d'aller manger au Fiacre vers vingt heures ?

— Partant !

— Après, on pourrait aller voir un spectacle en ville.

— T'as l'air dans une forme splendide.

— J'ai accouché une femme à l'urgence, la nuit dernière. Elle n'a pas pu se rendre jusqu'à la maternité. Le travail a commencé dans le stationnement. J'ai sorti l'enfant, une petite fille de huit livres.

Les yeux de Laurence se mouillèrent de joie. C'était comme un sourire de pluie chaude sous un arc-en-ciel. Duval la trouvait ravissante. C'était la Laurence qu'il avait aimée quatre ans plus tôt.

— Pour le moment, Adèle m'attend au Peps pour une partie de tennis.

En entendant le nom d'Adèle, Duval sentit ses genoux flageoler. Avait-elle dit à Laurence ce qu'elle avait vu l'autre soir ?

— Comment ça s'est passé, à Rimouski ?

— Bien.

— Tout le monde parle de ce pauvre Charles Marquis.

— Sa situation doit être intenable, peu importe qu'il soit ou non coupable.

— Il y a un infirmier gai à l'hôpital et il est convaincu que Marquis n'a pas tué sa femme.

— Qu'est-ce qu'il en sait ? En passant, j'ai une question à te poser au sujet de Florence Marquis. Elle se plaint dans son livre d'avoir des écoulements de sang prolongés. Est-ce que c'est possible d'être toujours menstruée ou c'est lié à son cancer du col de l'utérus ?

— Non. C'est impossible, ça n'a rien à voir. Certaines femmes ont des règles plus longues et plus douloureuses que d'autres. Mais elle ne pouvait pas saigner en permanence. Je me suis permis d'en lire quelques passages, tu avais laissé le tout sur la table de chevet. J'ai été consternée par ce qu'elle disait sur sa maladie. Tu verras, c'était à l'endroit où tu étais rendu.

Elle se pencha pour prendre son sac d'entraînement. Il se rassasia l'œil de la chute de reins de Laurence, cuivrée par le soleil.

— Je suis content de savoir qu'on va pouvoir passer la soirée ensemble et tout notre dimanche.

— Moi aussi.

Le lieutenant se demanda s'il devait s'ouvrir au sujet de la maison. Elle ramassa sa raquette, s'approcha de lui toute pimpante et l'embrassa langoureusement.

— Je serai de retour vers dix-neuf heures. À plus tard… susurra-t-elle.

Il resta sur le charme de cet instant. Il se versa un Pernod sur glace qu'il dilua à l'eau.

63

Lundi, 9 juin

Le lieutenant Duval était dans son bureau depuis quelques minutes quand il y eut un coup à la porte et Francis entra.

— Salut, Dan. Marquis a payé sa caution et celle de ses amis dimanche.

— Le polygraphe ?

— Il va le passer demain matin. Et puis Rivard a appelé : il veut te parler.

Duval composa le numéro du labo de chimie et toxicologie. Pendant qu'on le mettait en attente, il arrosa sa plante avec un verre d'eau qu'un collègue avait oublié sur son bureau. On le transféra au labo de Rivard.

— Salut, Marcel. C'est Daniel Duval.

— C'est positif, Dan ! Il y a de l'arsenic.

Inconsciemment, Duval dessina une tête de mort dans son calepin, ajouta les os en forme de X.

— C'est la compagnie CIL qui fabrique la poudre à plancher en question.

Duval se redressa.

— Quel nom tu lui donnes ?

— Poudre à plancher. C'est le nom populaire qu'on donne à ce *stuff*-là.

— T'es sûr ? Je vais dans une quincaillerie et je demande de la poudre à plancher et on me refile de l'arsenic ?

— C'est comme les fameuses « boulettes ». Dans mon jeune temps, on utilisait l'expression pour désigner ce mélange d'arsenic et d'avoine. Même Franchère Pépin utilisait ces termes-là. Les cultivateurs répandaient ces produits dans les champs pour éloigner certains prédateurs ou empoisonner les animaux du voisin… quand ce n'était pas le voisin lui-même ! Boulette, poudre à plancher, ce sont des expressions populaires.

— Merci, Marcel. On se reparle.

— En passant, *Dany boy*, je sais pas ce qui arrive à Mireille, mais elle marche sur un nuage…

Le lieutenant raccrocha. Il aurait tellement aimé que cette histoire ne commence jamais, car maintenant, il ne savait plus où elle allait finir. Il composa aussitôt le numéro de l'Identité judiciaire. On lui passa André Lamothe, le technicien qui avait relevé les empreintes.

— Lieutenant Duval à l'appareil. Pouvez-vous me dire s'il y avait des empreintes sur le contenant ?

— Oui. On s'apprête justement à les comparer à celles de Charles Marquis.

Avant de raccrocher, Lamothe l'avisa qu'il recevrait le rapport dans la prochaine heure.

Duval alla au-devant de ses amis qui discutaient dans le corridor.

— Je viens de parler à Rivard : c'est de l'arsenic ! Ils ont aussi des empreintes. Il reste juste à trouver les bons doigts…

Duval regarda l'heure : neuf heures vingt. Diable ! Il était en train d'oublier son rendez-vous chez Gendreau.

Il regarda Prince et Tremblay.

— Aujourd'hui, vous retournez chez Grenier. Vous l'interrogez à fond sur son passé de journaliste dans les milieux religieux. Je veux savoir pourquoi Florence Marquis le remercie dans sa nécrologie. Cherchez aussi à savoir s'il y a des liens entre lui, Gendreau et Estelle Lambert.

Duval avait l'impression que le mécanisme du *Jack in the Box* allait bientôt lui sauter à la figure. Il s'arrêta devant les casiers postaux. Il sortit un rapport de réunion syndicale, une invitation à un congrès des policiers au Nebraska, une invitation à suivre une formation en karaté et une lettre qui lui pompa un grand coup de sang au cœur. Il fila dans son bureau pour la décacheter en vitesse. C'était madame Léger qui acceptait de lui revendre sa maison et de reconsidérer le prix de vente. L'émotion l'étreignit.

Il aurait voulu partager cette nouvelle avec quelqu'un. Mais voilà, il n'avait toujours pas avisé Laurence de ses intentions. Il entendit la voix de Louis et de Francis qui revenaient dans leurs bureaux.

Il sortit de son cagibi vitré.

— Louis, viens ici !

Le Gros s'amena en sortant sa boîte de Tic-Tac.

— Elle veut me revendre la maison !

— On dit merci à mononcle Loulou et à Dixie et Pixie ?

— Dixie et Pixie ?

— Là où les filles avaient échoué, elles ont réussi.

— Mais qui sont Dixie et Pixie ?

— Deux magnifiques souris... de chez Tony Animalerie.

Le visage de Duval se figea de stupeur.

— Mais qu'est-ce que t'as foutu encore ?

Louis, fier de lui, en remit.

— Avec les ravages que cette bourgeoise a faits dans ton ancienne maison, je crois que tu peux la racheter pas cher.

— Qu'est-ce que tu veux dire ?

— Elle a retiré les vieilles moulures, elle a fait abattre des murs de plâtre.

Duval ne s'inquiétait pas. Il lui redonnerait sa beauté d'antan avec la minutie d'un artisan.

— Je ne sais pas quoi te dire !

— Paye-moi un bon repas à L'Astral.

— Il ne faut pas que cette histoire-là sorte d'ici. Et il ne faut pas en parler pour l'instant à Laurence.

— Promis.

— OK. Maintenant, viens-t'en, on a rendez-vous !

64

Gendreau occupait un bureau de la rue Saint-Jean dans le même édifice qu'un Popeye Burger. Son nom en lettres d'or sur une porte en laiton au verre givré – Gerry Gendreau, Détective privé – devait impressionner les clients potentiels. Malheureusement, l'odeur de graisse à patates frites et de viande hachée s'infiltrait dans l'escalier en marbre qui menait à son bureau. Une large main courante, plaquée or, donnait du cachet au lieu. Il pouvait bien demander soixante-dix dollars l'heure, comme l'avait spécifié sa secrétaire. Gerry Gendreau comptait trente années de service au moment de prendre sa retraite.

Duval n'avait pas travaillé très longtemps avec lui, mais il s'en souvenait comme d'un rabat-joie. Il ne vous parlait que de vos mauvais coups, de vos échecs. Il fallait toujours se justifier, dire que la situation n'était pas si mauvaise. Ensuite, il vous prenait en pitié, ce qui vous mettait en état de faiblesse. Il avait aussi la mauvaise manie de vous insulter à la blague en vous traitant de noms peu élogieux. Il ne s'en était jamais guéri. C'était plus fort que lui. Parfois, les allusions pouvaient porter à confusion. Au début, certains le prenaient mal et finissaient par comprendre que Gendreau ne changerait pas. Valait mieux en rire. Mais à part ces défauts déplaisants, rien à redire, Gendreau s'était avéré un excellent enquêteur. Il avait pris sa retraite en 76 alors que Louis se trouvait toujours dans le coma.

Sur le palier du second étage, Duval aperçut le bureau de Gendreau. « Sonnez et entrez », lisait-on sur la porte. Ce qu'ils firent. Une jeune secrétaire souriante et fort jolie recevait les clients. Une musique de supermarché jouait dans son bureau. Dans l'autre pièce, son patron conversait avec sa voix forte.

— Il est au téléphone. Vous êtes le lieutenant Duval ? Monsieur Gendreau m'a parlé de vous. Et vous, vous êtes… ? dit-elle en regardant Louis.

— Le lieutenant Stan Laurel, des Keystone Cops.

— Il me semble qu'il m'a parlé de vous aussi.

Un pan de mur noir vêtu d'un complet rayé traversa la porte en tendant un bras qui ne voulait plus finir. Une tache lie-de-vin en forme de glaive au milieu de front, dont la pointe remontait vers le cuir chevelu, attirait aussitôt l'attention. Le front ample, le visage taillé au ciseau à bois, les yeux charbonneux et les cheveux teints noir de jais ne donnaient pas envie de mettre cet homme en colère.

— Tiens, mes crapules préférées qui viennent gâcher ma journée. C'est pas vrai. Ma gang de… Regarde-moi ça, Janine, de la racaille de policiers ! Des Sans-Queue de la S-Q. Des pas de couilles !

Il tâta le gras des flancs de Louis.

— En plus, y sont gras comme des voleurs.

Louis éructa un rire auquel Duval ajouta le sien.

— À soixante-dix piastres de l'heure, j'espère que tu vas pas nous insulter encore longtemps, lança Duval.

— J'ai pas de temps à perdre. Allez, entrez. Vous êtes dans marde pis vous avez besoin de Gerry ?

Il posa une main sur l'épaule de Louis.

— Pis, mon gros marsouin, est-ce que t'as revu tes filles ?

— Non. Charlène refuse. Elle ne veut pas qu'elles me voient.

— C'est plate ! T'as pas pensé à un bon avocat ?

— Oui, mais…

— Tes filles doivent te manquer… sans bon sens.

Louis ne voulait pas en parler. C'était un sujet tabou.

— As-tu revu la belle danseuse de L'Amazone avec qui tu sortais ?

— Sandy ? Non.

— Je dois te dire, mon snoreau, que lorsque je t'ai vu raide sec comme un zombie sur ton lit d'hôpital, je me suis dit qu'on allait se revoir au purgatoire.

Le bureau était encombré. Autant Gendreau était ordonné lorsqu'il travaillait à la SQ, autant ce bureau donnait l'impression d'un capharnaüm. Accrochées sur les murs, plusieurs photos tirées de coupures de journal montraient l'enquêteur Gérard Gendreau à l'œuvre. Juste les bons coups, remarqua Duval.

— Toi, Gerry, t'aimes ton boulot ?

— Non, je m'ennuie. Filature de maris ou de bonnes femmes. C'est ça ma job. J'entends des bonnes baises juteuses, mais on finit par s'en lasser.

Il désigna le pied du lieutenant.

— Toi, Dan ? Ton pied te fait-tu toujours souffrir ?

— Pas beaucoup.

— T'as manqué les Olympiques de la police ?

— Oui, répondit avec amertume Duval.

— Assoyez-vous. Qu'est-ce qui vous amène ?

Les chaises recouvertes de vieux cuir brun desséché craquaient. Gerry s'installa derrière son gros bureau en chêne, se gratta le front à la pointe du glaive rouge.

Duval sortit son carnet.

— Si on est venus te voir, c'est parce qu'on t'a vu à Saint-François de l'île d'Orléans pendant qu'on fouillait la chapelle. Je me suis demandé ce que tu faisais là.

— Je savais, Dan et Loulou, que vous étiez sur l'enquête. Mais j'étais curieux, car j'ai été indirectement impliqué dans cette affaire.

Duval s'avança sur le bout de sa chaise comme un chien aux aguets.

— De quelle manière ?

Gendreau sortit un cigare d'une boîte. Il en offrit à ses anciens collègues, qui refusèrent. Il le mouilla à l'extrémité, trancha l'autre côté avec son coupe-cigare.

— Pourquoi tu leur fais une fellation, à tes cigares? demanda Louis.

Gendreau s'esclaffa.

— J'avais pas vu ça de même, mais si ça peut être assez suggestif pour ma secrétaire...

— Est bonne! s'exclama Louis.

Gendreau l'alluma avec son Zippo qui cracha une longue flamme. Il aspira avec énergie et le foyer rougeoya. L'affreuse fumée voleta tout autour, ce qui obligea Duval à battre des mains.

— Florence Marquis m'a engagé par l'intermédiaire de sa belle-sœur, Estelle Lambert. Elle voulait obtenir le divorce. Elles tenaient à ce que je coince Charles, qui avait une relation homosexuelle. Quand j'ai vu mes photos dans le journal, je me suis posé des questions.

— T'as été payé pour les photos?

— Oui, mais pas pour qu'elles passent dans le journal.

— À qui les photos avaient-elles été remises?

— À Florence.

— Qui t'a payé?

— Florence Marquis.

— Tu sais qu'elle t'a remercié dans sa notice nécrologique?

— Non! Tu me l'apprends. Même de là-haut on apprécie les services de papa Gerry! s'exclama le détective.

— Est-ce qu'Estelle Lambert était très impliquée?

— J'ai eu l'impression qu'elle n'était jamais très loin. Elle était toujours à son chevet. Ç'a été des semaines de travail. Il m'a fallu traîner pas mal dans les bars de moumounes.

Louis éclata de rire en pointant le doigt vers Gendreau.

— Je t'imagine !

Duval ne voulait pas qu'à un dollar seize la minute, les deux lascars se fassent la dent sur les homos. Il freina Louis qui allait envoyer une autre vanne à Gerry.

— Tu n'es pas en contact avec Richard Grenier, par hasard ?

— Le journaliste ? Non !

— Qui a pu envoyer les photos à Grenier ?

— J'ai pensé à Estelle Lambert, mais je n'en sais rien.

— Comment a réagi Florence en voyant les photos ?

— Elle a été complètement abattue. Elle avait déjà des doutes. Y paraît que la domestique avait surpris son mari dans une position pas trop catholique. Moi, je venais confirmer la chose, ce qui n'a pas été trop difficile. Estelle Lambert m'a dit que ç'a détruit sa vie.

La fumée et l'odeur âcre du cigare devenaient de plus en plus insupportables. Le privé marcha jusqu'à son classeur, fouilla et en sortit un dossier. Il en retira des photos qu'il remit à Duval. Le lieutenant les examina.

— C'est bien celles-là.

— Je les ai prises à la fin de l'été.

— Rien d'autre à signaler ? Est-ce qu'elle t'a rappelé après ça ?

— Non.

Duval se leva. Louis l'imita. Gendreau expira un énorme nuage de fumée en reculant sa chaise.

— As-tu toujours des bons tuyaux pour les courses ? demanda Louis.

— Red Pepper dans la sept. Boy Toy dans la huit. Mets ta paye là-dessus. Mais y me semblait que tu t'étais brûlé, toi, avec les courses ?

— …

La secrétaire s'arrêta de travailler en voyant passer les anciens collègues de son patron.

— En tout cas, ces histoires de bobettes, ça sent jamais bon, lança Gendreau.

Louis s'esclaffa.

— J'aurais besoin de deux canailles comme vous autres, continua-t-il. Je vous paierais cent piastres de plus par semaine. J'aurais de l'ouvrage pour toute une équipe.

— ... J'ai pas encore accumulé assez de fonds de pension. Charlène me saigne à blanc, répliqua Louis.

— Toi, Dany, t'es bosseux de nature, mais je te prendrais pareil.

— Y va falloir que t'arrêtes de fumer le cigare, pour ça !

Gerry lui souffla un nuage de fumée au visage.

— Tiens, en voilà un qui me comprend, dit la petite secrétaire.

— Ma gang de pourris ! Sortez d'icitte avant que j'vous sorte ! dit Gendreau, tout sourire, en refermant la porte sur eux.

Louis avait le sourire imprimé sur le visage en redescendant les marches. Il n'arrêtait pas de répéter : « Sacré Gerry ! »

Duval pensait déjà à affronter Estelle Lambert. Était-elle de mèche avec Richard Grenier et quelques amis puritains de Florence Marquis ?

Au rez-de-chaussée, l'odeur de friture fournit à Louis les meilleurs arguments pour amener son patron chez Popeye. En voyant la face joufflue du héros de son enfance, pipe au bec, et toute sa descendance, Brutus, Olive, Pistache et compagnie, Duval ne se fit pas prier longtemps, même s'il était prêt à parier que le hamburger aux épinards ne faisait pas partie du menu.

65

En fin de journée, Bruno Lang, l'expert en documents, avait terminé son analyse de la deuxième lettre. Il demandait à Duval de passer le voir au labo. Lang mentionnait dans son message qu'il avait découvert quelque chose qui pouvait l'intéresser.

Alors que Duval entrait au labo, il aperçut Mireille qui sortait d'une salle d'analyse. Elle jeta un coup d'œil dans sa direction pour s'engouffrer aussitôt dans la pièce suivante, comme si elle se terrait pour ne pas lui faire face. Le lieutenant sentit un goût amer dans sa bouche. Cette affaire n'allait pas s'éteindre rapidement.

Lang examinait une pièce à conviction derrière son microscope stéréoscopique. Il leva l'index pour signaler à Duval qu'il était à lui dans un instant. De petite taille, ce Québécois d'origine alsacienne avait analysé dans les années soixante la plupart des communiqués du FLQ. D'ailleurs, sur un des murs du labo, il avait encadré le fameux manifeste qu'il avait analysé en octobre 70. Lors de l'ouverture du nouveau laboratoire médicolégal de Québec, il y avait été transféré, apportant avec lui la célèbre pièce à conviction. Le rôle de Lang avait été capital dans l'authentification de certains traités entre les Premières Nations et les Britanniques, ce qui lui conférait un rôle dans l'Histoire. De petite taille, les cheveux aux épaules, il ressemblait plus à un hippie qu'à un expert judiciaire. Ses yeux, qu'il sollicitait tant pour son labeur de précision, avaient vu leurs contours se cerner de noir. Selon Lang, son domaine d'expertise était la branche la plus complexe des sciences judiciaires. L'expert en écritures et en signatures, se plaisait-il à dire, recourt davantage à sa tête qu'à du matériel de haute technologie. N'empêche que, pour déjouer les faussaires, son bureau comprenait des loupes de qualité et des microscopes, différentes sources d'éclairage : lumière du jour, lumière artificielle, et des filtres. Pour les expertises de documents, notamment dans les cas de contrefaçon et de falsification, ou pour les examens de papier ou d'instruments à écrire et à imprimer, les examens nécessitaient l'utilisation d'ultraviolets, d'infrarouges et de matériel chimique.

Il se releva avec le sourire. Il s'approcha et serra la main du lieutenant.

— Je ne sais pas si ça va t'aider, mais j'ai un petit indice. Je dois d'abord te dire qu'il n'y a rien à tirer pour l'instant des deux documents, sauf qu'ils ont été tapés sur la même machine, sur le même papier, et par la même personne à en juger par le style laconique et l'absence de fautes. Mais ce qui m'a intéressé en examinant l'enveloppe, ç'a été de constater que quelqu'un y avait laissé un calque involontaire, comme il nous arrive souvent. Une partie de message s'est imprimée sur l'enveloppe. C'est incomplet, probablement en raison de l'angle dans lequel la feuille était placée sur l'enveloppe qui nous intéresse. Viens que je te montre.

Le lieutenant suivit Lang jusqu'à une longue table encombrée au fond de son bureau. Il y avait là toute une série de lunettes grossissantes avec un dispositif offrant une variété d'éclairage, un microcosme Zeiss et des tableaux comparatifs.

— J'ai noirci l'enveloppe et voilà les photos que j'ai pu tirer du message : AIE LA. Cinq lettres et un espace.

Duval grimaça, se demandant ce qu'il tirerait de cette information qu'il nota néanmoins dans son calepin.

Comme c'était souvent le cas à cette période de l'année, la conversation bifurqua sur les vacances qui approchaient. Mais Duval n'avait pas la tête aux bavardages, aussi salua-t-il rapidement Lang en lui en souhaitant de bien belles.

◆

Aussitôt chez lui, il se dirigea vers la chambre, prit sur la table de chevet les *Carnets spirituels* et descendit en vitesse. La radio était allumée, mais Laurence n'était pas là, probablement partie faire des courses. La musique de David Bowie allait le déconcentrer. Il éteignit l'appareil. Il lui fallait toute sa tête pour mettre en place les derniers morceaux.

Il prit la version manuscrite et chercha l'endroit où il avait vu une liste écrite de biais. Il repéra la note : poudre à plancher. Il sentit son cœur battre très fort. « Poudre à plancher » voulait dire « poison à vermines ». Juste à côté de l'expression, il y avait la mention « humidificateur » qui faisait sans doute référence à l'achat qu'avait fait Florence par l'intermédiaire de sa belle-sœur. Duval croyait posséder maintenant le passe-partout de l'énigme. Il avait une heure pour achever la lecture du texte dactylographié. En sachant où Estelle avait acheté l'humidificateur, il pourrait retrouver le lieu d'achat de l'arsenic. Il sortit les renseignements fournis par Lang, dont ce calque involontaire. Il sourit aussitôt. Pas besoin d'être Cassandre ou le Sphinx pour comprendre où menaient ces cinq lettres !

Le chapitre 25 commençait par une citation de sainte Thérèse d'Avila : *Néanmoins j'ai pu, grâce à Dieu, comprendre cette ruse du démon. S'il me représentait la perte de ma santé, je disais : peu importe que je meure ! S'il me montrait la perte de mon repos, je répondais : désormais, ce n'est plus le repos qu'il me faut, mais la croix.*

Ce qu'il lut dans les pages qui suivaient relevait du surnaturel. Un esprit rationnel comme le sien criait à la fumisterie, et ce, peu importe si le Vatican corroborait les miracles des saints. Après la mention de la poudre à plancher, Florence lui paraissait victime d'hallucinations. Elle ne semblait plus avoir toute sa tête. Ce Christ souriant à la Vierge noire, qui suintait en retour, était de la fantaisie à l'état pur. Il ne pouvait concevoir une telle affirmation. Le leitmotiv de la purification du corps souillé revenait sous maintes métaphores. Les expressions autour du « cancer béni », du « cancer aimé » ou du « doux cancer » abondaient dans ces pages. Ces adjectifs pour décrire un tel fléau le révoltaient. C'était complaisant au possible. Les extrémistes le révulsaient. Le cancer était un ennemi qu'il fallait vaincre. Les mots pour décrire la souffrance sonnaient toutefois très juste : « Le démon joue sa harpe sur mes nerfs à vif de souffrance. » Cette femme vivait un atroce supplice, une agonie sœur de celle de son amant spirituel.

Des allusions homophobes parsemaient le texte. Florence avait recopié des prescriptions divines tirées du Lévitique : « Tu ne coucheras pas avec un homme comme on couche avec une femme ; ce serait une abomination. » L'amertume et le ressentiment noircissaient les heures sombres de son déclin. Les dernières semaines révélaient une chose : cette femme, qui refusait ses traitements antidouleur, mourait empoisonnée à l'arsenic. Elle dissertait sur son cancer du col de l'utérus. Chaque fois qu'il en était question, le mot impureté apparaissait. Duval écarquilla les yeux en tombant sur une autre prescription tirée du Lévitique. Il fut tellement sidéré qu'il alla chercher la Bible pour se convaincre qu'elle en était bien issue. Le passage s'intitulait réellement « Les Impuretés sexuelles de la femme » durant ses règles et après avoir donné naissance : « Quand une femme est atteinte d'un écoulement, que du sang s'écoule de ses organes, elle est pour sept jours dans son indisposition, et quiconque la touche est impur jusqu'au soir. » Il en était de même lorsque les saignements avaient lieu en dehors de ses périodes de menstruation. Elle était impure tant que duraient les règles.

Duval se rappela qu'elle avait eu des saignements abondants et douloureux. Elle interprétait ce cancer du col de l'utérus comme le signe d'un corps souillé par la malédiction. Duval poursuivit sa troublante lecture où foi et folie étaient cousines germaines : « Si son écoulement a pris fin, elle compte sept jours, et ensuite elle est purifiée. Le huitième jour, elle se procure deux tourterelles ou deux pigeons et les amène au prêtre, à l'entrée de la tente de la rencontre. Le prêtre fait de l'un un sacrifice pour le péché et de l'autre un holocauste ; le prêtre fait sur elle, devant le Seigneur, le rite d'absolution de l'écoulement qui la rendait impure. » Florence s'était livrée sur elle-même à un rite d'absolution et à un holocauste extrême. Il était aussi mentionné dans le Lévitique que le fait d'accoucher d'un garçon rendait la femme impure pendant une semaine, et pendant deux semaines dans le cas d'une fille. Duval trouva ces prescriptions complètement absurdes et inhumaines. À la limite, ces assertions avaient quelque chose de criminel, songea-t-il. C'était comme si le fait d'accoucher d'un enfant né d'une relation avec Marquis avait rendu Florence impure à jamais.

Florence Marquis mentionnait que le Livre taisait la prescription dans le cas d'un enfant né de l'abomination. Elle avait cru que c'était en raison de la hideur de la chose. Elle s'était salie pour toujours, et ce, malgré tous les sacrifices réalisés pour Dieu. La mort-aux-rats constituait une manière d'éradiquer cette vermine qui noircissait son corps en état de corruption.

Le lieutenant sortit bouleversé de ces considérations. Florence Marquis, dans son délire provoqué par la Bible, s'était aussi, pensa-t-il, prise pour le Dieu de l'Ancien Testament. Sa vengeance avait été terrible, elle s'était abattue sur son mari. Son courroux rappelait celui de Dieu contre Sodome. Duval se rappela qu'un jour un de ses collègues du Collège de Montréal avait voulu prouver dans un cours de philosophie que l'enfer n'existait pas. Il s'était fait mettre à la porte pour son hérésie, même s'il avait professé jusqu'au bout être croyant. Cet épisode avait ébranlé le jeune Duval, rationnel de nature. Il ne pouvait concevoir que l'on proclame des bêtises du genre.

Il rempila les feuilles des épreuves du livre de Florence Marquis et referma la Bible. Il en avait maintenant assez pour déterminer les mobiles qui avaient entouré la mort de Florence.

Il monta se doucher. En apercevant le long serpent gris devant la maison, il aurait bien aimé s'y plonger pour une baignade. Mais l'eau du fleuve était polluée. L'enfer, c'était *hic et nunc*, ici et maintenant, pensa-t-il. De ça aussi, il était certain.

Il téléphona à Corbeil pour lui livrer le scoop de sa carrière. La nuit allait être douce. Et puis, comme Laurence était en congé et que son humeur était revenue au beau fixe, il en profiterait pour lui faire l'amour sans désir de procréation, ce qui constituait une entorse selon la Bible et qui le mettait encore plus en joie.

66

MARDI, 10 JUIN

Duval déposa vingt-cinq cents sur le formica du comptoir de la tabagie Turnbull. C'était beaucoup trop payé pour un « ramasse-crottes » pareil, pensa-t-il. En d'autres lieux et d'autres temps, il aurait eu honte d'acheter ce journal, mais le boulot, c'était le boulot. Il devait marcher sur son orgueil.

Comme il fallait s'y attendre, constata-t-il, après avoir fait parvenir à Corbeil ses renseignements de première main, celui-ci faisait la une en citant Duval: *Charles Marquis n'est pas le principal suspect dans la mort de sa femme*.

Corbeil donnait aussi la parole à des gais de Québec. Une timide résistance s'organisait dans leur communauté. Ils en avaient assez des préjugés dont ils étaient les victimes. Ils se sentaient jugés, menacés et ridiculisés. « Même des gens qu'on trouvait normaux se mettent à nous écœurer », mentionnait « S. », qui ne voulait pas être identifié. « On n'est pas des monstres », disait Michel.

Dès son arrivée au bureau, Duval reçut la confirmation que Marquis avait passé le test du polygraphe. L'analyste confirma qu'il avait répondu avec flegme aux questions. Le test était négatif. Comme le test se fonde sur le sentiment de culpabilité, Marquis n'avait pas faibli ni éprouvé le moindre remords. Les stylets reliés aux capteurs n'avaient pas fluctué quand Marquis réagissait aux stimuli de l'expert.

Duval voyait une de ses thèses confirmée. Marquis était la victime des circonstances et d'une abominable machination. Il lui rappelait plutôt le Christ des vitraux. Le Christ de la passion. L'opprobre, l'humiliation et le mépris lui étaient tombés dessus avec une tonne de préjugés et des spectateurs avides de crucifixions.

Louis entra dans le bureau.

— T'as su, pour le polygraphe de Marquis ?

— Oui.

— T'es pas surpris ?

— Non.

Louis arbora une moue sceptique.

— T'es prêt ? enchaîna Duval.

— En route.

La journée fraîche et lumineuse avait des airs de dimanche. Tout semblait se mouvoir au ralenti. Le vent faisait bruire les feuilles. Les carouges à épaulettes voletaient sur le bord du fossé. De l'autre côté des barbelés, les vaches paissaient paisiblement dans les champs. De belles images couraient dans la tête du lieutenant. Il pensait à son souper de la veille. Laurence et lui étaient de nouveau au diapason. C'était le début d'un temps nouveau, comme le disait le refrain d'une chanson populaire. Faire l'amour avait ressoudé les corps et les esprits. Il pensa aux lendemains. Vivre à deux s'avérait une mécanique difficile et leurs horaires opposés et contraignants n'arrangeaient rien. Il faudrait remédier à tout ça.

La voiture remonta l'allée des Lambert. Duval souhaitait que cette journée radieuse marque la fin de l'enquête. Il frappa à la porte. Estelle Lambert répondit. Elle portait des ecchymoses au visage et se déplaçait à l'aide d'une béquille. Il lui montra le mandat. Elle les laissa entrer avec un air aussi affable que celui d'un carcajou. Les yeux jaune moutarde semblaient résignés.

— Madame Lambert, connaissez-vous le détective privé Gérard Gendreau ?

Elle chercha vaguement, puis sembla hésiter avant de donner une réponse.

— Je ne le connais pas.

Duval n'avait pas de temps à perdre. Il sortit d'abord la facture d'un humidificateur qu'elle avait acheté.

— Est-ce que vous confirmez avoir acheté cet appareil ?

— Oui.

— Avez-vous acheté un livre de Khalil Gibran ?

— Oui, au centre liturgique.

— Avez-vous acheté des cierges et de l'encens ?

— Oui, au même endroit.

Duval laissa planer un silence intenable. Il fourragea dans son sac pour sortir la photo agrandie du contenant avec une ligne de mesure en dessous.

— Avez-vous acheté ça aussi ?

Le visage blanc stuc d'Estelle Lambert vira au rouge piment. Saisie, elle ne sut que répondre.

Duval sortit la liste d'épicerie de Florence inscrite dans la marge de son manuscrit.

— Regardez ce qui est écrit. C'est vous qui avez fait ces courses pour Florence ?

Elle poussa une plainte épouvantable. Un cri d'animal effarouché à la vue du prédateur. Dans ce cas-ci, c'était la fatalité de son geste qui la rattrapait.

Duval prit ensuite le document qu'avait préparé Lang.

— Regardez ça, madame Lambert : AIE LA.

Elle fixa son regard sur les lettres agrandies.

— Vous savez ce que c'est ? On a retrouvé ces cinq lettres inscrites sur la deuxième enveloppe envoyée à Richard Corbeil.

Estelle Lambert ne réagit pas. Elle était figée comme le chevreuil devant les phares d'une voiture qui fonce à 100 kilomètres à l'heure.

— Ça ne vous dit rien ? continuait Duval. Moi, oui. Ça signifie POMMERAIE LAMBERT. Quelqu'un a commis un calque involontaire. Il a écrit ces lettres sur un document, un chèque ou une enveloppe, peu importe, par-dessus le papier qui a gardé les empreintes de cette information.

— Laissez-moi vous expliquer, pleurnicha-t-elle.

— C'est vous qui avez refilé l'arsenic à votre belle-sœur.

— …

— Vous avez utilisé ce genre de produit-là dans le passé.

— …

— À quoi ça sert de mentir ? pesta Louis. Vous voulez qu'on fasse venir les chimistes ?

Les mains affectées d'Estelle Lambert se raidirent davantage sur les appuis de ses béquilles.

— C'est Florence qui m'a demandé de lui procurer ce produit, avoua-t-elle dans un souffle, d'établir le contact avec un détective privé, d'envoyer ces lettres à Grenier. Elle insistait. J'avais ce raticide depuis plusieurs années. Elle voulait se venger de Charles. La preuve, vous l'avez sous vos yeux. C'est écrit dans la marge. J'étais liquidatrice de ses biens. J'avais accepté de répondre aux désirs de ma belle-sœur.

— Dont celui de l'aider à mourir de cette façon ?

— C'est ce qu'elle voulait.

— Et c'était payant ! ajouta Louis.

Elle faillit s'évanouir, son regard accroché au vide.

— Florence croyait que son martyre la faisait entrer en contact avec Dieu, qui tenait à ce qu'elle se venge de ce sodomite.

Louis toussota et pointa son gros doigt impoli vers Lambert.

— Vous connaissez l'histoire de Caïn qui tue Abel ? Ici, c'est Estelle qui tue Charles et qui aide sa belle-sœur à se tuer.

— Tu as raison, Louis. Bel exemple de fratricide.

La femme sanglotait de plus belle.

— Madame Lambert, vous êtes en état d'arrestation pour avoir porté assistance à Florence Marquis dans son long et douloureux suicide.

Elle s'affaissa sur le sofa, secouée par des convulsions. Son soulier droit tomba sur le tapis, tout comme sa béquille. Louis lui intima de se redresser. Elle refusa. Il la prit et la releva sans ménagement. Duval lui passa les menottes. Il faudrait maintenant départager la responsabilité de chacune, ce qui ne serait pas une mince tâche. Les procureurs auraient à déterminer qui avait fait quoi, et au nom de quels motifs.

◆

Deux policiers en uniforme attendaient dans leur voiture. Corbeil patientait devant la résidence de Lambert. Van der Bosh, son photographe, prit le visage démoli de la belle-sœur. À son grand plaisir, Duval aperçut Richard Grenier qui attendait à côté de son véhicule. Il aurait droit à un raccompagnement. En voyant Duval, Grenier s'approcha tandis que Van der Bosh continuait à mitrailler Estelle Lambert. Duval invita Corbeil à le rejoindre à la centrale. Il lui refilerait là-bas les derniers développements sur l'affaire Marquis.

Grenier s'avança un peu plus avec sa mine d'hypocrite repentant, examina l'éclopée. Estelle Lambert le gratifia d'un sale regard.

— Est-ce que j'ai droit aux dernières nouvelles ? demanda-t-il au lieutenant.

— Certainement.

Duval avisa les policiers d'un geste de la tête.

— Ramassez-le !

— Hey ! Un instant ! Je vais me plaindre au Conseil de presse.

Duval le menaça du doigt.

— Plusieurs plaintes ont été portées contre toi, Grenier, pour avoir tenu des propos préjudiciables aux homosexuels. On sait pour quel lobby tu travailles…

Grenier resta planté là, avec un air hébété. Un des policiers sortit des menottes tandis que Duval aidait

Lambert à monter dans la voiture. Van der Bosh ne put s'empêcher de croquer le sourire vainqueur de Corbeil.

67

Mercredi, 11 juin

Le lieutenant alla cueillir avec plaisir *Le Journal de Québec*. Corbeil avait écrit une série d'articles exceptionnelle : *Marquis innocent! Le test du polygraphe. Estelle Lambert inculpée pour homicide. Les Amis de Florence dans la mire de la justice. Le travail des enquêteurs.* Il revenait quelques semaines en arrière et montrait comment Charles Marquis avait été l'innocente victime d'une vengeance cynique et planifiée. L'enquête préliminaire allait être ardue. Il faudrait démêler les responsabilités de tous les intervenants. La question d'une vaste fraude impliquant la Fondation des amis de Florence était aussi soulevée. Avec des amis pareils, on n'avait pas besoin d'ennemis, rappelait Corbeil. Même le curé Ouellet serait convoqué afin de clarifier son rôle. Il apparaissait que son ministère avait largement sollicité la généreuse Fondation. Les fins idéologiques de la croisade étaient patentes : instruire la population contre la dépravation gaie.

Duval passa illico au bureau du commandant en compagnie de Louis, Francis et Bernard. Toujours aux prises avec ses terribles allergies printanières, Dallaire avait la main prête à dégainer un mouchoir en papier de sa boîte. Son nez en trompette rougeoyait de plus en plus. Il toussota et avala une gorgée d'eau.

— Crisse de pollen ! lança-t-il en guise d'accueil.

— …

— Beau travail, les gars ! Toi, Dan, tu dois avoir hâte aux vacances.

— Oui. Je vais prendre congé plus tôt que prévu.

— Et toi, Louis ?

Le téléphone sonna au même moment. Dallaire prit l'appel, puis fit un signe à Duval : quelqu'un l'attendait dans le vestibule de la centrale.

Duval, surpris, se dirigea vers l'ascenseur, car l'accès au bureau des enquêteurs était interdit aux visiteurs, et arriva dans le hall d'entrée.

Charles Marquis, tiré à quatre épingles, s'avança et tendit ses bras pour faire l'accolade au lieutenant. Duval resta sidéré un instant, regardant à gauche et à droite, pas trop à l'aise.

— Merci, lieutenant. Vous avez été formidable ! Vous avez sauvé ma réputation. Je respire ce matin. Je vis à nouveau. J'ai pensé vous faire un petit cadeau.

Il lui tendit nerveusement un objet. Marquis était sur le bord des larmes.

— Vous savez qu'il m'est interdit d'accepter des récompenses…

— Vous le donnerez à un être cher, alors. Je tiens à vous offrir quelque chose. C'est sincère.

Duval prit la petite boîte, qui était lourde. Il ouvrit le rabat et en sortit une sculpture. Le bronze représentait une mystérieuse dame justice, les yeux bandés mais le dos prostré, comme si elle avait eu une scoliose. La balance à plateaux qu'elle soulevait paraissait terriblement lourde, écrasante.

— C'est une belle représentation de la justice, admit Duval.

— Serge aimerait aussi vous inviter à la première des *Belles-Sœurs*. C'est une première mondiale, comme il aime à le dire… Voici deux billets.

Duval accepta ceux-ci.

— Merci encore, lieutenant Duval. Grâce à vous, j'ai retrouvé ma dignité. J'ai mis quarante ans à m'avouer tout ça. Personne n'était au courant, à part une poignée d'amis. Arrive ce qu'on a appelé l'affaire Marquis et, du jour au lendemain, tout le monde connaissait ma situation. Ç'a été un cauchemar.

— Je n'en doute pas. Vous savez, j'ai juste fait mon boulot, comme on dit.

— J'aimerais vous poser une question, lieutenant.

— Oui ?

— Le fait que je sois homosexuel a-t-il pu vous porter à croire que j'étais coupable ?

— Non. Mais de savoir que vous aviez une relation avec quelqu'un et que cette relation se déroulait en secret alors que votre femme était toujours vivante, oui. J'y ai vu un mobile bien connu.

Marquis hocha la tête, satisfait de la réponse de l'enquêteur. Il tendit de nouveau la main et serra avec force celle du lieutenant.

Duval regarda Marquis s'éloigner. Puis les billets. « La troupe Osarose présente les *Belles-Sœurs* de Michel Tremblay au Théâtre du Vieux-Québec. » Laurence, qui aimait la nouveauté et l'expérimentation, allait sûrement accepter cette invitation. La coïncidence le troubla. Le drame de Charles avait justement été causé par deux belles-sœurs, l'une cupide à souhait, prête à becqueter le corps pas encore refroidi de sa belle-sœur, et l'autre empêtrée dans ses croyances et son délire religieux.

ÉPILOGUE

Une semaine après la fête de la Saint-Jean-Baptiste, Duval referma le coffre du Cherokee. Il vérifia si son canot était bien fixé à la remorque. Il s'assura une dernière fois qu'il avait bien les mouches que Francis lui avait préparées, dont la fameuse « delta noire à gros cul ». Ces deux semaines dans un chalet seraient un baume sur les plaies du quotidien. Il allait monter dans le véhicule quand il se rendit compte qu'il avait oublié ses lunettes. Il marcha rapidement jusqu'à la chambre. Elles se trouvaient sur le bord de la table de chevet. Il constata que Laurence avait aussi oublié quelque chose. Il prit le contenant de pilules anticonceptionnelles sur la table de nuit. Mais il se ravisa. Peut-être avait-elle une idée en tête. Comme lui avait la sienne : racheter le vieux cottage et se défaire du mausolée de Cap-Rouge.

Il avait cessé de voir Mercier sans jamais avoir avoué qu'il avait été victime d'un frère pédophile au collège. Il savait qu'une partie de sa haine envers la religion venait de là. Laurence l'ignorait. Il existe des secrets qu'on n'avoue jamais, même à ceux qui sont les plus proches confidents en ce monde.

La vague d'homophobie cessa, mais non ses remous haineux. Ils frayaient leur chemin souterrain. La brutalité et le vice s'incrustent dans les fibres du monde. Il faut de la chair à lapider, des boucs émissaires à crucifier, des scandales pour nourrir l'indignation publique. Plus tard, au cours de l'été, la chapelle de la Vierge noire s'embrasa. L'incendie, d'origine suspecte, fut revendiqué par un groupe religieux qui croyait le lieu hanté par le diable. Les vieilles croyances sont tenaces. Les vitraux que Duval aimait tant avaient éclaté dans la chaleur du brasier. Les *Carnets spirituels* de Florence Marquis devinrent un best-seller, ce qui dépassa l'entendement de Duval. On en parla à la radio et à la télévision. La critique vanta le style de l'auteure et ses excès rhétoriques. On qualifia l'ouvrage d'opus noir des temps modernes. L'archevêché se dissocia du livre et de son auteure, notamment sur la question du suicide, mais il ne rejeta pas les thèses qui étaient siennes, notamment sur la question des rapports homosexuels. Les droits d'auteur furent remis à Charles Marquis, qui s'empressa de les redonner à une organisation caritative, en accord avec Germain Charbonneau, le frère de sa femme qui avait lancé l'enquête. Tous les amis de Florence qui l'avaient courtisée pour son argent se faisaient désormais discrets. Plus personne ne proposa sa béatification. Aucun miracle ne lui fut attribué.

Estelle Lambert, quant à elle, fut accusée de chantage, de menaces et d'avoir assisté sa belle-sœur dans son suicide. On laissa tomber les accusations d'extorsion en raison des arrangements légaux qui étaient en règle. La Fondation des amis de Florence fut dissoute. Grenier fut congédié du *Journal de Québec* et reprit sa chronique au *Chemin de Jérusalem*.

La pièce de Dolly fut un succès : trois jours à guichets fermés et une supplémentaire. Serge Dolbec eut droit à un long article dans la revue *Fugues*. Charles Marquis ne réaliserait jamais son rêve d'accéder à la mairie de Québec. Il s'était finalement éclipsé au Mexique. Il aurait peut-être fait un bon maire. Chemin de croix, chemin de liberté. Marquis avait essayé d'être lui-même dans un monde où l'expression de certaines identités rend la vie impossible.

Marcher sans croix sur les chemins du monde était en soi une mission.

Remerciements

L'auteur remercie les personnes suivantes pour leur appui à un moment ou à un autre du projet: Michel Gendron et Jacques Plante pour m'avoir parlé de la communauté gaie de Québec à la fin des années soixante-dix. Marc Richard pour ses commentaires de lecture toujours aussi pertinents. Valérie St-Martin pour avoir relu maintes fois les versions de cette histoire et m'avoir encouragé à toutes les étapes du processus de création. Je veux signaler aussi le recours à l'intéressant ouvrage d'André Münch, *L'Expertise en écritures et en signatures*, paru aux éditions du Septentrion. Je remercie l'auteur pour avoir répondu à mes interrogations. J'exprime toute ma gratitude à Jean Pettigrew pour ses lectures constructives. L'information sur les descentes policières musclées dans les bars gais de Montréal est tirée du très bon article de Judith Lachapelle, « Vieillir gai », publié dans *La Presse* du 30 juillet 2005. Finalement, je remercie Valérie Gagnon, de la firme d'exterminateurs Maheux & Maheux pour m'avoir montré de vieux échantillons de raticides, et Sylvain Pagé, pathologiste hospitalier.

Jacques Côté…

… vit à Québec. Il enseigne la littérature au Cégep de Sainte-Foy. Dans les années 80, il séjourne à Londres où il écrit son premier roman, *Les Montagnes russes* (1988), adapté pour la télévision et réédité en 1999. En 2000, il publie un premier roman policier, *Nébulosité croissante en fin de journée*. *Le Rouge idéal* (2002), second volet de la série, reçoit le prix Arthur-Ellis 2003 du meilleur roman policier.

Son intérêt pour la criminalistique a amené l'auteur à écrire *Wilfrid Derome, expert en homicides* (2003). Grand Prix *La Presse* de la biographie, ce récit fait connaître le pionnier des sciences judiciaires et de la médecine légale en Amérique. Jacques Côté a été conférencier invité de l'École de criminologie de Montréal, de la Société médicale de Québec et du Laboratoire de sciences judiciaires et de médecine légale, mais aussi de plusieurs écoles et bibliothèques du Québec. En 2004, il a participé à la réalisation du documentaire sur la vie de Wilfrid Derome présenté à canal D.

Extrait du catalogue

Collection « Romans » / Collection « Nouvelles »

001	*Blunt – Les Treize Derniers Jours*	Jean-Jacques Pelletier
002	*Aboli* (Les Chroniques infernales)	Esther Rochon
003	*Les Rêves de la Mer* (Tyranaël -1)	Élisabeth Vonarburg
004	*Le Jeu de la Perfection* (Tyranaël -2)	Élisabeth Vonarburg
005	*Mon frère l'Ombre* (Tyranaël -3)	Élisabeth Vonarburg
006	*La Peau blanche*	Joël Champetier
007	*Ouverture* (Les Chroniques infernales)	Esther Rochon
008	*Lames soeurs*	Robert Malacci
009	*SS-GB*	Len Deighton
010	*L'Autre Rivage* (Tyranaël -4)	Élisabeth Vonarburg
011	*Nelle de Vilvèq* (Le Sable et l'Acier -1)	Francine Pelletier
012	*La Mer allée avec le soleil* (Tyranaël -5)	Élisabeth Vonarburg
013	*Le Rêveur dans la Citadelle*	Esther Rochon
014	*Secrets* (Les Chroniques infernales)	Esther Rochon
015	*Sur le seuil*	Patrick Senécal
016	*Samiva de Frée* (Le Sable et l'Acier -2)	Francine Pelletier
017	*Le Silence de la Cité*	Élisabeth Vonarburg
018	*Tigane -1*	Guy Gavriel Kay
019	*Tigane -2*	Guy Gavriel Kay
020	*Issabel de Qohosaten* (Le Sable et l'Acier -3)	Francine Pelletier
021	*La Chair disparue* (Les Gestionnaires de l'apocalypse -1)	Jean-Jacques Pelletier
022	*L'Archipel noir*	Esther Rochon
023	*Or* (Les Chroniques infernales)	Esther Rochon
024	*Les Lions d'Al-Rassan*	Guy Gavriel Kay
025	*La Taupe et le Dragon*	Joël Champetier
026	*Chronoreg*	Daniel Sernine
027	*Chroniques du Pays des Mères*	Élisabeth Vonarburg
028	*L'Aile du papillon*	Joël Champetier
029	*Le Livre des Chevaliers*	Yves Meynard
030	*Ad nauseam*	Robert Malacci
031	*L'Homme trafiqué* (Les Débuts de F)	Jean-Jacques Pelletier
032	*Sorbier* (Les Chroniques infernales)	Esther Rochon
033	*L'Ange écarlate* (Les Cités intérieures -1)	Natasha Beaulieu
034	*Nébulosité croissante en fin de journée*	Jacques Côté
035	*La Voix sur la montagne*	Maxime Houde
036	*Le Chromosome Y*	Leona Gom
037	(N) *La Maison au bord de la mer*	Élisabeth Vonarburg
038	*Firestorm*	Luc Durocher
039	*Aliss*	Patrick Senécal
040	*L'Argent du monde -1* (Les Gestionnaires de l'apocalypse -2)	Jean-Jacques Pelletier

041	*L'Argent du monde -2* (Les Gestionnaires de l'apocalypse -2)	Jean-Jacques Pelletier
042	*Gueule d'ange*	Jacques Bissonnette
043	*La Mémoire du lac*	Joël Champetier
044	*Une chanson pour Arbonne*	Guy Gavriel Kay
045	*5150, rue des Ormes*	Patrick Senécal
046	*L'Enfant de la nuit* (Le Pouvoir du sang -1)	Nancy Kilpatrick
047	*La Trajectoire du pion*	Michel Jobin
048	*La Femme trop tard*	Jean-Jacques Pelletier
049	*La Mort tout près* (Le Pouvoir du sang -2)	Nancy Kilpatrick
050	*Sanguine*	Jacques Bissonnette
051	*Sac de nœuds*	Robert Malacci
052	*La Mort dans l'âme*	Maxime Houde
053	*Renaissance* (Le Pouvoir du sang -3)	Nancy Kilpatrick
054	*Les Sources de la magie*	Joël Champetier
055	*L'Aigle des profondeurs*	Esther Rochon
056	*Voile vers Sarance* (La Mosaïque sarantine -1)	Guy Gavriel Kay
057	*Seigneur des Empereurs* (La Mosaïque sarantine -2)	Guy Gavriel Kay
058	*La Passion du sang* (Le Pouvoir du sang -4)	Nancy Kilpatrick
059	*Les Sept Jours du talion*	Patrick Senécal
060	*L'Arbre de l'Été* (La Tapisserie de Fionavar -1)	Guy Gavriel Kay
061	*Le Feu vagabond* (La Tapisserie de Fionavar -2)	Guy Gavriel Kay
062	*La Route obscure* (La Tapisserie de Fionavar -3)	Guy Gavriel Kay
063	*Le Rouge idéal*	Jacques Côté
064	*La Cage de Londres*	Jean-Pierre Guillet
065	(N) *Treize nouvelles policières, noires et mystérieuses*	Peter Sellers (dir.)
066	*Le Passager*	Patrick Senécal
067	*L'Eau noire* (Les Cités intérieures -2)	Natasha Beaulieu
068	*Le Jeu de la passion*	Sean Stewart
069	*Phaos*	Alain Bergeron
070	(N) *Le Jeu des coquilles de nautilus*	Élisabeth Vonarburg
071	*Le Salaire de la honte*	Maxime Houde
072	*Le Bien des autres -1* (Les Gestionnaires de l'apocalypse -3)	Jean-Jacques Pelletier
073	*Le Bien des autres -2* (Les Gestionnaires de l'apocalypse -3)	Jean-Jacques Pelletier
074	*La Nuit de toutes les chances*	Eric Wright
075	*Les Jours de l'ombre*	Francine Pelletier
076	*Oniria*	Patrick Senécal
077	*Les Méandres du temps* (La Suite du temps -1)	Daniel Sernine
078	*Le Calice noir*	Marie Jakober
079	*Une odeur de fumée*	Eric Wright
080	*Opération Iskra*	Lionel Noël
081	*Les Conseillers du Roi* (Les Chroniques de l'Hudres -1)	Héloïse Côté
082	*Terre des Autres*	Sylvie Bérard
083	*Une mort en Angleterre*	Eric Wright
084	*Le Prix du mensonge*	Maxime Houde
085	*Reine de Mémoire 1. La Maison d'Oubli*	Élisabeth Vonarburg
086	*Le Dernier Rayon du soleil*	Guy Gavriel Kay
087	*Les Archipels du temps* (La Suite du temps -2)	Daniel Sernine
088	*Mort d'une femme seule*	Eric Wright
089	*Les Enfants du solstice* (Les Chroniques de l'Hudres -2)	Héloïse Côté
090	*Reine de Mémoire 2. Le Dragon de feu*	Élisabeth Vonarburg
091	*La Nébuleuse iNSIEME*	Michel Jobin

La Rive noire
est le cent quatrième titre publié
par Les Éditions Alire inc.

Ce deuxième tirage
a été achevé d'imprimer
en mars 2006 sur les presses de